改訂第2版

救急認定ソーシャルワーカー標準テキスト
救急患者支援

監修 救急認定ソーシャルワーカー認定機構
編集 救急認定ソーシャルワーカー認定機構　研修・テキスト作成委員会

へるす出版

発刊にあたって

『救急認定ソーシャルワーカー標準テキスト』改訂第2版の発刊にあたり，日本保健医療社会福祉学会の会長としてごあいさつ申し上げます。

ご承知のように救急認定ソーシャルワーカー認定機構は，医療と福祉の連携が今日の喫緊の課題であり，救急医療におけるソーシャルワーカーは連携の重要な部分を担う存在です。これらに対応すべく，日本臨床救急医学会と日本保健医療社会福祉学会〔設立時は日本医療社会福祉学会でしたが，2019（平成31）年に一般社団法人化したのを契機に学会名称を変更〕を構成団体として，2015（平成27）年11月17日に設立されました。

救急医療現場のソーシャルワーカーは，緊急治療や入院に際して現実的な受け入れや生活変化への対処が困難な患者や，地域や社会からの周縁化を余儀なくされた社会的つながりの脆弱な人々へのかかわりが求められています。急激な事態に対し多くの人々は現実的に受け入れ，家族や関係者の支持を得て対処すると考えられますが，救急医療現場ではその事態を受け入れられずに不安が解消されないまま危機的な状況に陥っている人々もみられます。また，無保険，身元不明，路上生活，オーバーステイ，自殺未遂，孤立，引きこもり，虐待，嗜癖などを伴うことが顕在化します。ソーシャルワーカーは，医師や看護師などと連携し，搬送時からこのような人々が適切な医療につながる環境を整える役割が求められます。そして，ソーシャルワーカーの支援は個々の人々だけでなく，組織や地域での連携，さらには政策立案を視野に置くこととなります。

ソーシャルワークの実践や研究の歴史を顧みるとき，ソーシャルワークの焦点が個人に当てられた時代から，人々を取り巻く組織，地域，文化，政治社会的文脈に当てられるようになってきたといえます。さらに紛争状態が多数発生している世界情勢はグローバル化し，人々の生活に大きく影響を与えています。ソーシャルワーカーは難民の医療や生活サービスにも関与することがあります。そういったことを踏まえ，ソーシャルワーカーはサービス利用者の苦悩を感じ取る感性をもち，人権擁護やストレングス視点により，組織，地域，政策などに働きかけることになります。

ヒーリーはソーシャルワークの実践や研究から，「専門ソーシャルワーク実践の中核要素」は「視座」「価値」「基本的態度」「支援過程」「コミュニケーションスキル」で構成されるとしています[1]。救急医療のソーシャルワーカーにおいてもこのような中核要素を保持する必要がありますが，さらに救急医療に特化したコンピテンシー（力量）が求められます。また，救急医療現場の特性は，「緊急性」「迅速性」「適時性」「臨機応変性」などにあるとされています[2]。そのため，救急医療のソーシャルワーカーのコンピテンシーはこの特性に対応したものが求められます。加えて，このコンピテンシーは現場実践の経験や省察から帰納的に蓄積された，いわば実践経験知に基づくものでなければなりません。

本書は2017（平成29）年9月に発行されました，『救急患者支援―地域につなぐソーシャルワーク；救急認定ソーシャルワーカー標準テキスト』の改訂版となります。今回，大部分の章が救急医療現場のソーシャルワーカーにより執筆されていることの意義は大きいと考えます。それは救急医療の場で求められるソーシャルワーカーの実践経験知により裏づけられた産物であるからです。その実践経験知が新たな認定ソーシャルワーカーに伝承されることを切に願います。また認定資格を取得しようとするソーシャルワーカー以外のソーシャルワーカーや関係職種の方々，そしてソーシャルワークの研究者や学生にも広くお役立ていただけることを願っています。

2024年4月

一般社団法人　日本保健医療社会福祉学会
会長　熊谷　忠和

文献

1) カレン・ヒーリー 著，杉本敏夫，熊谷忠和監訳：ソーシャルワークの方法とスキル；実践の本質的基盤．みらい，岐阜，2016.
2) 岡本民夫：救急医療におけるソーシャルワーカーの役割と機能．救急認定ソーシャルワーカー認定機構監，救急認定ソーシャルワーカー認定機構研修・テキスト作成委員会編，救急患者支援―地域につなぐソーシャルワーク；救急認定ソーシャルワーカー標準テキスト，へるす出版，東京，2017，piii-iv.

発刊にあたって（初版）

わが国では近年，急速に高齢化が進んでいます。全人口に占める高齢者（65歳以上）の割合は，2015（平成27）年は26.6％でしたが，2025年には30％を超え，2035年には3人に1人が高齢者となる社会が到来します。高齢化社会に対し，地域包括ケアシステムが構築され，多くの高齢者が，住まい・医療・介護・予防・生活支援を，地域で受けるようになります。また，貧困，虐待，犯罪，外国人の増加など高齢化社会以外にも，現代社会が抱える課題は数多くあります。

このような社会環境のなか，救急医療のニーズや救急患者に対する対応はより複雑化しています。救急車で搬送される傷病者のうち高齢者が占める割合は，2015年には55％を超えました。また，外傷傷病者が減少するなか，疾病傷病者の割合が増加しています。高齢者の多くは，複数の疾患を有することに加え，さまざまな社会背景を伴っています。また，貧困による保険未加入の問題や，犯罪の可能性などの問題もあり，われわれ救急医療に従事する者が，単に医療を提供するのみでなく，介護，福祉についての対応まで求められることも少なくありません。

こうした救急医療の現場で，医師，看護師などとのチーム医療の下，多くのソーシャルワーカーが活躍しています。他の診療科とは異なり，救急医療における問題の多さを考えれば，救急領域で活躍するソーシャルワーカーには，より専門的な知識と技能が求められます。このような背景の下，2016（平成28）年に，日本医療社会福祉学会と日本臨床救急医学会を構成団体とする救急認定ソーシャルワーカー認定機構が設立されました。本機構の救急認定ソーシャルワーカー認定制度は，救急医療現場におけるソーシャルワークの実践に必要な知識および技術を有するソーシャルワーカーを養成し，統一した基準の下にその認定を行うことで，救急医療の質の向上および人間の福利の増進に貢献することを目的としています。

本書は，救急認定ソーシャルワーカーとして習得しておくべき知識をあまねく網羅しているとともに，実践においても役立つよう実際の事例を提示しつつソーシャルワーカーとしての具体的対応を紹介しています。2017（平成29）年1月に第1回の認定試験が実施されましたが，今後，救急認定ソーシャルワーカーの取得を目指す方々の必須のテキストでもあります。

認定資格を取得しようというソーシャルワーカーだけでなく，多くのソーシャルワーカーの皆様に，日々の救急医療の現場での問題解決において，本書が広くお役立ていただけることを願っています。

2017年8月

一般社団法人　日本臨床救急医学会
副代表理事　溝端　康光

巻頭言

救急医療の一翼を担うソーシャルワーカーの役割

　救急認定ソーシャルワーカー認定機構は，救急患者とその家族への支援に必要な知識と技術をもったソーシャルワーカーを養成するために2015（平成27）年に設立された。認定制度の目的は，救急医療の質の向上および人間の福利（ウェルビーイング）の増進にソーシャルワーカーとして貢献することにある。

　救急医療の対象となる傷病者の年齢層は幅広く，救急初期診療から急性期を経て在宅に至る診療経過のなかで患者やその家族を支えるには，脆弱な家族背景や弱い社会生活基盤しかもたない患者にあっても急性期治療後の療養環境を考慮し，患者・家族に寄り添う視点が必要である。しかも救急医療では，しばしば時間との闘いを求められるため，治療方針を決定していく医療チームとの連携もいっそう重要になる。救急認定ソーシャルワーカーがその役割を担って初期から協働することは突然の事態に混乱をきたしている救急患者とその家族を支えることになる。

　救急認定ソーシャルワーカーの標準テキストとして，認定に必要な知識と実践をまとめた『救急患者支援—地域につなぐソーシャルワーク；救急認定ソーシャルワーカー標準テキスト』が2017（平成29）年9月に上梓され，統一した基準の下に研修と試験が開始された。本書はその改訂版であり，本機構が実施するこれからの認定研修のための標準テキストとしてよりコンパクトに，実践的にまとめられている。

　本書では，まず，救急医療と救急医学について，病院前の救護や搬送から受け入れ医療機関での診療までを包括した救急医療体制と，病気やけが，中毒などの強い侵襲がもたらす病態や生体反応のメカニズムを研究して治療法につなぐ救急医学についての概説があり，救急医療の一翼を担うために必要な救急医療の基礎知識が提示されている。また，救急医療の場でのソーシャルワークに求められる倫理的配慮，患者・家族の権利擁護，ソーシャルワークの展開などの説明に加えて，精神科的諸問題を含めて救急認定ソーシャルワーカーに求められるソーシャルワークの実践論が示されている。各論的には救急領域で代表的な16事例として，心肺蘇生後，脳血管障害，頸髄損傷，熱傷（火災），自殺企図，ホームレス状態，交通外傷，外国人，児童虐待，DV，特定妊婦（未受診妊婦），アルコール多飲（アルコール依存症），精神科救急，帰宅困難者，熱中症，末期がん患者を取り上げ，具体的な支援活動の道筋を示している。

　初期診療から急性期を経て在宅に至る診療経過のなかで患者やその家族を支えるには，診療とともに患者の療養環境を視野に入れたサポートを並行して行う必要がある。初期診療の場では，突然の事態に混乱する患者やその家族に寄り添う役割を担いながら，社会的・経済的課題を想定した支援活動も同時に策定することになる。急性期の治療方針に対する患者・家族の意思決定の支援には，患者・家族が自らの思いや疑問を表現できるよう寄り添うことが重要である。救急の場ではとくに迅速性が求められるため，時間制限のなかで医学的，社会・経済的，精神医学的課題を評価し，診療方針や刻々と変化する病態を患者・家族と共有する必要がある。患者・家族の疑問や悩みを傾聴し，意思決定を支え，医療チームとそれらを共有することで診療の一翼を担うことができる。

　意思決定支援については，説明と同意（informed consent；IC），共同意思決定（shared decision making），DNAR（do not attempt resuscitation：心停止時に心肺蘇生を行わない指示），POLST（physician orders for life sustaining treatment：生命維持に関する医師による指示書），ACP（advance care planning：人生会議）などの考え方や方法論に精通する必要性があり，エンドオブライフ・ケアには救命を主眼にした救急医療とは異なった考え方も求められる。臓器提供などのきわめてナイーブな課題への対応にも救急認定ソーシャルワーカーの果たす役割は大きい。

　貧困，虐待，自殺などといった社会的課題と密接にかかわる救急患者にソーシャルワーカーは初期診療から介入することになるが，これらの患者は，身体医療，精神医療のいずれか単独では治療が完結しない。また，精神医学的問題を抱える患者へのチーム医療にソーシャルワーカーが介入することは診療の支援につながる。家族関係が脆弱なことに起因する経済問題や家庭問題に加えて身体的障害の継続的治療など，複雑に絡んだ課題を抱え込む傷病者が社会生活に戻るまでの道筋をつけることは必ずしも容易ではない。ソーシャルワーカーには救急診療の入口から出口まで一貫した支援が求められるが，かかる協働作業の担い手を救急領域で明確にすることは救急認定ソーシャルワーカー

という制度を新たに策定した目的でもある。

　2024（令和6）年4月までに救急認定ソーシャルワーカーとして登録されているのは244名であり，三次救急医療機関数に比べてもまだ少ない。2025（令和7）年以降には人口の相当数を占める団塊の世代がすべて75歳以上の後期高齢者となり，医療・介護ニーズが急速に増大する。その後の2040（令和22）年にかけて高齢者人口は大きく変化しないものの15～64歳の生産年齢人口は急速に減少していく。このため，医療・介護保険制度の財政がますます厳しくなり，医療・介護の支え手となる人材の確保も難しくなると思われる。今後は地域の医療ニーズに沿って必要な医療従事者の養成・確保が求められる。地域医療計画における整備目標としては，国が指定した，がん，脳卒中，心筋梗塞などの心血管疾患，糖尿病および精神疾患の5疾病と救急医療，災害時における医療，新興感染症発生・まん延時における医療，へき地の医療，周産期医療および小児医療（小児救急医療を含む）の6事業ならびに在宅医療（令和5年5月26日厚生労働省医政局長通知，「医療計画について」の一部改正について）があるが，救急医療がかかわる疾病や事業は多い。これらの医療計画のなかで，対応すべき職種としてソーシャルワーカーが明記されているのは周産期医療での社会福祉士と精神疾患での精神保健福祉士があるが，救急に関連する疾病や事業ではいずれも患者支援や転院調整，退院後の生活支援などのソーシャルワークが重要となる。今後もますます専門性の高い救急認定ソーシャルワーカーのニーズが高まると思われるが，病院での人材確保には診療報酬と関連した難しい課題がある。その意味でもソーシャルワーカーという職種が医療計画に書き込まれる意義は大きい。救急認定ソーシャルワーカーが救急医療の一翼を担っていると広く社会に認知されることはそれにつながる重要な一歩になる。

　本書は救急認定ソーシャルワーカー認定研修を主な目的に編集されているが，さまざまな課題を抱える救急患者へかかわる関連職種の方にも参考になるものと確信している。救急医療に関連する医療政策担当者や病院関係者，さらに医療現場で多職種協働の担い手となる医師，看護師，薬剤師，臨床検査技師，放射線技師，理学療法士，作業療法士，言語聴覚士，管理栄養士・栄養士など関連職種の方々にも一読していただければ幸いである。

2024年4月

救急認定ソーシャルワーカー認定機構
代表理事　定光　大海

巻頭言（初版）救急医療におけるソーシャルワーカーの役割と機能

　医療領域ではすでに医師，看護師，薬剤師などの専門職分野において認定資格制度が実施されているが，いずれもそれぞれの専門性を維持，向上，発展させ，より高度な専門性を確保し，実践力を担保することによってサービス内容の高度な質的確保を意図して制度化されている。

　社会福祉分野においても「認定社会福祉士」および「上級認定社会福祉士」の制度ができている。2006（平成18）年，社会福祉士に関する「専門社会福祉士（仮称）」として認定する仕組みの検討が開始された。その背景には「資格取得後の体系的研修の充実」や「より高度な専門性を有する専門社会福祉士を認定する仕組み」の構築を意図する目的があり，以降，2007（平成19）年社会福祉士及び介護福祉士法改正にあたり，上記の意図と目的をもって検討会が開始され，2009（平成21）年には中間報告書，2010（平成22）年には同基礎研究事業報告書，および基礎研究事業報告がそれぞれ公表された。2011（平成23）年「専門社会福祉士認定システム機構事業報告書」が発表され，同年10月「認定社会福祉士認証・認定機構」が設立され，現在に至っている。

　救急医療は基本的には医療の一環ではあるが，対応においては，緊急性，迅速性，適時性，臨機応変性などが求められるという意味において特別高度な対処・措置が必要とされる領域である。この認識に立ち，ジェネリックな認定社会福祉士とは別建てで「救急認定ソーシャルワーカー」の創設に至った。

　近年，救急で搬送されてくる患者の背景が複雑に変化しているといわれている。その背景には，人口減少，急速に進む高齢化，後期高齢者の急増，独り暮らしの人々，社会的な孤立者，閉じこもり，引きこもりなど閉鎖性が強く，対人的あるいは社会的関係の脆弱な無縁者の増加がみられる。また，家族の形態，規模，機能の変化，さらにはこれと連動している近隣との触れ合い，交渉，連絡の疎遠化，相互扶助機能の劣化など，いわゆる無縁社会のなかで生活を営んでいる人々が急増する状況が懸念されており，一部には現実的な喫緊の課題となっている。

　そのため緊急事態の発生に迅速かつ的確に対応することが困難となりつつあり，とくに大規模な事故や災厄に遭遇するリスクの高い人々の存在をも看過することができない。また，災害大国と呼ばれるわが国において，地震，津波，水害，土砂災害などの災害発生の頻度が高く，ハイリスク社会が到来している。したがって，今日，こうしたリスクを抱えている人々は無限に広がりをみせており，極論すれば，すべての人々がハイリスク社会のなかで生活しているといっても過言ではなく，各種の防災対策が，施設，設備，装置などのハードウエアによる対策，防災訓練を含め緊急時にいかに対処し，機能させるかなどのソフトウエア，さらには災害に対する個人の意識構造の変革などヒューマンウエアのあらゆる局面で危機への対応が国民的課題となっている。そのなかでも重度の要援助状態を抱え，高層建築物に居住している高齢者，障害児者，孤立無援状態の人々，あるいは人口過疎現象が進む限界集落や消滅自治体が懸念される地域社会のなかで生活を営んでいる人々，さらには地震，津波，水害などの自然災害リスクの高い地域における住民は，常に災害防止に備えることを日常生活の一環に位置づけても不思議ではない状況にある。理想をいえば，緊急事態に備えて個々の住民が自主的，自発的に個人のリスクやニーズ情報をあらかじめ登録をしておくという意識と自覚，合意がシステムとして成立すれば，さしたる問題ではないがこれは至難の業であるといわれている。

　すでに各地の救命救急センターでは，医療ソーシャルワーカーが多くの経験と実績を積み上げていることは周知のところである。その実績と経験をいっそう高度な水準にまで実践力を向上させ，担保するかが大きな課題である。

　そこで初歩的な議論になるが，ソーシャルワーカーの養成・教育・訓練・研修という一連の教育のあり方が課題となる。

　一般的にはソーシャルワークに関する理論学習として，①講義や理論書による学習を踏まえて，②学習した理論の確認や理解度を深め，応用思考や応用動作を体得するためには，いわゆる演習による学習が不可欠であり，③これを机上の学習にとどめることのないように教室などの学習の場面でロールプレイなどを通じて，疑似体験学習を積み重ねておく必要がある。そして④現場実習においてこれらの一連の学習活動で習得した成果を具体的に実践していくこ

とが実習の大きな意味である。⑤こうした実習の体験学習は事後学習によって，振り返りとしての省察を通して，理論学習など一連の学習で得たものを再確認し，あるいは課題を見出し，その後の学習内容の水準を向上させる機会を作る必要がある。

他方，就労後においても専門職たるソーシャルワーカーは，常に自己研鑽を重ね，自らの営為を振り返り，その質や妥当性を検証し，確認しながら業務を遂行することになる。この段階で研修と呼ばれる継続教育や卒後教育などリカレント教育の必要性が強調されなければならない。とくに日進月歩の医療保健領域においては，過去学習した内容がすぐさま陳腐化することになる。そのため最先端の理論，知識や高度な技術を学習するために継続教育や卒後教育が不可欠となり，いわゆる生涯研修システムが重要な課題となっている。

このようにソーシャルワーカーに通底する一般学習に加えて，危機状況や短期的対応が希求される現場においては，迅速性，緊急性などから，新たな学習と臨床経験を積み上げていく必要がある。その場合，ソーシャルワーカーがいかなる姿勢で，どのような視点から緊急事態に対処していくかが大きな問題である。

医療ソーシャルワーカーが緊急事態に対処するには，ソーシャルワークの理論実践モデルの応用も重要であるが，今一つ重要なことは，これまでの救急場面における体験，経験などの経験知を系統的に蓄積しながら，そのなかから学び取った知見や経験法則を抽出し，体系化していく方法として「実践の理論化，科学化」という方法があり，これを通じて，法則定立型の理論を構築することである。そのためには，平素の経験，体験などを言語化して，情報として共有化していく道筋が必要である。つまり理論を現場に応用する演繹法的なやり方に対し，この種の方法は具体的事象から抽象へと導いていく，いわゆる帰納法的な研究実践である。

このように救急医療ソーシャルワークは，今後に向けていっそうの高度な知識の蓄積と臨床知を系統的に集積し，新たな理論・実践モデルを開発し，創生していく必要がある。

この手法は，緊急事態にすぐ役立つものではないが，その後の対応にとって重要なものとなる。突発事象や緊急事態はその後にもさまざまな課題を引きずるものであり，その場限りのものではない。とくに緊急時の発生や事故による死亡，各種の家族的な喪失，人間関係や社会関係の急変など各種の喪失によって新たなニーズが招来されることがきわめて多い。そのためには，当事者や関係者の変化していく状況を巡って発生するニーズに積極的に取り組み，対応する姿勢が求められる。とりわけ緊急事態に当面している当事者は，総じて混乱状態やパニック状態になっていることがまれではない。この状況のなかで当事者のニーズを的確に把握し，整理し，援助に向けて論理化することは容易なことではないが，事態の発生以降の過程や経過を考慮すると，避けて通ることのできない課題である。

このように緊急事態への対応は，迅速性，的確性，適時性が求められるところであり，こうした状況を踏まえた平時からの研修を行う必要がある。とくに理論学習とともにその応用動作や手法を学ぶための演習・ワークショップ，その延長としての疑似体験学習，さらには現場・臨床における長期に及ぶ実習体験，また，実習体験を省察し，有効活用していくための事後学習の実践が重要である。さらに日常的にはスーパービジョンを受ける場と機会を作っておく必要がある。

冒頭にも指摘したように救急救命現場におけるソーシャルワーカーは，緊急性，迅速性，臨機応変性などが希求される領域であり，定式化されている実践活動に加えて常に緊急で突発的な事態に対応できる構えと姿勢を保持しておくことが重要である。しかし，ソーシャルワークの養成課程においては，カリキュラムとして設置されているところは必ずしも多くはない。

災害大国と称せられるわが国においては，今後ますます需要の多い分野となる。そのためには救急・緊急ソーシャルワークの新設科目を設置するべきである。過去，阪神・淡路大震災，東日本大震災，熊本地震による大災害などの多くの災害によって，貴重な体験をしてきたわれわれにとって，これらの災害から体得した経験，体験，所見，知見などから，真摯な学習を繰り返し行うべきであり，この教訓を現実の事態に応用するとともに将来に向けて有効に生かす研究と教育が不可欠である。

救急認定ソーシャルワーカー認定機構
代表理事　岡本　民夫

監修・編集・執筆者一覧

■**監　修**
　救急認定ソーシャルワーカー認定機構

■**編　集**
　救急認定ソーシャルワーカー認定機構　研修・テキスト作成委員会

■**編集委員**（五十音順，●：編集委員長）
　　井上　健朗　　東京通信大学人間福祉学部
　　内田　敦子　　前東海大学医学部附属病院
　●篠原　純史　　文京学院大学人間学部人間福祉学科
　　野村　裕美　　同志社大学社会学部社会福祉学科

■**執筆者**（五十音順）
　　浅野正友輝　　トヨタ記念病院
　　阿部　靖子　　東京医科歯科大学病院
　　井上　健朗　　東京通信大学人間福祉学部
　　上野　　哲　　国立高等専門学校機構小山工業高等専門学校
　　内田　敦子　　前東海大学医学部附属病院
　　桑島　規夫　　聖マリアンナ医科大学横浜市西部病院
　　郡　　章人　　徳島県鳴門病院
　　駒野　敬行　　浅香山病院
　　駒山　裕耕　　帝京大学医学部附属病院
　　佐々木由里香　山梨県立病院機構山梨県立中央病院
　　佐藤　圭介　　帝京大学医学部附属病院
　　篠原　純史　　文京学院大学人間学部人間福祉学科
　　髙橋　紀貴　　国立病院機構高崎総合医療センター
　　野村　裕美　　同志社大学社会学部社会福祉学科
　　兵倉　香織　　市立四日市病院
　　樋渡　貴晴　　医療法人豊田会刈谷豊田東病院
　　福田　育美　　国立病院機構四国こどもとおとなの医療センター
　　藤見　　聡　　大阪府立病院機構大阪急性期・総合医療センター
　　萬谷　和広　　国立病院機構大阪南医療センター
　　三宅　康史　　帝京大学医学部救急医学講座/帝京大学医学部附属病院高度救命救急センター
　　横田順一朗　　堺市立病院機構堺市立総合医療センター

目次

第1章　救急医療と救急医学

第1節　救急医療体制 …………………………………………………………………………… 2
第2節　救急医学概論 …………………………………………………………………………… 10
コラム　災害派遣医療チーム（Disaster Medical Assistance Team；DMAT）とは ……… 15
第3節　救急医療における精神科諸問題と対応 …………………………………………… 16
コラム　PEEC™（Psychiatric Evaluation in Emergency Care）コースについて ………… 21
コラム　入院時重症患者対応メディエーター（Critical Care Mediator）養成講習 ……… 22

第2章　救急認定ソーシャルワーカー

第1節　救急認定ソーシャルワーカー認定制度 …………………………………………… 24
第2節　救急認定ソーシャルワーカーの役割 ……………………………………………… 26

第3章　救急医療におけるソーシャルワーク

第1節　救急医療における倫理的課題 ……………………………………………………… 32
第2節　救急医療における患者・家族の権利擁護 ………………………………………… 38
第3節　救急医療におけるチームアプローチ ……………………………………………… 45
第4節　救急医療におけるソーシャルワーク（精神科リエゾン）………………………… 51
第5節　精神科救急医療におけるソーシャルワーク ……………………………………… 54

第4章　救急医療におけるソーシャルワーク実践の展開

第1節　実践の展開 ……………………………………………………………………………… 58
コラム　病院前救護体制とESWの連携 …………………………………………………… 64
第2節　実践事例；知的障害のある息子を案じて入院を拒否する母親への支援 ……… 65
第3節　スーパービジョン事例 ……………………………………………………………… 72

第5章 典型的な支援領域の事例

事例の説明 78
  事例1 心肺蘇生後 80
  事例2 脳血管障害 84
  事例3 頸髄損傷 87
  コラム リハビリテーションスタッフとのチームアプローチ 91
  事例4 熱傷（火災） 92
  事例5 自殺企図 96
  事例6 ホームレス状態 100
  事例7 交通外傷 103
  事例8 外国人 107
  事例9 児童虐待 111
  事例10 DV 115
  コラム 虐待・DV対応における通告・通報 118
  事例11 特定妊婦（未受診妊婦） 119
  事例12 アルコール多飲（アルコール依存症） 123
  コラム アルコール依存症を発見する簡易スクリーニングテスト 126
  事例13 精神科救急 128
  コラム 精神科入院形態 132
  事例14 帰宅困難者 133
  コラム 帰宅困難者のフロー 136
  事例15 熱中症 137
  事例16 末期がん患者 141
事例の総括 144

索 引 148

第1章

救急医療と救急医学

第1章 救急医療と救急医学

第1節 救急医療体制

I 救急診療と救急医療体制

健康状態が急変し,何らかの医学的介入なくしては病勢の悪化を阻止できない状態にある者を救急患者という。救急患者を診察し,医学的な介入や施術をもって病勢の悪化を阻止し,治療を行うことを救急診療という[1]。この診療を支援する人的,財政的資源を含めた仕組みを救急医療と呼び,そのシステム化が救急医療体制である。救急診療は医学の進歩とエビデンスによって支えられ,ある程度,普遍的なものである。しかし,救急医療およびその体制はその国の医療制度,医療資源や地理的条件により格差が生じやすい。本節ではわが国の救急医療体制を解説するが,上記の理由により諸外国とは異なる点も多い。

わが国では,時間外の外来診療や休日・夜間の診療を"救急"ととらえ,体制整備が進められてきた。これは,医学的な意味での救急患者以外も含まれるので注意すべきである。この定義による救急受診は外来受療率の0.6%,初診外来の約3%にすぎないが,1日10万人当たり約30人となり,その1/3が救急車を利用している（図1-1-1）[2]。

なお,救急に関する診療および体制を研究するのが救急医学であり,基礎から臨床医学に及ぶだけでなく,診療科を横断する領域の広さと地域社会との関連性が強いことに特徴がある[3]。詳細については,次節の「救急医学概論」で解説する。

II 救急診療の特徴

救急診療が一般診療との相違を明確にさせる要素は時間である。救急医学では,状態の悪化する速度が速ければ緊急度が高いとされ,適切な医療介入を行っても死亡したり,重篤な後遺症を残したりする傷病を重症度が高いという。病勢の悪化は迅速な医学的介入により阻止できる可能性が高いため,救急診療では緊急度を重視する。したがって,救急患者を救うには診療の質の向上とともに時間軸に焦点を当てたシステム化が不可欠である（図1-1-2）[1]。時間を短くする工夫としてはドクターカーやドクターヘリなどによる一刻も早い診療行為開始の例がある。さらに,救急搬送と医療機関の受け入れに

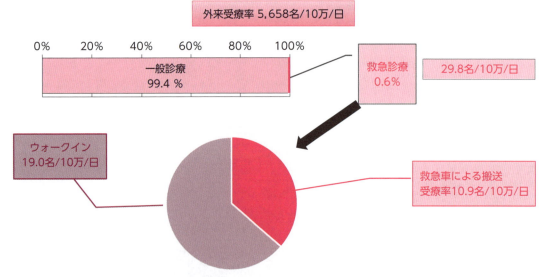

図1-1-1 患者調査による救急患者の推計と救急車利用の割合
ウォークインとは救急車以外で受診する患者のことを指す。本統計には歯科は含まれない。外来患者のうち初診が約20%を占めるとされ,初診外来に占める救急の割合は約3%になる

〔文献2）を基に作成〕

$$\text{救命率向上，良好な転帰} = \frac{f(質) \times f(量)}{時間}$$

図 1-1-2 救急診療の治療成績を左右する要素
救急診療の成績は診療の質や豊富な医療資源に加え，いかに迅速に遂行できるか，「時間」要素に強く依存する
〔文献 1）p9 より引用・改変〕

表 1-1-1 救急医療の3要素

①搬送（アクセス）
②医療機関
③情報

おけるミスマッチを回避することも大切である。

一方，診療の質については，エビデンスなどを基本にした標準診療の実施，診療スタッフの修練，安全医療への取り組みなど一般診療における取り組みと同様の努力が必要である。救急では，これに一度に費やせる医療設備やマンパワーといった医療資源の豊富さが診療の転帰を左右する。

救急患者が診療を受けるには診療可能な医療機関の存在と移動手段の獲得が不可欠である。自力で受診する場合でも救急車を利用する場合でも，病態や傷病に応じた応需可能な医療機関の情報が必要である。このようなことから，救急医療では，①搬送（アクセス），②医療機関および③情報の3つの要素が柱となる（表1-1-1）。搬送（①）は主として消防機関が担っているが，病院に至るまで救急救命処置や応急手当を併せて行うことから，「救急業務」さらには「病院前救護」として体制整備が論じられる。近年，病院に至るまでの仕組みを，メディカルコントロール（後述）により医療統制されるシステムであることを強調し，病院前医療体制と呼ばれる。また，医療機関（②）は診療を提供する側の制度として整備されている。

III 現場から医療機関までの体制（病院前医療体制）

1. 消防機関による病院前救護

体調が急変したとき，あるいは事故などによりけがを被ったとき，医療機関への搬送の担い手として消防機関の役割が大きい[4]。

わが国の消防機関による救急搬送体制は，交通事故急増を背景に，1963（昭和38）年，交通事故など屋外の傷病者を医療機関に搬送する「救急業務」として消防法により法制化された。これを受けて，搬送先医療機関の確保を目的に，翌1964（昭和39）年「救急病院等を定める省令」が発出され，いわゆる救急告示制度が始まった。その後，救急需要が屋外の傷病だけでなく，急病依頼も増加し，1986（昭和61）年に疾病傷病者の搬送が法的に追加された（表1-1-2）。

1998（平成10）年以降には，救急搬送件数（人員）が増加の一途をたどり，医療機関の受け入れが困難となる事態が多々生じるようになった。背景には，診療科の専門分化，臨床研修制度発足による現場医師の不足，不適切な救急車利用などがあった。このようななかでも，多発外傷患者の緊急手術，脳梗塞に対する血栓溶解療法，急性冠症候群に対する経皮的冠動脈インターベンション（percutaneous coronary intervention；PCI）など，傷病者の病態に応じた適切な医療機関選定と受け入れこそが生死や予後を左右するため，消防機関と医療機関の機能的な連携が見直されるようになった。2009（平成21）年，消防の使命として「適切な搬送」が消防組織法の総則に追加，改正され，消防法に搬送と受け入れに関する項目が明記された。すなわち，救急隊員（救急車の運用）は傷病者の安定化を図る一方，病態や傷病に応じた医療機関の選定と搬送を行い，医療機関に引き渡すところまでを法的に明確化された。

搬送の途上で傷病者の状態を悪化させず，安定化を図るためには手当や処置が必要である。病院前救護を専門的に行う医療職として1991（平成3）年「救急救命士法」が公布され，1992（平成4）年より救急救命士が誕生し，現在では全国の救急車で活躍している。なお，救急救命士は，2021（令和3）年10月からは医療機関の救急部門でも救急救命処置を行えるようになっている。

全国消防機関の実施体制は表1-1-3の＊に，2021年中の活動状況は＊＊に示すとおりである[5]。救急出動件数および搬送人員は年々増加し，新型コロナウイルス感染症パンデミックの影響で一時減少したものの，再び増加に転じている。この要因は人口構成比に占める高齢世代の増加であり，結果として救急搬送においても高齢者数が年々増加している（図1-1-3）[5]。今日の医療政策，とりわけ救急医療対策を講じるうえで重要な課題となっている。

2. 病院前診療

医療機関に搬送するまでに医行為を行う手立てとして，医師を含む医療スタッフを救急現場に送る方法がある。これが病院前診療であり，ドクターヘリやドクターカーの活動がこれにあたる。

第1章 救急医療と救急医学

表1-1-2 救急搬送法制化の変遷と救急病院の体制

消防機関（消防法など）	医療機関（省令など）
• 1963（昭和38）年消防法改正 　⇒負傷者の搬送義務化 • 1986（昭和61）年消防法改正 　⇒疾病傷病者の搬送追加 • 2009（平成21）年消防法改正 　⇒適切な搬送を追加	• 1964（昭和39）年「救急病院等を定める省令」 　⇒救急告示病院（外科） • 1987（昭和62）年「救急病院等を定める省令」改正 　⇒救急告示病院（内科、小児科などの追加） 　⇒「傷病者の搬送及び受入れの実施に関する基準の策定」と法定協議会設置を都道府県に通知

表1-1-3 消防機関による救急業務実施体制と状況

消防本部数*	723本部
救急業務実施市町村数*	1,690市町村
• 救急隊数	5,328隊
• 救急隊員数	65,853人
• 救急救命士資格保有者	42,495人
うち救急隊員として活動している救急救命士	29,389人
• 緊急自動車保有台数	6,549台
救急出動件数**	619万3,581件
搬送人員**	549万1,744人
うち高齢者（満65歳以上）	339万9,802人（61.9%）
うち軽症（外来診療）	246万460人（44.8%）
所用時間*	
入電から現場到着	約9.4分
入電から病院到着	約42.8分

*2022（令和4）年4月1日時点の体制、**2021（令和3）年中の統計

〔文献5）より引用・改変〕

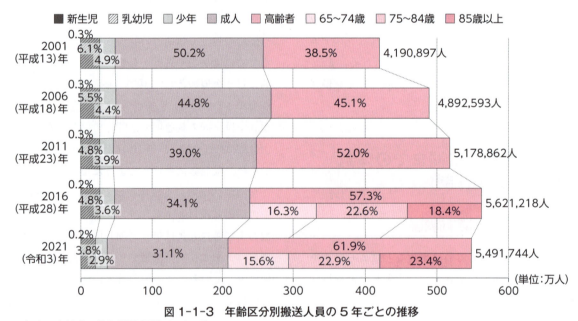

図1-1-3 年齢区分別搬送人員の5年ごとの推移

年々、高齢者の救急搬送が増加している

〔文献5）より引用・改変〕

　ドクターヘリとは、救急医療用の医療機器などを装備したヘリコプターであって、救急医療の専門医および看護師が同乗し救急現場などに向かい、現場などから医療機関に搬送するまでの間、患者に救命診療を行う専用ヘリコプターをいう。2001（平成13）年、2カ所の大学病院で「ドクターヘリ試行的事業」が始まり、2007（平成19）年「救急医療用ヘリコプターを用いた救急医療の確保に関する特別措置法」（以下、ドクターヘリ法）が制定されたことを契機に急増し、2022（令和4）年4月現在、全国で56機運航されている。京都府だけが基地局を有さないが、関西広域連合の運航でカバーされ、47都道府県すべてが網羅されている。

表 1-1-4 「救急病院等を定める省令」が規定する救急病院の要件

1. 救急医療について相当の知識および経験を有する医師が常時診療に従事していること
2. エックス線装置，心電計，輸血及び輸液のための設備その他救急医療を行うために必要な施設及び設備を有すること
3. 救急隊による傷病者の搬送に容易な場所に所在し，かつ，傷病者の搬入に適した構造設備を有すること
4. 救急医療を要する傷病者のための専用病床又は当該傷病者のために優先的に使用される病床を有すること

1964（昭和39）年厚生省令発布，2007（平成19）年一部改正

〔文献6）より引用・一部抜粋〕

表 1-1-5 令和5年度の救急医療対策事業実施要綱の目次

- 第 1 初期救急医療体制
  （休日夜間急患センター，小児初期救急センター）
- 第 2 入院を要する（第二次）救急医療体制
  （病院群輪番制病院，共同利用型病院，小児救急医療拠点病院，ヘリコプター等添乗医師等確保事業）
- 第 3 救命（第三次）救急医療体制
  （救命救急センター）
- 第 4 救命（第三次）救急医療体制
  （高度救命救急センター）
- 第 5 小児救命救急センター
- 第 6 ドクターヘリ導入促進事業
- 第 7 救急救命士病院実習受入促進事業
- 第 8 小児集中治療室整備事業
- 第 9 非医療従事者に対する自動体外式除細動器（AED）普及啓発事業
- 第10 救急医療情報センター
  （広域災害・救急医療情報システム）
- 第11 救急・周産期医療情報システム機能強化事業
- 第12 救急患者退院コーディネータ事業
- 第13 中毒情報センター情報基盤整備事業
- 第14 救急医療体制強化事業（メディカルコントロール体制強化事業）
- 第15 救急医療体制強化事業（搬送困難事例受入医療機関支援事業）
- 第16 外傷外科医等養成研修事業
- 第17 遠隔ICU体制整備促進事業

〔文献7）より引用・一部抜粋〕

ドクターカーには救急車と同様に傷病者を搬送できるタイプ（救急車型ドクターカー）と医師や看護師を現場に搬送する目的のタイプ（乗用車型ドクターカーまたラピッドレスポンスカー）とがある。自施設で救急車型ドクターカーを運用している医療機関もあるが，消防機関と連携して救急車に医療スタッフを乗せる場合，乗用車型ドクターカーとドッキングする場合などがある。通常，交通事故などによる重度外傷例，複数傷病者，救出困難例の場合やCPA（心肺停止状態）のような重症例に出動することが多いが，ドクターヘリの運行を補完するかたちでも運用されている。

Ⅳ 救急医療機関

1. 救急業務の受け皿として；救急告示病院

すでに述べたように，1963年の消防法改正を受け，救急病院等を定める省令により救急病院の要件が定められ，さらに，1986年の消防法改正を経て，要件が修正されてきた（表1-1-4）[6]。この省令が長く救急告示制度のよりどころとなっているが，救急車を受け入れる病院を確保するために出されたものであり，「救急病院等を定める省令」自体は救急医療体制を体系化する仕組みから生まれたものではない。

2. 医療機関の階層化； 初期，第二次，第三次救急医療機関

救急医療を体系的に整備するために（旧）厚生省は1977（昭和52）年に救急医療対策事業として救急医療機関を機能別に階層化した。これが，今日の初期，第二次，第三次救急医療機関の体制整備の始まりであり，以来，ほぼ毎年救急医療の整備に関する事業や助成について，「救急医療対策事業実施要綱」として厚生労働省医政局から発出されている（表1-1-5）[7]。第二次救急医療体制については，救急車の受け入れを契機に始まった「救急告示制度」との併存は複雑であり，1998年の「救急病院等

第1章 救急医療と救急医学

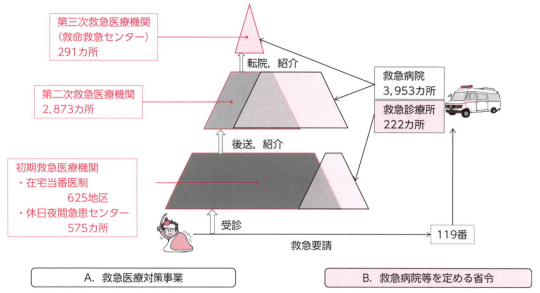

図 1-1-4　救急医療機関の種類
旧厚生省が救急医療対策事業（A）として階層化した初期，第二次および第三次の救急医療機関制度と，消防機関の行う救急搬送業務の受け皿として生まれた救急病院等を定める省令（B）とがある
〔医療機関数は文献 5）8）より引用（2018 年 4 月 1 日現在）〕

を定める省令」の一部改正では，両制度の一元化の必要性が指摘された。これは 1997（平成 9）年 12 月の医療法改正で救急医療の確保に関する事項が医療計画の必要的記載事項となったことや，有識者による「救急医療体制基本問題検討会」で指摘されたことが背景にある。しかし，第二次救急医療機関については現在もなお，救急車の受け入れとしての救急告示制度と初期救急医療機関の受け皿としての救急医療対策事業とが混在している。図 1-1-4 は現在の救急医療機関の実態である[5)8)]。

1）初期救急医療機関

通常の外来診療が閉鎖される時間外の救急診療を担う医療機関であり，初期診療を目的とするため入院設備はない。入院が必要となった場合は第二次救急医療機関に紹介する。自治体の長の要請で整備され，休日夜間急患センターなどと呼ばれる。とくに，小児のニーズが多いため，小児初期救急センターが別に整備されている地域もある。

2）第二次救急医療機関

入院治療を必要とする救急患者の診療を 24 時間行えるよう，通常，二次医療圏単位で整備された医療機関をいう。救急車を受け入れる救急病院に加え，初期救急医療機関からの後送先として病院群輪番制病院（当番日に 24 時間体制で救急診療を行う）や共同利用型病院などがある。

3）第三次救急医療機関

重症および複数の診療科領域にわたるすべての重篤な救急患者を 24 時間体制で受け入れられるように設備，人員を確保した医療機関で，救命救急センターと呼ばれる。さらに，広範囲熱傷，指肢切断，急性中毒などの特殊疾病患者の確実な受け入れを保証するために高度救命救急センターが位置づけられている。小児疾患特有の重症例を扱う小児救命救急センターも存在する。救命救急センターは重症救急患者の診療に加え，救急医療に携わるスタッフの育成，病院前救護におけるメディカルコントロール業務，災害拠点病院としての役割，DMAT チームの編成，ドクターヘリやドクターカーの運行，救急患者受入コーディネータ確保事業など救急医療分野の多彩な機能を担っている。

V 救急医療にかかわる情報提供

1. 受診のための情報

1）ホームページなどによる救急医療施設の情報提供

都道府県や地方自治体が地域の救急医療情報をホームページなどで一般に公開している。日常の医療情報提供の一部として広報事業を行っていることが多い。内容は，休日夜間診療所（初期救急医療機関），救急告示病院などが一般的であり，後述する電話相談などの案内も載せている。新聞の地域版に掲載したり，最近では携帯電話でも情報が得られるように工夫されている。また，医師会でも同様の情報提供を行っている。

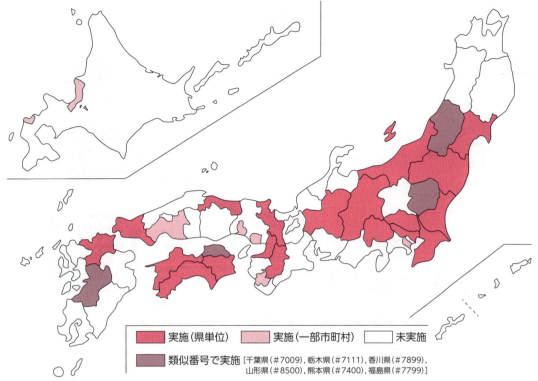

図 1-1-5 救急安心センター事業（#7119）の普及地域
救急車の適正利用の一環として，救急車を要請すべきかどうか迷ったときのため，相談窓口として消防庁が普及に努めている

〔文献 9）より引用・改変〕

2）電話による情報提供

医療情報を電話で提供するサービスであり，都道府県や政令指定都市が事業主体となって 24 時間で案内していることが多い。

救急安心センター（電話番号：#7119），小児救急医療電話相談事業（電話番号：#8000）など特別な事業もある。救急安心センターは救急車を呼ぶほどではないが，受診すべきかどうかの相談を 24 時間で受け付け，緊急性が高い状況であると判断した場合には直ちに救急車を出動させる。東京都が「救急相談センター」として開始した事業であるが，消防庁により「救急安心センターモデル事業」として全国展開が図られている[9]。2024（令和 6）年 1 月 1 日時点で図 1-1-5[9]に示す地域で利用でき，国民の 58.9％が享受できるまで広がっている。

小児救急医療電話相談事業では休日・夜間の急病に関して医師や看護師が小児の保護者から相談を受け，受診の要否を判断している。また，119 番通報で通信司令員が緊急度を評価し（消防機関におけるコールトリアージという），軽症と判断された場合は医療機関を紹介している。

さらに，財団法人日本中毒情報センターは「中毒 110 番」を開設し，たばこや家庭用品などの化学物質，医薬品，動植物の中毒などについて電話で情報提供している。

2. 消防機関および医療機関のための情報

救急隊が搬送先を選定したり，医師が転院先を紹介したりするためにインターネットを活用して情報共有が図られている。救急医療情報システムとして都道府県単位で整備されている。情報項目として，かつては診療科，設備および空床情報程度であったが，緊急度の高い傷病に対する処置・手術の可否など救急診療の実情に応じた情報が提供されるようになった。とくに，2009 年の消防法一部改正（第 35 条の 5 第 2 項各号）により義務づけられた「傷病者の搬送及び受入れの実施に関する基準」に規定する医療機関の応需情報（症候別，処置機能別，診療科別，緊急度など）の入力支援および表示・閲覧機能の充実が図られている。さらに，病院前救護における救急活動記録と救急医療機関での診療情報を突き合わせ，医療機関リストの作成や搬送先選定の是非を検証する業務が開始されている。この業務の利便性を高めるため，携帯端末やパソコンを活用したソフトウエアの開発が進んでいる。

なお，災害時における医療機関の患者受け入れ可否情報の集約，情報共有を行う，「広域災害医療情報システム」（略称，EMIS）が災害拠点病院をはじめとした医療機関と行政との間で厚生労働省により構築されていて，

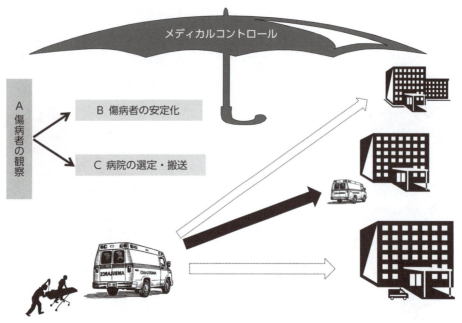

図 1-1-6　病院前救護におけるメディカルコントロール体制
メディカルコントロールのコア業務には救急隊員が行う救急救命処置の質を保障する役割に加え，傷病者の緊急度や病態に応じた適切な医療機関選定も含まれる

〔文献 10）より引用〕

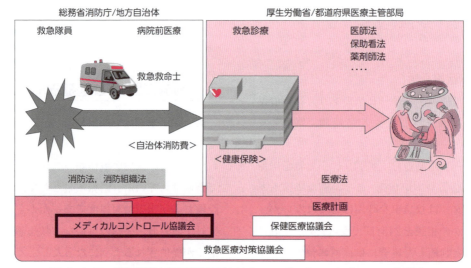

図 1-1-7　消防機関と医療機関を取りもつメディカルコントロール協議会
保助看法：保健師助産師看護師法

〔文献 10）より引用〕

都道府県の救急医療情報システムと連動させている。

VI　メディカルコントロール体制

医師以外の医療職種が医師と連携して行う療養サービスの提供では，その質を保障する仕組みが必要であり，これをメディカルコントロールと呼ぶ[10]。病院前医療におけるメディカルコントロール体制は，救急隊員や救急救命士などによる医学的知識や医療関連行為の質を保障する仕組みとして発展してきたが，前述した2009年の消防法一部改正を受け，地域社会全体の救急医療体制の整備，充実に関与するようになっている（図 1-1-6）[10]。

救急医療体制の3本柱のうち，①病院前救護と救急搬送の担い手である消防機関と，②救急診療の担い手である医療機関とでは，行政所管，設置目的，設立母体，財源，運用面などことごとく体制が異なる。しかし，救急患者の発生から診療までのきわめて短い時間にこれらの資源を有効に活用するには，行政の関与とメディカルコントロール協議会による調整が不可欠である（図 1-1-7）[10]。

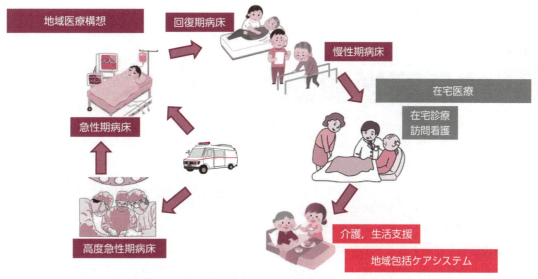

図 1-1-8　地域医療構想と地域包括ケアシステム
医療と介護の連携による循環型医療提供体制に変化しつつある．機能分化と連携が進むなかで，入退院調整の役割は重要となっている

Ⅶ 医療制度改革と地域医療連携

近年の救急需要増大は高齢社会に起因することはすでに述べた．高齢者数の増加は，同時に医療費増大の原因ともなっているため，国は医療制度改革を進めてきた．健康寿命を延ばし，生活の質を高める健康増進を啓発する一方で，医療機関の機能分化・連携を促進させ，医療提供の効率化を図っている．同時に，医療費高騰や社会的入院の回避策として，療養サービスを在宅診療や介護制度と連携するかたちで医療制度改革を進めている．入院施設については地域医療構想という名目で，地域偏在解消を視野に二次医療圏単位で医療需要に見合った機能別病床数を割り出し，医療機関側には病床機能や病床数の修正が求められている（図1-1-8）．

このように医療制度が変化するなかで，療養サービスの程度に応じて患者は比較的短い期間で移動しなければならない．救急患者は高度急性期病床や急性期病床で急性期を乗り越えた後は，早期に回復期病床，慢性期病床さらには在宅診療へと転院を余儀なくされる．この転院調整が円滑に進まないと救急医療に使用される病床の稼働が悪くなり，救急患者の受け入れが困難となる．

したがって，救急医療機関とリハビリテーションや療養を主体する医療機関との連携が不可欠となり，ソーシャルワーカーや看護師による入退院調整の役割はきわめて重要である．

文献

1) 横田順一朗：救急医療体制．日本救急医学会監，標準救急医学，第5版，医学書院，東京，2014，pp8-18．
2) 政府統計の総合窓口（e-Stat）：患者調査（令和2年患者調査；確定数；全国編；報告書）．
https://www.e-stat.go.jp/stat-search/files?page=1&toukei=00450022&tstat=000001031167
3) 横田順一朗：救急医療と医学研究．シリーズ生命倫理学編集委員会編，シリーズ生命倫理学10；救急医療，丸善出版，東京，2013，pp161-182．
4) 横田順一朗：救急医療体制の歴史．日本救急医学会メディカルコントロール体制検討委員会，日本臨床救急医学会メディカルコントロール検討委員会監，救急医療におけるメディカルコントロール編集委員会編，救急医療にけるメディカルコントロール，へるす出版，東京，2017，pp6-18．
5) 総務省消防庁：救急救助の現況；令和4年版，救急編．
https://www.fdma.go.jp/publication/rescue/items/kkkg_r04_01_kyukyu.pdf
6) 厚生労働省：救急病院等を定める省令（平成19年3月30日厚生労働省令第39号）．
7) 厚生労働省医政局長：救急医療対策事業実施要綱の一部改正について（令和5年5月16日医政発0516第21号）．
8) 第17回救急・災害医療提供体制等の在り方に関する検討会資料；救急医療の現状と課題について．
https://www.mhlw.go.jp/content/10802000/000563879.pdf
9) 消防庁：救急安心センター事業（#7119）の全国展開．
https://www.fdma.go.jp/mission/enrichment/appropriate/items/appropriate006_01_kyukyu_anshin_01.pdf
10) 横田順一朗：メディカルコントロール体制．小濱啓次編，病院前救急医学，へるす出版，東京，2014，pp133-143．

（横田順一朗）

第1章 救急医療と救急医学

第2節 救急医学概論

I はじめに

　救急医学とは，医学的緊急性への対応，すなわち患者が手遅れとなる前に診療を開始することを学ぶ学問である。生命の危機にある救急患者に対しては，与えられた短い時間のなかで，適切な診断と処置を開始し，手術や術後の集中治療などの一貫した対応を行う必要がある。そのためには，慢性的な疾患とは違った学問体系が必要になり，横断的な知識が求められる。それらの知識を兼ね備えた救急科専門医が救急医療を実践する。そこで救急科専門医が何を考えて救急医療を実践しているかを中心に本節を記載する。

II 救急科専門医の理念

　救急医療では，医学的緊急性への対応，すなわち患者が手遅れとなる前に診療を開始することが重要である。しかし，救急患者が医療にアクセスした段階では緊急性の程度や罹患臓器も不明なため，患者の安全確保には，いずれの緊急性にも対応できる専門医が必要である。そのためには救急搬送患者を中心に診療を行い，急病，外傷，中毒などといった原因や罹患臓器の種類にかかわらず，すべての緊急性に対応する救急科専門医が国民にとって重要である。救急科領域の専攻医は急病や外傷の種類や重症度に応じた総合的判断に基づき，必要に応じて他科専門医と連携し，迅速かつ安全に急性期患者の診断と治療を進めるためのコンピテンシーを修得することができる。急病で複数臓器の機能が急速に重篤化する場合，あるいは外傷や中毒など外因性疾患の場合は，初期治療から継続して根本治療や集中治療でも中心的役割を担うことが可能となる。また，地域ベースの救急医療体制，とくに救急搬送（プレホスピタル）と医療機関との連携の維持・発展，さらに災害時の対応にも関与し，地域全体の安全を維持する仕事を担うことも可能となる。

III 救急科専門医の使命

　救急科専門医の社会的責務は，医の倫理に基づき，急病，外傷，中毒など疾病の種類にかかわらず，救急搬送患者を中心に，速やかに受け入れて初期診療にあたり，必要に応じて適切な診療科の専門医と連携して，迅速かつ安全に診断・治療を進めることである。

　さらに，救急搬送および病院連携の維持・発展に関与することにより，地域全体の救急医療の安全確保の中核を担う。

IV 救急科専門医の特徴

　以下，①～⑫の知識，技能，態度が備わった救急科専門医が全国に整備され，わが国の救急医療を担えば，病院前から病院内までシームレスな標準的医療が，患者の緊急度に応じて迅速かつ安全に供給される。これによって地域社会にとって不可欠なセーフティネットが整備される。

　①さまざまな傷病，緊急度の救急患者に，適切な初期診療を行える。

　②複数患者の初期診療に同時に対応でき，優先度を判断できる。

　③重症患者への集中治療が行える。

　④他の診療科や医療職種と連携・協力し，良好なコミュニケーションの下で診療を進めることができる。

　⑤必要に応じて病院前診療を行える。

　⑥病院前救護のメディカルコントロールが行える。

　⑦災害医療において指導的立場で対応できる。

　⑧救急診療に関する教育指導が行える。

　⑨救急診療の科学的評価や検証が行える。

　⑩プロフェッショナリズムに基づき，最新の標準的知識や技能を継続して修得し，能力を維持できる。

　⑪救急患者の受け入れや診療に際して倫理的配慮を行える。

　⑫救急患者や救急診療に従事する医療者の安全を確保できる。

V 救急科専門医が行う救急初療に必要な処置

1. 救急蘇生法

救急蘇生法とは，病気やけがにより，突然に心肺停止もしくはそれに近い状態になったときに，心臓マッサージのための胸骨圧迫，および人工呼吸を行う心肺蘇生（cardiopulmonary resuscitation；CPR）である。心肺蘇生法には，専門的な器具や薬品などを使う必要がないCPR〔一次救命処置（basic life support；BLS）〕と病院などの医療機関において医師や救急救命士などが行う高度なCPR（二次救命処置）がある。

1）一次救命処置

胸骨圧迫や人工呼吸による心肺蘇生とAED（自動体外式除細動器）を用いた電気ショックに加え，傷病者の気道異物除去も含まれる。

2）二次救命処置

呼吸・循環機能に重篤な機能障害，いわゆる心肺危機が発生した患者に行う心肺蘇生法のうち，医師および十分に教育・訓練を受けた看護師や救急救命士などが医師の指示下に医療用補助器具や薬剤などを用いて行うものをいう。気管挿管などの確実な気道確保と高濃度酸素投与，電気的除細動，静脈路確保と薬物投与を主体とした手技によりなされる高度な処置で，一次救命処置に引き続いて行う。

2. 救急医療の基本手技

バイタルサインの把握とそれに対する対応になる。バイタルサインとは，生命徴候すなわち生命臓器，重要臓器の機能を表す徴候で，古来，特別な診断機器を使わずに問診・視診・触診・聴診・打診などのいわゆる理学的な診察によって瞬時にとれる所見といわれてきた。現在はその定義が拡大され，呼吸・血圧・脈拍・意識・体温を指す。そしてその基本手技とは，生命が維持されているかを生理学的機能に基づいて観察する手順である。主体における酸素の流れに沿って，「気道（airway）→呼吸（breathing）→循環（circulation）」の順に生理学的機能が維持されているかを評価する。そして，生命を脅かす中枢神経障害（disability of central nervous system），脱衣と外表・体温（exposure and environmental control）まで観察する。

それぞれに対する基本手技の概略を示す。

1）人工呼吸

気道確保（airway）と人工呼吸法（breathing）は救急のA，Bとしてよく知られている。組織に十分な酸素が分布されるために必要である。

（1）換気の有無の診断

上下する胸郭の動きで換気が十分であることを確認する。頸部や鎖骨上窩の皮膚の動きが呼吸とともに動くときは，努力呼吸として気道の確保が必要になる。

（2）気道の確保

最初に行うべき基本手技である。頭部後屈法や下顎挙上法がある。

（3）気管挿管

気道の確保が持続できなければ，経口の気管挿管を行う。

2）血管確保

ABCのCの循環を維持するためには，血管確保が必要になる。末梢静脈路確保が基本であるが，静脈の虚脱が著しい場合は，外表からは静脈が視認できない中心静脈路を確保することも必要になる。それにより輸液，輸血を行い，必要な薬剤の投与が可能になる。最近では，骨髄に専用の針で輸液や薬剤投与を行うこともある。

VI 救急医学の知識

1. ショックと臓器障害

1）ショック

ショックとは，生体に対する侵襲あるいは侵襲に対する生体反応の結果，重要臓器の血流が維持できなくなり，細胞の代謝障害や臓器障害が起こり，生命の危機に至る急性の症候群である。収縮期血圧90 mmHg以下の低下を指標とすることが多い。典型的には交感神経系の緊張により，頻脈，顔面蒼白，冷汗などの症状を伴う。循環障害の要因によるショックの分類が用いられ，以下の4つに大別される。

（1）循環血液量減少性ショック

出血や脱水，腹膜炎や熱傷などがある。

（2）心原性ショック

心筋梗塞，弁膜症，重症不整脈などがある。

（3）血液分布異常性ショック

敗血症，脊髄損傷，アナフィラキシーなどがある。

（4）心外閉塞・拘束性ショック

肺塞栓，心タンポナーデ，緊張性気胸などがある。

2）臓器障害

人体は，大きく4種類の組織で成り立っている。組織とは，機能をもった細胞の集まりのことで，それらの組織が組み合わさり，器官や臓器になる。4種類の組織と

表 1-2-1　SOFA スコアー

	0	1	2	3	4
呼吸 PaO_2/FiO_2	>400	≤400	≤300	≤200 人工呼吸	≤100 人工呼吸
凝固 血小板数（×1,000 μL）	>150	≤150	≤100	≤50	≤20
肝 ビリルビン（mg/dL）	<1.2	1.2〜1.9	2.0〜5.9	6.0〜11.9	>12.0
心血管系 低血圧	低血圧なし	平均動脈圧 <70 mmHg	DOA or DOB ≤5 μg/kg/min	DOA>5 or Epi≤0.1 or Norepi≤0.1	DOA>15 or Epi>0.1 or Norepi>0.1
中枢神経系 GCS	15	13〜14	10〜12	6〜9	<6
腎 クレアチニン（mg/dL） あるいは尿量	<1.2	1.2〜1.9	2.0〜3.4	3.5〜4.9 or <500 mL/day	>5.0 or <200 mL/day

SOFA：sequential organ failure assessment，GCS：Glasgow Coma Scale，DOA：ドパミン，DOB：ドブタミン，Epi：エピネフリン，Norepi：ノルエピネフリン

は，上皮組織，神経組織，支持組織，筋組織である。

救急医学領域での生命に直結する臓器障害は現在のところ，SOFA（sequential organ failure assessment）スコア（表 1-2-1）に記載がある 6 つと考えられている。ショックに伴うそれぞれの臓器障害のレベルを 0 に導くことが治療の主たる目的にもなる。

2．内因性救急疾患

救急疾患に関しては，多種多様な疾患が考えられるが，救急外来で遭遇する頻度の高い疾患を概説する。

1）急性腹症

突然発症した急激な腹痛のなかで，緊急手術やそれに代わる迅速な初期対応を求められる腹部疾患群のすべてを急性腹症と呼ぶ。確定診断が得られないまま緊急に対応する必要が生じる場合があることから，急性腹症という概念が導入されている。

頻度が高い疾患は，急性虫垂炎，胆石症，小腸閉塞，尿管結石，消化性潰瘍穿孔，胃腸炎，急性膵炎，憩室炎，産婦人科疾患などであるが，心筋梗塞や精索捻転などと全身疾患との鑑別も必要になる。

2）意識障害疾患

意識障害には，意識レベル（清明度）の障害と意識内容の障害（意識変容）がある。

意識レベルの障害は，①大脳皮質の広範な障害（通常両側性），②上行性網様体賦活系（狭義には中脳〜視床）の障害，③両者，④心因性，のいずれかによる。

意識変容は，①大脳皮質の広範または局所的障害，②心因性，により生じ，急性脳症，非痙攣性てんかん重積状態，脳卒中，中枢神経系感染症，薬剤性や心因などがある。

頻度が高い疾患は，現病歴からある程度の類推ができる。脳卒中（突然倒れた，突然の頭痛），感染症（発熱），不整脈や急性心筋梗塞（突然倒れた），てんかんなどがある。なお脳卒中とは，脳の血管が詰まったり（脳梗塞），破れたり（脳出血，くも膜下出血）して，脳の機能が侵される病気の包括的名称である。脳梗塞が脳卒中の 7 割を占めもっとも多く，次いで脳出血 2 割，くも膜下出血 1 割という内訳である。

3）痙　攣

「痙攣」とは，自分の意志とは無関係に，勝手に筋肉が強く収縮する発作性の運動症状のことである。「てんかん」は，大脳の電気的な興奮が発生する場所によってさまざまであるが，発作の症状は患者ごとにほぼ一定で同じ発作が繰り返し起こるのが特徴である。てんかん以外にも，高熱，感染症，電解質異常，薬物，頭蓋内病変（腫瘍，外傷，低酸素脳症など），脊髄や末梢神経の刺激などによって痙攣が引き起こされる。これらの疾患による痙攣とてんかん発作で起こる痙攣では，治療法が異なる。

頻度が高い疾患は，発熱を伴う熱性痙攣，脳炎，髄膜炎や，発熱を伴わないてんかん発作，胃腸関連痙攣，低血糖，電解質異常である。

4）循環器系の緊急症

心疾患は悪性腫瘍に次いで，日本の死因の第 2 位を占めている[1]。とくに緊急的な対応が必要な循環器疾患患者が救急外来には来院することが多く，迅速な対応が求められる。

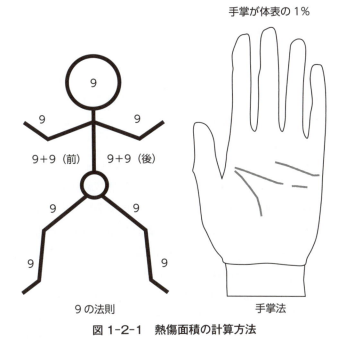

図 1-2-1 熱傷面積の計算方法

表 1-2-2 中毒とその解毒・拮抗薬一覧

中毒の種類	拮抗薬
ベンゾジアゼピン	フルマゼニル
オピオイド	ナロキソン
有機リン	アトロピン，パム
シアン	ヒドロキソコバラミン
硫化水素	亜硝酸塩
ヒ素	バル®
メタノール	エタノール
アセトアミノフェン	アセチルシステイン
一酸化炭素	酸素

頻度が高い疾患は，急性心筋梗塞，不安定狭心症，急性心不全，急性大動脈解離，大動脈瘤切迫破裂，急性肺血栓塞栓症，緊急不整脈などである。

5）急性腎不全

急性に腎機能が障害されるメカニズムは，腎前性，腎性，腎後性の3種類に分けられる。それぞれが複合的に存在する場合も多いが，数カ月以上の時間経過で腎機能が悪化する慢性腎不全とはその原因が異なる。

頻度が高い疾患は，腎前性が原因であれば，消化管出血，下痢・嘔吐などによる脱水，心不全，敗血症などがある。腎性が原因であれば，糸球体腎炎や薬剤性の腎障害がある。腎後性が原因であれば，尿路結石，神経因性膀胱などによる排尿障害や前立腺肥大などがある。

3．外因性救急疾患

1）熱　傷

熱エネルギーによる生体組織の損傷と定義されている。火炎によるもの，高温液体によるもの，化学物質によるものなどに分類される。受傷直後は皮膚の損傷が中心と考えられがちであるが，熱による障害は全身に影響を及ぼす。具体的には非熱傷部で血管の透過性が亢進しさまざまな炎症反応が惹起される。損傷の深さによりⅠ度，Ⅱ度，Ⅲ度の3段階に分類される。Ⅰ度は表皮まで，Ⅱ度は真皮まで，Ⅲ度は皮下組織まで傷害が及んだものとされている。

1週間を過ぎるころには，壊死した熱傷創（焼痂）に感染を引き起こすと容易に敗血症になる。このように熱傷は全身管理の知識下での対応が必要になる。追い炊きができる風呂の減少，仏壇のろうそくからの引火の危険性の減少などにより広範囲熱傷は減ってきている。一方で，小児の不慮の事故による熱湯（ポットやカップラーメン）による熱傷は一定数存在している。熱傷面積の簡単な測定方法を図 1-2-1 に示す。

30％以上のⅡ度熱傷や10％以上のⅢ度熱傷が重症であり，集中治療が必要になる。15％未満のⅡ度熱傷では外来治療が可能といわれているが，小児の場合は注意したほうがよい。

2）急性中毒

急性中毒診断で重要なことは，いつ何をどれくらい摂取したかを把握することである。しかし，それは容易なことではない。したがって，診断前の標準治療としての全身管理，吸収を阻害する要因の除去，排泄の促進が中心となる。中毒物質の種類としての大分類は，①家庭用品，②医薬品・自然毒，③農薬・工業用品である。解毒薬・拮抗薬投与ができる中毒は限られている（表 1-2-2）。

3）環境障害

熱中症，低体温症がこれにあたる。

熱中症は高温環境下で体温調節機能が破綻した病態の総称である。体内の熱をコントロールできない原因として，①体表における熱交換不全，②体深部からの熱運搬障害が考えられる。昨今の高齢者における熱中症多発の原因として，高齢者特有の発汗機能低下や脱水が考えられる。水分補給などの予防が大切である。

低体温症は寒冷暴露が原因である。復温する際には不整脈の出現に注意する必要がある。

4）外　傷

機械的な外力による損傷で，受傷機転の外力によって鋭的外傷と鈍的外傷に分けられる。鋭的外傷は刃物や銃弾，くいなど鋭的な物体によるものである。それ以外が

鈍的外傷で，日本の現状において経験する外傷の大半を占める。

2000年初頭から日本で始まった，外傷初期診療ガイドライン日本版(Japan Advanced Trauma Evaluation and Care™；JATEC™)は救急病院へと搬送された傷病者を予期せぬ外傷死(preventable trauma death；PTD)から防ぐ目的で日本全国の救急病院へ広がった。その外傷診療の原則は気道の開放(airway)，呼吸管理(breathing)，循環管理(circulation)を迅速に開始することである。見た目が派手な骨折変形などの解剖的評価を先に行いがちであるが，生理学的徴候を把握し対処するABCアプローチが重要である。

4. 災害医療

災害の種類は，自然災害，人為災害，放射線被曝災害に分けるのが一般的である。医療需要と医療資源のバランスが崩れた災害時の医療対応の基本は，「CSCATTT（シーエスシーエーティーティーティー）」と呼ばれる。CSCATTTとは，災害発生後にとるべき行動である7つの基本原則，①command and control（指揮と連携），②safety（安全確保），③communication（情報収集伝達），④assessment（評価），⑤triage（トリアージ），⑥treatment（治療），⑦transport（搬送）のそれぞれの頭文字をとったものである。

自然災害としての台風や線状降水帯の風水害に対しては，数日前に備えることが可能であるが，地震などは普段からの備えが重要である。備えとして職場である病院のインフラの状況を把握しておくことが重要である。また災害時にどの程度の職員が病院参集できるかを含め，各病院はBCP(business continuity plan：事業継続計画)の作成が急務である。

人為災害で注意すべき点は，マスギャザリング（群衆）関連災害である。発生する状況は非常に多く，大規模スポーツ大会，コンサート，祭りに加え，医療システムがアクセスしにくい環境である地下街などもその準備対象に加える必要がある。

5. 病院前救急

救急車による搬送という点で業務として消防が担っている。救急隊員は搬送の途中で傷病者の状態を悪化させず安定化を図るために手当や処置ができる。また，1992（平成4）年より病院前救護を専門的に行う医療職として救急救命士が誕生した。当初は救急救命士資格をもっている医療従事者の大半が消防職員であったが，現在は救急初療室において病院が雇用している救急救命士が業務を担っている病院も多くなっている。その規模を表1-1-3（p4）に示す。

メディカルコントロール(medical control；MC)体制とは，救急救命士を含む救急隊員の技能，質向上を図るための体制である。MCとは，救急現場から医療機関へ搬送されるまでの間において，救急救命士の医行為の実施が委ねられる場合，医行為を医師が指示・助言ならびに検証して，それらの医行為を保証するものである。

一刻も早く治療を開始するには，医師が病院から出ていく必要がある。ドクターカーやドクターヘリの活動がこれにあたる。ドクターカーは全国の救命センターのうち200施設以上で運用されている。ドクターヘリも全国46都道府県で運用されており，実質的な全国配備は終了した。今後はドクターカーとドクターヘリの連携について考えることが重要になる（図1-2-2)[2]。

VII おわりに

救急医学概論を学んだソーシャルワーカーに必要なことは，救急医療の特徴を理解することである。

その特徴は，①突然起こる，②治療の選択を突然迫られる，③生活困窮者など支援が必要な人があぶり出される，④集中治療の意思決定が必要になるである。つまり，事前に心の準備ができず，十分に理解できない状況でさまざまな判断をしなければならない。「救急科専門医と患者/家族の考え方の溝を埋める」ことができるようなソーシャルワークを期待したい。

文献

1) 厚生労働省：令和4年（2022）人口動態統計月報年計（概数）の概況.
   https://www.mhlw.go.jp/toukei/saikin/hw/jinkou/geppo/nengai22/dl/gaikyouR4.pdf
2) 厚生労働省：第5回救急・災害医療提供体制等に関するワーキンググループ（資料）；資料3搬送手段の多様化について（ドクターヘリ・ドクターカー）．2022.
   https://www.mhlw.go.jp/content/10802000/000951125.pdf

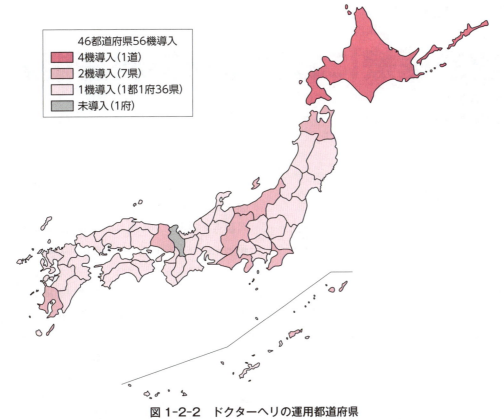

図 1-2-2　ドクターヘリの運用都道府県

〔文献2）より引用・改変〕

コラム

災害派遣医療チーム（Disaster Medical Assistance Team；DMAT）とは

　大地震および航空機・列車事故などの災害時や，新興感染症などのまん延時に，地域において必要な医療提供体制を支援し，傷病者の生命を守るため，厚生労働省の認めた専門的な研修・訓練を受けた災害派遣医療チームのことをいう。2016（平成 28）年熊本地震，2024（令和 6）年能登半島地震のような自然災害に対しては，専門的な訓練を受けたチームが可及的速やかに被災地域に入り，まず，被災地域の保健医療需要を把握し，被災地における急性期の医療体制を確立する。そのうえで被災地域での緊急治療や病院支援を行いつつ，被災地域で発生した多くの傷病者を被災地域外の適切な医療機関に搬送するとともに，被災地に参集する，保健医療活動チーム〔DMAT，日本医師会災害医療チーム（Japan Medical Association Team；JMAT），日本赤十字社の救護班，独立行政法人国立病院機構の医療班，全日本病院医療支援班（All Japan Hospital Medical Assistance Team；AMAT），歯科医師チーム，薬剤師チーム，看護師チーム，保健師チーム，管理栄養士チーム，災害派遣精神医療チーム（Disaster Psychiatric Assistance Team；DPAT），その他の災害対策に係る保健医療活動を行うチーム（被災都道府県以外の都道府県から派遣されたチームを含む）〕との有機的な連携ができれば，死亡や後遺症の減少が期待できる。また，福祉分野の対応には，災害派遣福祉チーム（Disaster Welfare Assistance Team；DWAT）や被災地で災害支援活動を行う医療ソーシャルワーカーとの連携も必要となる。

　DMAT の活動は，通常時に都道府県と医療機関との間で締結された協定および厚生労働省，文部科学省，独立行政法人国立病院機構などにより策定された防災計画などに基づくものである。DMAT の派遣は被災地域の都道府県の派遣要請に基づくものである。

　DMAT 1 隊当たりの活動期間は，その機動性を確保する観点から，初動のチーム（1 次隊）は移動時間を除き概ね 48 時間以内を基本とする。なお，災害の規模に応じて，DMAT の活動が長期間（1 週間など）に及ぶ場合には，DMAT 2 次隊，3 次隊などの追加派遣で対応することが考慮される。このような 2 次隊，3 次隊や，DMAT ロジスティックチームの活動期間は，48 時間に限定せず，柔軟に対応することになっている。

（藤見　聡）

第1章 救急医療と救急医学

第3節 救急医療における精神科諸問題と対応

I 解決されてこなかった課題

現代社会では，売上/成果を上げて競争力を維持し続けるために，効率化・スピードアップ・コストダウンが求められ，落伍者・無能モノの烙印を押されないために，時には休暇を返上して"進んで"働くことがある。さらに，各人が周囲・上下の厳しい評価に晒され，人間関係はよりいっそう複雑化していき，老若男女を問わず常に強いストレスに晒されている状況にある。これらが精神疾患に罹患する人が増え続ける一つの原因ともなっている。また，地球温暖化とともに悪化する生活環境，住環境とともに，高齢者・生活弱者・孤立者の増加も影響して，身体疾患の救急搬送症例が増えていることは，総務省消防庁調べの救急車出動数が年々とどまることなく増加している[1]ことから疑いはなさそうである。この目の前にある事実の重なりは，よりいっそう，身体疾患や外傷と精神科疾患が併存する救急症例が，救命救急センターを含む救急医療機関へ大挙して搬送されてくることを意味している。事実，日野らの横浜市立大学附属市民総合医療センター高度救命救急センター[2]，中村らの昭和大学病院救命救急センターでの調査[3]から，入院患者の30％程度に精神疾患を合併していることがわかっている。また，重度熱傷や重症外傷を被って高度かつ専門的治療を必要とする症例を積極的に受け入れている救急医療機関では，事故や事件に起因する症例が減る一方で，自傷・自殺行為を原因とする症例の搬送割合が増えている。

そのような環境で働く救急現場スタッフにとって，精神科救急患者との関係では，"棘のある言葉のやり取り""報われないケア""複雑な医療以外の事情""退院させた後に募る不安やトラブル"などから沸き起こる言い知れぬ陰性感情，さらに転送先となる精神科医療機関とそのスタッフとの"かみ合わない議論""毎度進まない転院相談"，精神科救急医療そのものへの不満として，"診療後に感じる仕事満足度の低さ""何年経っても進歩しない精神科救急医療システム"などが，以前から解決されぬままに存在している[4]〜[16]。これらの多くに，身体的・精神的それぞれの医学的問題だけでなく，心理・社会的問題が内在している。

問題点を整理し，実現可能な解決策を提案し，互いに信頼し支え合える関係の構築を図るために，ソーシャルワーカーができることはたくさんある。まずはいまある問題点を整理し，解決のための体制を構築し，精神科救急患者の特性を知り，安全に患者に接する方法を身につけたうえで，初期対応時およびその後に必要となるソーシャルワークの実際について解説する。

II 問題解決のための歩み

表1-3-1は2007（平成19）年，医師だけでなく，看護師，救急隊員，ソーシャルワーカーなど多職種が構成員となっている日本臨床救急医学会に「自殺企図者のケアに関する検討委員会」[17]が設置された際に，現場で問題となっている点を救急医療機関，精神科医療機関双方の医療スタッフ（担当医，看護師，医療ソーシャルワーカー）にネットワークを通じてアンケート調査を行い，抽出された結果である。具体的にその内容を吟味してみると，身体科救急医療機関では，接遇の問題，精神科疾患に対する適切な薬剤投与などの知識不足，自殺企図や予期せぬ行動・言動への不安がみられる。一方，精神科医療機関のスタッフには，身体疾患の継続治療と適切な管理への不慣れ，隠れた別の身体疾患や新たな合併症発生への不安が強く感じられる。そこからわかるのは，身体科救急医療機関のスタッフが精神科患者の初期対応ができること，精神科医療機関の実情を理解すること，そして精神科医療機関のスタッフが身体合併症の初期対応を学び相談先をみつけること，双方が多職種でチームを組んで身体合併精神科症例の身体疾患の診断と治療，精神疾患の管理，その後のつなぎまでの一連のシステムを構築することがポイントとなる。

問題解決のため，身体科救急，精神科ともにそれぞれ努力を重ねてきている。日本臨床救急医学会の「自殺企図者のケアに関する検討委員会」[17]におけるワーキンググループの組織図を図1-3-1に示す。自殺者対策の研修

第3節 救急医療における精神科諸問題と対応

表1-3-1 身体科救急と精神科それぞれの問題点

◆身体科救急医療機関で困っていること	◆精神科医療機関が受け入れをためらう要因
・精神科で使う薬で院内にないものがある（N） ・鎮静をかけるべきか判断に窮する（N） ・自殺を図られた（D） ・興奮時などに使える薬がわからない（D） ・病歴聴取が難しい（D） ・いきなりの予期せぬ行動があった（D） ・拒薬される（N） ・ODのリピーターが多い（N） ・家族にも精神科疾患があることが多い（D） ・すぐに精神科医に連絡が取れないので困る（D） ・転院させたいのに，本人・家族が精神科受診を拒否する（N） ・飲酒があると精神科で受けてもらえない（N） ・精神科の指示があっても，危険な人を単独帰宅させることにためらいがある（N） ・身体疾患が少しでもあると，「精神科だから」と精神科病院に断られる（M）	・何も検査ができない（N） ・院内にない薬剤がある（N） ・透析，妊娠は不可能（D） ・バルーン，ルートの対応はできない（N） ・インスリンの扱いはできない（N） ・点滴・酸素の管理に不慣れで不安（N） ・身体疾患の治療そのものに対する不安（D） ・かかりつけ，精神科患者，というだけで精神科的評価が不十分なのに紹介されてくる（D） ・脳炎など精神症状を呈する身体疾患の鑑別が不十分（N） ・医療保護入院などでは家族の同意が必須であるが，家族なしで紹介されてくる（P） ・身体疾患の方針を提示されない（D） ・身体治療に対しての家族の要求水準が高い（D） ・身体疾患の処置に対する情報提供が不十分（M） ・身体疾患のリスク評価の情報がない（N） ・夜間の救急輪番を狙ってくる（N） ・紹介されるタイミングが早いと思う（D） ・精神病院に入院することの事前了解が不十分（D）

D：医師，N：看護師，M：医療ソーシャルワーカー，P：精神保健福祉士，OD：オーバードーズ

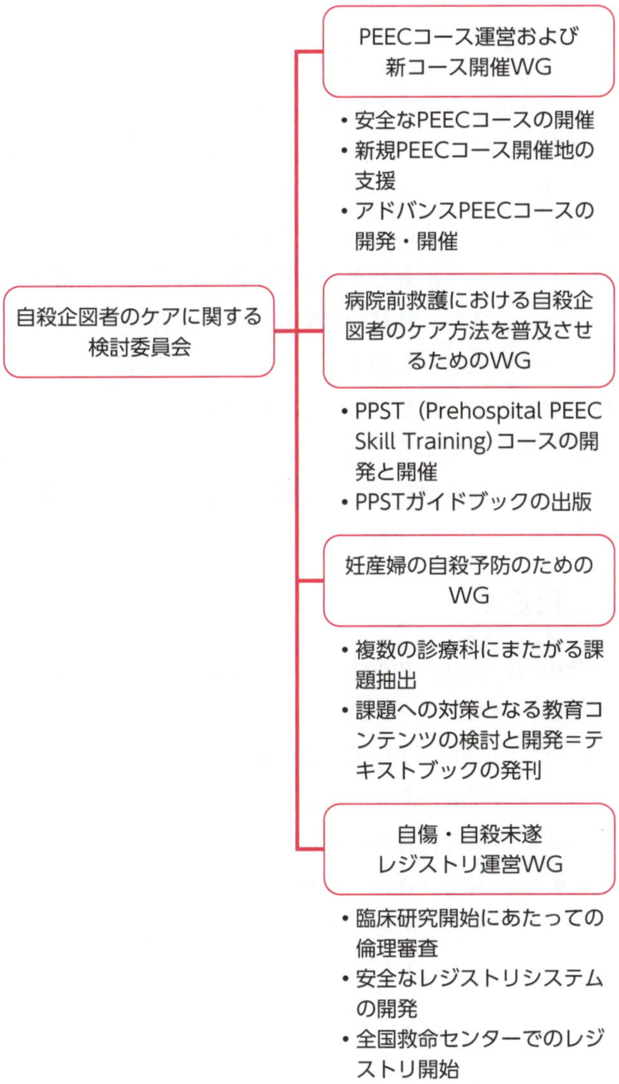

図1-3-1 委員会とワーキンググループ（WG）組織図

自殺企図者のケアに関する検討委員会
- PEECコース運営および新コース開催WG
  - 安全なPEECコースの開催
  - 新規PEECコース開催地の支援
  - アドバンスPEECコースの開発・開催
- 病院前救護における自殺企図者のケア方法を普及させるためのWG
  - PPST（Prehospital PEEC Skill Training）コースの開発と開催
  - PPSTガイドブックの出版
- 妊産婦の自殺予防のためのWG
  - 複数の診療科にまたがる課題抽出
  - 課題への対策となる教育コンテンツの検討と開発＝テキストブックの発刊
- 自傷・自殺未遂レジストリ運営WG
  - 臨床研究開始にあたっての倫理審査
  - 安全なレジストリシステムの開発
  - 全国救命センターでのレジストリ開始

とともに，現場で困惑する身体科救急スタッフ向けに，日本精神科救急学会，日本総合病院精神医学会と共同して，「PEEC™（Psychiatric Evaluation in Emergency Care）コース」（コラム後述）を全国で開催し，身体科救急スタッフが自殺未遂者を含む精神科的問題を有している患者への初期対応の仕方を具体的に学ぶ研修を提供している[18]。順調に受講者を増やしていたが，2020（令和2）年度からコロナ禍によりオンライン開催に移行している〔2022（令和4）年には第22回を開催〕。新型コロナウイルス感染症の5類移行に伴い再び対面コース開催へ移行しつつある。さらに，新たな4症例を用いたアドバンスPEECコースの準備を進めている。ほかにも，病院前救護（救急隊員，救急救命士，警察関係者など）向けのPEEC（PPST：Prehospital PEEC Skill Training）コース[19]の全国開催，妊産褥婦向けのメンタルケアのためのテキスト[20]やリーフレット策定，全国救命救急センターに搬送される自殺企図者の症例登録などの活動[21]が展開されている。

翻って，精神科側の活動としては，日本精神神経学会，日本精神科救急学会を中心とした（精神科症例の）身体合併症に対する精神科医，精神科医療機関の体制構築についての議論が進んでいる。すでに，心血管疾患の急変患者への対応〔BLS（一次救命処置）やALS（二次救命処置）〕コース，脳卒中症例の診療のためのISLS（神経救急蘇生）コース，外傷初療のためのJATEC™（外傷初期診療）コースなどは整備されており，希望すればすべての医療者が受講可能である[22]。精神科医自身が患

表 1-3-2　精神科医のための身体合併症講演会（アドバンス）目次

ひとまず何とかして，すぐコンサルトする
—身体診療と診断・治療—
1. 薬物過量摂取の初療
2. 心肺停止患者への対応：GL2015*最新版
3. 外傷初期診療（JATEC™）
4. 脳卒中初期診療（ISLS）
5. 高体温（熱中症）
6. 突然の胸痛，頭痛，進行性の呼吸困難
7. アナフィラキシーの初療

*『JRC蘇生ガイドライン2015』

者の身体的 red flag sign に気づき，必要な応急処置を施行しつつ次の手を打つところまではすべての医師に必要になる。筆者が日本精神科病院協会からの依頼を受けて2017（平成29）年から数年間取り組んだ，精神科診療所（クリニック）の医師向けの身体科疾患や外傷・災害・中毒などの初期診療・対応を学ぶ3時間のコース，「精神科医のための身体合併症講習会：ひとまず何とかして，すぐコンサルトする—身体診察と診断・治療—」もその一つといえる（表1-3-2）。医師の場合，初期研修の2年間で内科6カ月，救急科3カ月は必修であり，研修後に精神科専門医を目指す時点で身体科救急疾患に関する知識と経験を有している。身体合併症をきたした症例を前に，すぐに必要な初期診療手順を施し，自院で治療可能か，専門医療機関にコンサルトすべきかといった，重症度・緊急度判断（適切なトリアージ）も含まれる。

このように両者の弱点に気づき，それを克服し標準的初期診療を全うしようとする試みは，医療安全上も重要であることは間違いない。ただし，現場の精神科救急患者は多くの場合，医療的問題にとどまらず，すでに複雑な人間関係，そして関係者だけでは解決困難な心理・社会的問題を抱えている。身体科救急スタッフは，患者やその家族との関係構築（良好なコミュニケーション）に際し，臨床現場での経験，構築のための時間と技術が不足している。ソーシャルワーカーがその溝を埋め，大切な"つなぎ役"となって活躍できる舞台がここにある。

Ⅲ　精神科救急の医療現場における特性[23)24)]

ソーシャルワークの基本業務は"社会福祉の立場から，患者の抱える経済的，心理・社会的問題を把握し，その調整を援助し最適な社会資源のサービスを提供することにより問題解決を図り，社会復帰の促進を図る"ことにほかならないが，救急医療の現場では，医療そのものの重症度・緊急度が高く，急変も多い。また状況はどんどん変化していく。問題の把握とその解決の糸口に必要な情報収集は，とくに初期においては困難を極めるが，それにかける時間は少ない。前述したように，身体科の主治医とかかりつけ精神科医，あるいは精神科入院先担当医との間で，経過観察期間の長短，退院・転院のタイミングを含めた医学的・社会的問題の解決に時間を要することも多い。

これらの特性を念頭に置き，さらに精神科救急の特異性を加味したうえで，できるだけ早期に迅速な危機介入を行い，支援体制を整え，臨機応変な対処がソーシャルワーカーに求められる。

Ⅳ　精神科救急におけるソーシャルワークの注意点

精神科的問題を有する症例に対するソーシャルワークの具体的な心構えを以下に示す。

1. 緊急性

来院直後から，患者の身元確認，家族・キーパーソンの把握と現在の関係，経済状況・医療保険の内容，かかりつけ医と処方薬・外来通院歴，福祉行政とのかかわりの有無など，すぐに必要となる情報は多く，患者とその家族のニーズの把握とその早期解決に向けての準備は，結果的に身体的・精神的治療促進への患者本人/家族/スタッフの意欲にも影響する。休日・夜間の緊急対応も必要になる。とくに精神科救急では自殺企図症例が多く，慎重な扱いを要すると同時に，原因の検索，家族への連絡やそれぞれの関係者との関係性の把握など，緊急性・重要度の高い情報は多い。

2. 重症度

身体的にはバイタルサインが不安定であり，意識障害の存在，急変リスクは高く，早期死亡の可能性もあるため，身体的治療が常に優先される。そのため患者や家族への接触の制限があり，問題把握のための情報収集に障害がある。患者自身の重症度が高く，意識障害の存在や交流のない家族からは正確な情報収集が困難で，自分への不利益が生じるのではないかと考える疎遠な血縁者の非協力的な態度などにも悩まされる。

3. 時間的な制約

病態の変化，ベッド状況，専門科へのコンサルトなどに応じて，早々に転科や転送，転院になる可能性がある

表 1-3-3　TALK の原則

Tell：誠実な態度で話しかける
Ask：聞きにくいことについてはっきりと尋ねる
Listen：相手の訴えに傾聴する
Keep safe：安全を確保する

ので、業務にかけることのできる時間が少ない。次に回さずタイミングよくかかわる必要がある。また途中から、本人（退院後），家族ほかの関係者（入院中でも）と連絡がつかなくなる危険性を想定しておく。

4. 流動性

本人だけでなく家族も、突然発症の病気や外傷に遭遇し混乱しているうえに、一度に多くの問題に対処しなくてはならなくなる。そのうえ、重症例では時に病状が二転三転し、急変、突然死もあり得る。五月雨式に入ってくる少ない情報だけで問題の整理をしなければならず、アドバイスが必要となっても休日・夜間における行政組織は頼りない。情報収集の結果、自宅退院、身体科医療機関への転院、精神科医療機関への転院、しばらくは経過観察入院の継続など、あらゆる可能性が起こり得る。

このような状況を前提に、先を読みつつ計画を立て、遂行していかなければならない。

V 精神科救急症例への接遇におけるポイント[25]

1. TALK の原則 （表 1-3-3）

もっとも重要で、かつ難しいのがこの TALK の実践である。どのような患者に対しても同じであるが、まずは誠実に話しかけ、自分としても患者のことを心配している、いまある問題を一つずつ解決する手助けに来たことを伝える（Tell）。自殺企図や希死念慮、同居人との関係、虐待・暴力・いじめの有無、これまでの病歴など、聞きにくいことであっても重要なことははっきり尋ねる（Ask）ことは、その後の信頼関係の構築にも大切である。そして水平な立場で相手の訴えをよく聞く（Listen）。この間、患者が現在安全な環境にいることを伝えて安心してもらう（Keep safe）ことも治療効果を発揮するうえで重要である。この安全確保には、ソーシャルワーカーを含む医療スタッフ側の安全も含まれている。現場の危険物（とがった筆記用具、首から下げたストラップやネクタイ、ハサミなど）などは前もって遠ざけておく。

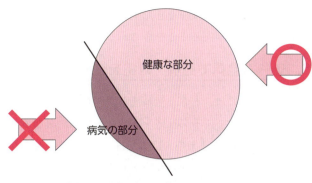

心を病む人の健康な部分に注目し、かかわっていく
図 1-3-2　解決の糸口

2. 病んでいる患者の健康な部分に注目する （図 1-3-2）

幻覚妄想状態の患者であっても、必ず健康な部分が残っているので、そこに注目して現実的な部分の問題について少しずつでもかかわっていき、信頼関係を構築していくことが解決の糸口になる。そのためにはTALKの原則を守り、アドバイスなどはできるだけ具体的な内容になるよう努める。入院後に開始される向精神薬は、入院前と違って確実に投与されるため、健康な部分がより大きくなり、話し合いや調整が進むことも期待できる。

3. 無意識に存在する陰性感情をコントロールする

精神科救急症例に何度もかかわっていると、徐々に陰性感情が生まれてくることは避けられない。こちらの努力が報われずに再搬送されてくる症例に接して、骨を折って手配した諸々の社会資源が活かされていないことに気づいて、ため息をつくことの繰り返しが、そのような気持ちを芽生えさせていく。その場合でも、自らの価値観で患者を説き伏せようとせず、気長に水平な立場で対処する。そのためには、自らのストレスコントロールにも配慮するよう努める。

4. 意識障害と精神症状を鑑別する

意識障害とは、意識の明瞭度を測る物差しで、清明から深昏睡まであり、患者の意識が清明でない場合には、質問や会話の内容、Yes/No の意思表示が正しくないばかりか、そのこと自体を覚えていないこともある。一方、精神症状として、昏迷、強いうつ状態、解離性障害などでは、意識障害と同じように外的刺激に一見反応しないことがあるが、閉眼し動かなくても実際には意識は清明に保たれており、医療従事者の不用意なベッドサイドでの発言が取り返しのつかない不信感を招き、その後の

ソーシャルワークに支障をきたすことにもなる。両者には根本的な違いがあることをきちんと認識しておく。

5. チーム全員で見解・対応を統一する

患者のなかには，わざと意地悪な質問をそれぞれのスタッフにぶつけて，その反応をうかがったり，異なることを言った場合に，「あの人はこう言ったのに，なぜあなたはそれと異なることを言うのか」などと詰問される事態にもなりかねない。そのため，重要なことについては前もってスタッフ間で見解・対応を統一しておき，「その件は皆で検討してから改めてお知らせします」といったように，独断での判断を避け，チームで連携して対応するようにする。

6. 患者とその周辺の問題に深入りしない

無関心な態度や批判的な姿勢は，悪影響以外の効果をもたらさないが，一方で，「何とかしてあげたい」気持ちが強すぎると，正しい判断が鈍り長続きしなくなるので，患者との適切な距離感を意識しておくことが必要となる。患者の訴え（場合によっては幻覚，妄想）には，かかわる時間を決めて対応するように心がける。

7. 違法行為，迷惑行為への対応

病院のルールを破ったり，脅迫行為などは本人，家族にかかわらず毅然とした態度で，病院の定めた規定に従って，チームとして（場合によっては病院として）対応し，必要に応じて警察への連絡も躊躇しない。

VI 精神科救急におけるソーシャルワーカーの役割[17]

1. 患者来院後のソーシャルワーク

精神科関連ソーシャルワーカーの役割は多岐にわたるが，情報ソース，時間，人材は限られている。そのため，精神科関連の患者が来院したら，ソーシャルワーカーにも同時に連絡が入る手立てを講じておく。それにより救急外来（ER）の時点から介入ができるうえ，そこには救急隊員，家族などの関係者，かかりつけ医の情報など多くの情報が残されている。初療時から患者だけでなく主治医とも治療方針やニーズなどに関してコミュニケーションが取れていれば，早期に支援の内容，退院（転院）に向けての計画に見通しが立ち，その後の展開は非常にスムーズになる。退院後のケア，サポートに関しても，今後の展開の予想を立てつつ広く可能性を探っておく。

表1-3-4　精神科関連ソーシャルワークの具体的内容

SW1. 問題点抽出
- 患者の心理社会的問題に関する情報収集を行う
- 現実に抱えている社会生活上の問題点を本人，家族，救急隊，付き添いの支援者などから情報収集する
- Line 1-2, Line 8のアセスメントと並行して行う

SW2. 問題点アセスメント
- 心理社会的問題の緊急性，重大性の評価を行う
- 支援者，支援組織などの確認を行う

SW3. 介入目標設定
- ソーシャルワーカーを要請する
- 現実的で達成可能な目標を設定する
- 患者（利用者）および支援者（家族など）と一緒に設定する
- 前向きな目標設定と動機づけを行う

SW4. 介入計画立案
- アセスメントと目標設定に基づいた介入方法を提案する

SW5. 短期的介入
- 必要な情報の提供を行う
- 支援組織（行政，関連機関など）との連携を図る
- 生活・金銭・その他の問題の調整を行う
- 家族，保護者，扶養義務者，後見人など支援者との調整を行う
- 精神保健福祉法に基づく入院の場合の手続きの調整を行う

SW6. ソーシャルワーク導入
- 継続的な相談・支援体制を構築する
- 担当者の紹介を行う
- 介入目標と介入計画について確認する

〔文献25）より引用〕

2. 時系列でのソーシャルサポートの流れ

表1-3-4[25]に示すように，6つのステップにより必要な支援を計画していく。そして退院後は，かかりつけ医，地域，行政，そして，できればケースマネジメントにつないでいく必要がある。初療時からかかわれない場合には，主治医，受け持ち看護師など初療スタッフが問題点の抽出（SW1），そのアセスメント（SW2）ののちに，要請がかかることになる。表1-3-4[25]の順番どおりにいかなくても，緊急性，重大性に応じて（あるいはできるところから）対処していけばよい。

入院中のソーシャルワークの善し悪しは，その後の身体的，精神科的治療の予後（再来院）にも大いに影響する。そして，その過程，結果はスタッフ全員の陰性感情，仕事満足度にも直結しているのである。

文献

1) 日野耕介，小田原俊成：救急医療とリエゾン精神医学．精神医学 57：185-193, 2015.
2) 日野耕介，高橋雄一，平安良雄：精神科医と救急医が互いの専門領域を学ぶ試み．総合病院精神医学 29：8-14, 2017.
3) 中村俊介，萩原祥弘，山下智幸，他：都市部における救命救急センターの役割：救命救急センターにおける精神科診療の現

第3節 救急医療における精神科諸問題と対応

コラム
PEEC™ (Psychiatric Evaluation in Emergency Care) コースについて

　日本臨床救急医学会 (Japanese Society for Emergency Medicine；JSEM)「自殺企図者のケアに関する検討委員会」が開発したPEEC™コースは，身体科救急スタッフ (ER，救命救急センターの医師，看護師，研修医，薬剤師，医療ソーシャルワーカー)，そして救急隊員や行政職 (保健師，他) を対象にしている。精神科医不在の状況で少なくとも翌朝または週明けまで，精神症状を呈する患者への安全かつ安心できる標準的初期診療ができることを目標に，救急外来に搬送されてくる4つの典型的な精神科救急症例 (過換気症候群，オーバードーズによる自殺企図，統合失調症，覚醒剤による自傷他害のおそれのある症例) をファシリテーター，コースアシスタントの助けを借りて，多職種で構成されるグループの受講生全員が協力しつつ，よりよい対処法を探っていく4時間のコースである。受講希望者は，日本臨床救急医学会ホームページからエントリーできる[17]。テキストとして，『PEEC™ガイドブック』[18]が市販されている。
　PEEC™コースの行動目標を表1-3-5[18]に提示する。受講後に，働く現場で同僚や同じコースを受けた受講者と協力して，地域のリソースの質と量に応じた問題点を把握し，具体的な解決策を提案し広め改善していくことが最終的なゴールである。

表1-3-5　PEEC™コースの行動目標

> ・既往歴，持参薬，現病歴から，ある程度の精神科的背景を推察できる
> ・適切な距離を維持しつつ医療面接ができる
> ・短時間で必要な医療情報を収集できる
> ・診療中の患者の安全，医療者側の安全を確保する方法がわかる
> ・器質的 (身体的) な問題を鑑別できる
> ・症状に応じた薬剤の選択，投与方法，副反応への対応がわかる
> ・外来帰宅か，入院加療の必要性を正しく判断できる
> ・自殺企図患者に対し，再企図を予防しつつ安全な入院管理ができる
> ・違法薬剤の使用，薬物依存への法的問題に正しく対処できる
> ・患者の社会的背景の理解とその問題への対処に他職種のスタッフと協力しつつあたれる
> ・安全に外来フォローアップへの道筋をつけることができる
> ・自死遺族への具体的な援助の方法を知っている
> ・自施設での問題点とその解決方法について考察できる
> ・地域における問題点とその解決窓口を指摘できる

〔文献18）より引用〕

状と課題．平成25年度救急振興財団調査研究助成事業；平成25年度救急に関する調査研究助成事業複雑化する救急症例に対し二次救急医療機関との役割分化を目指した新たな三次救急医療機関のあり方 (最終報告書), 2014.
4) 『救急医学』編集委員会：特集にあたって．救急医学39：1763, 2015.
5) 三宅康史：今まで，そして現在，精神科救急医療の何が問題なのか；身体科救急医の視点．救急医学39：1765-1769, 2015.
6) 澤温：今まで，そして現在，精神科救急医療の何が問題なのか；精神科救急を担当する精神科医の視点．救急医学39：1771-1779, 2015.
7) 八田耕太郎：各論Ⅰエビデンスに基づく病態と評価，対処法；せん妄・精神運動興奮．救急医学39：1780-1786, 2015.
8) 平田豊明：各論Ⅰエビデンスに基づく病態と評価，対処法；昏迷．救急医学39：1787-1793, 2015.
9) 上田諭：各論Ⅰエビデンスに基づく病態と評価，対処法；認知症．救急医学39：1794-1800, 2015.
10) 長谷川朝穂：各論Ⅰエビデンスに基づく病態と評価，対処法；自殺企図・自傷．救急医学39：1801-1807, 2015.
11) 岸泰宏：各論Ⅱ精神科救急症例を扱うときに必ず遭遇する法的問題；措置入院 (23条通報) と医療保護入院．救急医学39：1809-1815, 2015.
12) 松本俊彦：各論Ⅱ精神科救急症例を扱うときに必ず遭遇する法的問題；公務員と違法薬物使用の通報義務．救急医学39：1816-1822, 2015.
13) 杉山直也：各論Ⅱ精神科救急症例を扱うときに必ず遭遇する法的問題；一般病床における身体抑制に係る法的問題．救急医学39：1823-1829, 2015.
14) 日野耕介：各論Ⅲ解決への道程；精神科医が身体科救急を学び，救急医が精神科医療を学ぶ試み．救急医学39：1831-1838, 2015.
15) 岡田保誠：各論Ⅲ解決への道程；救急病院と精神科病院が円滑な連携を行うためにはどうすればよいのか；医療機関同士の連携で精神科救急症例をつないでいく試み．救急医学39：1839-1846, 2015.
16) 大塚耕太郎：各論Ⅲ解決への道程；地域で精神科救急症例を受け入れ，地域の安全と患者の人権を両立させている試み．救急医学39：1847-1853, 2015.
17) 日本臨床救急医学会：PEECについて．
https://jsem.me/training/peec.html
18) 日本臨床救急医学会総監修，日本臨床救急医学会「自殺企図者のケアに関する検討委員会」監，PEECガイドブック改訂第2版編集委員会編：救急現場における精神科的問題の初期対応PEEC™ガイドブック；多職種で切れ目のない標準的ケアを

第1章 救急医療と救急医学

> **コラム**
>
> ## 入院時重症患者対応メディエーター（Critical Care Mediator）養成講習[26]
>
> 　入院時重症患者対応メディエーターとは，その名のとおり，入院時（緊急入院あるいは院内急変72時間以内），重症患者（重度の意識障害があったり，緊急手術，人工呼吸や経皮的心肺補助装置などの集中治療の管理のために麻酔や鎮静鎮痛管理を余儀なくされた患者本人）とその家族に対応するメディエーター（仲介者）を指す．患者とその家族が，いまの病態，これから必要な治療，今後の見通しなどについて，突然起こった重大局面の精神状態のなかにあっても，それらを正しく理解し，後悔のない選択を行えるよう，中立的な立場で医療者側との橋渡しを担い，対話の促進および相互理解を図る役割を与えられた新しい名称である．結果的に不幸な結末となったとしても，臓器移植を含む厳しい代行意思決定を下した家族の判断を支持し，患者家族，医療者双方の満足度の向上につなげる．養成講習は2019（平成31）年度から開催されており，3つの事前ビデオ講義＋ロールプレイを中心とした3時間30分のオンライン講習（図1-3-3）を受講したうえで，重症患者初期支援充実加算を取れる医療機関で専任として活動する．2022（令和4）年度より診療報酬（300点×3日間）がつき，2023（令和5）年度末で約900名近くの講習修了者（看護師50％，ソーシャルワーカー30％，公認心理師10％など）が見込まれている．養成テキスト[27]が発刊され，現場での活動，経験からの発表会，関連学会での報告を通じて，当事者による体系的な役割や課題がいっそう明確になってくると思われる．

基本プログラム（オンライン）

（2022年8月開催より合計3時間30分）

時間割	内容
開始前	受付（※）
0：00〜0：10（10分）	主催者あいさつ
0：10〜0：15（5分）	講習会に関する事務連絡
0：15〜3：25（190分）	ロールプレイ（3人1組） 3シナリオ（各60〜75分） ・インストラクション＋準備 ・ロールプレイの実施 ・グループディスカッション ・全体振り返り（講師解説）
3：25〜3：30（5分）	終わりのあいさつ，質疑応答

図1-3-3　2023年度基本プログラム

19) PPSTホームページ．
https://sites.google.com/view/ppsthome/%E3%83%9B%E3%83%BC%E3%83%A0

20) 日本臨床救急医学会「自殺企図者のケアに関する検討委員会」監：妊産褥婦メンタルケアガイドブック；自殺企図，うつ病，育児放棄を防ぐために．へるす出版，東京，2021．

21) JA-RSA.net
https://sites.google.com/jscp.or.jp/jarsa/JA-RSANET

22) 東岡宏明：初期診療（病院前含む）における教育手法．母体救命アドバンスガイドブック J-MELS，日本母体救命システム普及協議会（J-CIMELS）総監修，J-MELS「日本母体救命システム」アドバンスコース プログラム開発・改定委員会監，母体救命アドバンスガイドブック J-MELS編集委員会編，へるす出版，東京，2017，pp24-28．

23) 山田素朋子：救急医療における精神科的問題への対応；PEEC™ソーシャルワーカー編．日本臨床救急医学会総監修，日本臨床救急医学会「自殺企図者のケアに関する検討委員会」監，PEECガイドブック改訂第2版編集委員会編，救急現場における精神科的問題の初期対応 PEEC™ガイドブック；多職種で切れ目のない標準的ケアを目指して，改訂第2版，へるす出版，東京，2018，pp21-25．

24) 日本精神科救急学会監：精神科救急医療ガイドライン2022年版．2022．
https://www.jaep.jp/gl/gl2022_all.pdf

25) 日本臨床救急医学会：自殺未遂患者への対応；救急外来（ER）・救急科・救命救急センターのスタッフのための手引き．2009．
https://www.mhlw.go.jp/file/06-Seisakujouhou-12200000-Shakaiengokyokushougaihokenfukushibu/07_2.pdf

26) 入院時重症患者メディエーター養成講習：入院時重症患者対応メディエーター養成講習会．
http://hmcip.umin.jp/course.html

27) 日本臨床救急医学会，日本クリティカルケア看護学会監，日本臨床救急医学会 教育研修委員会 入院時重症患者対応メディエーター養成小委員会編：入院時重症患者対応メディエーター養成テキスト．へるす出版，東京，2023．

（三宅　康史）

第 2 章

救急認定ソーシャルワーカー

第2章 救急認定ソーシャルワーカー

第1節 救急認定ソーシャルワーカー認定制度

I 救急認定ソーシャルワーカー認定機構

1. 救急認定ソーシャルワーカー認定機構の設立

2015（平成27）年11月17日，関係団体との連携の下に，救急医療現場におけるソーシャルワーク実践に必要な知識および技術を有するソーシャルワーカーを養成し，統一した基準の下にその認定を行うことで，救急医療の質の向上および人間の福利（ウェルビーイング）の増進に貢献することを目的に「救急認定ソーシャルワーカー認定機構」（以下，本機構）が設立された（本機構定款第4条）。

本機構は，一般社団法人日本保健医療社会福祉学会および一般社団法人日本臨床救急医学会を構成団体とし，公益社団法人日本医療ソーシャルワーカー協会および公益社団法人日本精神保健福祉士協会を協力団体とした組織となっている。構成団体および協力団体は，救急医療の質の向上に資するために，救急分野におけるソーシャルワークの向上と定着を目指し，この認定事業に取り組んでいる。

2. 救急認定ソーシャルワーカー数の推移

2017（平成29）年1月には，第1回認定研修および認定試験を経て，救急認定ソーシャルワーカー121名を認定し，2024（令和6）年3月31日現在までに第7回の認定事業を実施し，計361名（新規認定者数）を認定している（図2-1-1）。

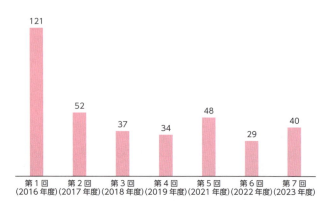

図2-1-1 救急認定ソーシャルワーカー新規認定者数の推移
※2020（令和2）年度に実施予定であった認定研修および認定試験は，新型コロナウイルス感染症の感染拡大防止の観点から中止とした

II 救急認定ソーシャルワーカー認定制度の概要

1. 救急認定ソーシャルワーカーの役割

本機構では，救急認定ソーシャルワーカーの役割として，以下の①〜⑤を定めている（本機構認定規則第3条）。

①救急医療におけるソーシャルワークを適切に実践する。

②救急医療を行うチームの中で，ソーシャルワークの知識および技術を高め普及し，円滑に業務を遂行する。

③救急医療におけるソーシャルワークの医療安全を確保し，実践する。

④救急医療における根拠に基づいたソーシャルワークのあり方を理解し，実践する。

⑤その他，救急医療にとって必要なソーシャルワークに関連すること。

また，救急認定ソーシャルワーカーは時代に即したあるべき姿を模索し，社会からの期待やその変化に適応していく必要がある。

2. 認定の要件

本機構が定める救急認定ソーシャルワーカーの認定の要件を表2-1-1に示す（本機構認定規則第4条および認定制度施行細則第2条）。制度設計では，社会福祉領域の既存の認定制度〔認定医療ソーシャルワーカー，認定社会福祉士（医療分野），認定精神保健福祉士〕との整合性をどのように保つかについて議論し，すでに認定されているソーシャルワークのジェネラルなスキルと視点には一定の評価をすること，有為な人材を広く認定していくことで整理した（図2-1-2）。

表2-1-1 救急認定ソーシャルワーカーの認定の要件

①社会福祉士もしくは精神保健福祉士の国家資格を取得している
②保健医療分野におけるソーシャルワーカー歴が5年以上あり，かつ，救急医療に2年以上携わっている*
③指定された研修など（本機構が指定または承認する研修）を修了している
④本機構が実施する試験に合格している

＊第二次または第三次救急医療機関および精神科救急医療施設において，救急病棟を担当しているか，または救急車両で搬送された救急搬送患者への支援を月平均8ケース（実件数）以上担当することをいう。なお，ここでいう精神科救急医療施設は，精神科救急入院料および精神科・合併症入院料届出医療機関，ならびに精神科救急医療体制整備事業実施要綱で定められる精神科救急確保事業・身体合併症救急医療確保事業に参画する医療機関をいう

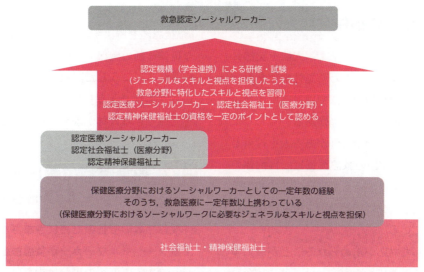

図2-1-2 救急医療におけるソーシャルワーカーの認定制度

　救急認定ソーシャルワーカーは，救急医療におけるソーシャルワークを適切に実践するため，ジェネラルなスキルと視点を担保したうえで，救急分野に特化したスキルと視点を習得する必要があり，その基準を提示したのが本制度である。

3. 認定研修および認定試験

　本機構では，認定の要件③の「指定された研修」として，年1回，2日間の認定研修を開催している。これまでの認定研修では，1日目に，「救急認定ソーシャルワーク概論」「救急医療におけるソーシャルワーク実践の展開」「救急医学概論」「救急医療における精神科諸問題」「救急医療体制の現状」「救急医療の一翼を担うソーシャルワーカーの役割」「救急医療におけるチームアプローチと連携活動」をテーマとした講義を行い，2日目には，「救急医療における患者・家族の権利擁護」「救急医療における倫理的課題とソーシャルワーク」をテーマとした講義および演習を行っている。本書は，認定研修で使用する標準テキストである。

　また，認定の要件④の「本機構が実施する試験」として，認定研修終了後に認定試験を実施している。認定試験では，ジェネラルかつ救急分野に特化したスキルと視点を確認する問題が出題される。

4. 認定の更新

　救急認定ソーシャルワーカーは5年ごとの更新が必要であり，更新審査は年1回行っている（本機構認定規則第10条）。認定の更新では，以下の①〜④を満たす必要がある（本機構認定制度施行細則第8条）。

　①更新申請時において，救急認定ソーシャルワーカーである。

　②認定を受けてから，本機構構成団体および協力団体のいずれかの大会・学術集会において，1回以上参加している。

　③本機構が指定・企画する研修などを修了している。
　④本機構が定める更新認定ポイントを獲得している。
　※③の「本機構が指定・企画する研修など」として，アドバンス研修，救急認定ソーシャルワーカーセミナー，ショートセミナーを開催している。

（篠原　純史）

第2章 救急認定ソーシャルワーカー

第2節 救急認定ソーシャルワーカーの役割

I 救急医療と社会福祉

　救急医療（emergency medicine）とは，人間を突然に襲う外傷や感染症などの疾患，すなわち急性病態を取り扱う医療である。通常の医療機関受診では対応できない救急の疾患をもつ人や，耐え難い苦痛がある，もしくは生命の危機が迫っているなどの緊急性がある人を対象として実施されている[1]。わが国の救急医療は，自治体の医療計画に基づいて，対象とする重症度に応じて初期救急，二次救急，三次救急に分けて救急指定医療機関が対応する仕組みを取っている。

　身体の危機に特化した対応が求められることが最大の特徴となっている救急医療であるが，しばしば，社会福祉が対象にしてきた貧困や社会的排除の問題が身体の危機と同時に露呈する場面となる。また，虐待や暴力などの被害者が救急医療の対象となったり，経済的な問題などで医療にかかることができていなかった人，あるいは医療保険に加入していない人が限界のところで救急治療室に運ばれてくる姿は，臨床にいる者であれば目にすることである[2]。このような社会関係が機能不全に陥っている人々への支援は社会福祉の使命であり[3]，その担い手であるソーシャルワーカーが救急医療に配属される意味の一つとなっている。さらに，事故や突然の病気などで危機に陥った人々への支援は，危機介入と呼ばれ，社会福祉の分野でも長く実践されてきた。危機状況つまり，いままでの自分の対処では乗り越えられないような状況に遭遇した人々への支援も社会福祉の支援の対象となる。最近では災害などに対応する救急医療チームにもソーシャルワーカーの参画が期待されている。

　前述のとおり，救急医療は，急に発生したけがや病気のプライマリケアを担当する医療であり，傷病者の状態に応じた適切な医療が提供されることが求められる。その対応の期間はきわめて短期的であり，重篤な状況であればあるほど，根治的治療は次の医療環境に引き渡されることになる。同時に，ソーシャルワーカーによってアセスメントされた社会福祉のさまざまな課題も次の環境に引き継がれる可能性が高い。そのため，救急医療におけるソーシャルワークには，救急医療の対象となる人の「福祉課題を解決する」という行為と，「救急医療の円滑な提供体制の確保」の両方の成果を達成できることが求められる。こうした課題について，「知っている」レベルから「実行できる」レベル，すなわち，コンピテンシーを発揮できる人材が求められている。

II 救急医療におけるソーシャルワークとは

　救急患者の福祉のためにさまざまな役割を果たそうとするソーシャルワーカーが救急医療チームの重要なメンバーであることへの異論は少ないであろう。しかし，救急医療におけるソーシャルワーカーの役割や機能については，他の医療専門職にとってやや不明確な面が多い。メンタルヘルスの提供や医療費への対応，家族へのサポートといった活動の幅広さが，その理解を困難にしている。ソーシャルワーカーは救急医療において，心理社会的アセスメント，カウンセリング，悲嘆ケア，虐待への対応，退院支援，社会資源との連携，情緒的支援，患者家族教育，そしてアドボカシーを提供している[4,5]。また，ソーシャルワーカーは，薬物依存，自殺企図，虐待やDV，精神疾患，貧困やホームレス，保険証をもたない人々，支援を希望しない人々などへの社会福祉的介入について一定の戦略をもっていなければならないとされる[6,7]。本書において，救急医療の領域のソーシャルワークを体系化することは，ソーシャルワーカー自身と他の専門職に対して，具体的な機能や役割を明確化する作業にほかならない。救急医療という「場」の特性を踏まえ，社会福祉の価値を損なうことなく，ソーシャルワークを実践する力を発揮することができる人材が必要とされている。

III 救急医療におけるソーシャルワーカーの特徴

　ここでは，救急医療におけるソーシャルワーカーの特

徴について，①患者・家族へのメンタルサポート（心理的ケア）の提供，②社会資源の導入および入退院支援，③チームアプローチ，④救急医療の提供体制の維持・確保のマネジメントをあげ説明する。

1. 患者・家族へのメンタルサポート（心理的ケア）の提供

　救急医療においてソーシャルワーカーがもつべきもっとも重要なスキルは，迅速かつ正確なアセスメントを実行する優れた危機介入スキルである。忙しい救急医療のなかにあって，忍耐力や落ち着いた態度，そして優れたリスニングのスキルが求められる。これらのスキルは，事故や暴力の被害者や精神疾患をもつ人たち，経済的問題を抱える人たち，そして危機的状況にある患者や家族の治療の成功に貢献することができる。救急医療におけるソーシャルワーカーの役割には家族へのサポートや人生の最終段階について考えなければならない人々へのサポートも含まれる。これらは，意思決定支援などと呼ばれることもある。さらに救急医療においては，急激に発生した出来事を受け止めることができずにいるクライエントへ対処するスキルが求められる。ソーシャルワークにおいて信頼関係形成のスキルが基本にあることに異論はない。しかし，信頼関係形成が成立しにくい状況においてどのような支援を行うかが課題となる場合が多く，被害者感情や喪失に対する家族や関係者の悲嘆反応に対応するスキルをもち合わせていることが重要になる。また，救急医療において生じやすい患者の状態などに関する知識をもち，患者の家族や関係者の感情に寄り添いながら，起こり得る状態に対する心理教育などを行うことも重要な任務となる[8]。

2. 社会資源の導入および入退院支援

　救急医療と外部の機関や資源（リソース）を結びつけることは，ソーシャルワーカーの重要な役割である。身元のわからない患者や保険証をもたないなどにより医療費の支払いができない患者が搬送されてきた場合には，行政機関と連絡を取り，導入する制度を模索する。このような対応は迅速さが求められるため，ソーシャルワークを必要とする患者がスクリーニング（social high-risk screening）され，速やかに支援が提供される組織的な体制が整えられている必要がある。そして，救急医療が提供され，患者の状態が安定すれば，医師や看護師と共に，適切な退院計画を立てることになる。ソーシャルワーカーは適切な療養環境資源（転院先や在宅療養および保健福祉サービス）に関する情報を提供し，その活用を調整し，患者が適切なフォローアップケアを受けることができるように促していく。このような入退院支援における質の確保について，ソーシャルワーカーはその責任の一端を担う。入退院支援の側面にかぎらず，救急医療の現場では治療の必要性に加えて，患者や家族の抱えるさまざまな心理社会的問題が表面化し，外部機関と連携を図る起点となる可能性が高い。生活環境の劣悪さから，繰り返し救急医療を受診する人などに対し社会的支援を検討することや，自殺企図者に対し精神保健の専門職のかかわりを検討すること，子どもなどを暴力の被害から保護する必要がある場合，それらの手配には高度な調整スキルが求められる。このような連携のスキルの発揮はソーシャルワーカーに期待されるもっとも大きな役割である。

3. チームアプローチ

　救急医療は，集中的に人材や資源を投下して生命の危機を回避するために機能する。救急医療のチームにおいては，与えられたそれぞれの専門職としての役割と機能が十分に果たされることが期待される。この意味において，まずマルチディシプリナリなモデル〔多職種が明確な役割分担に基づいて，合理的に課題を解決することを目指すモデル（詳細は，第3章第3節「救急医療におけるチームアプローチ」の項を参照）〕の医療チームが形成されると考えられている[9]。短期的な成果を目指すチームにおいて，互いの情報の修正は大きな影響をもたらす。チームの意思決定に影響を与えるソーシャルワーカーの判断や報告に「くもり」（不確かであったり，頻繁に修正が加えられるなど）があれば，チームはたちまち混乱に陥り，クライエントの不利益にさえつながることになる。生活の複雑さを理解し，個別性を重視するソーシャルワーカーは，この情報の伝達に留意しなければならない。救急医療チームに属するソーシャルワーカーは，救急医療の展開過程（治療の戦略や選択）を理解したうえで，適切な時期に適切な報告をチームに対して行うスキルが求められる。一方，救急医療では，トランスディシプリナリチーム（役割機能が開放的・横断的で，相互作用が高いチームモデル）の側面も生じてくる[10]。トランスディシプリナリとは，「役割の解放」や「役割の相互乗り入れ」の概念を含むチームの型をいう。夜間や休日などにおいては，ソーシャルワーカーが不在となる救急医療の現場は多い。在院時間が短い救急医療では，夜間，休日の病棟スタッフに普段ソーシャルワーカーが担当している仕事を依頼しなければならない状況が生じる。また一般の病床に比べて人材の投入は多いが，医療

行為の手数の多さや複雑さを考えると，余裕のある業務が行えているとはいえないのが実情である。互いの業務をカバーし合いながら行われることも多い。そのため，限定的ではあるが，ソーシャルワーカーが医学的な情報を家族に伝えたりすることが生じる。この「役割の解放」や「相互乗り入れ」の際に重要な点は，各職種が何をどこまで行っているかの共有と，チーム，他職種がソーシャルワーカーを承認することである[11]。「ソーシャルワーカーが何をどこまで行うか」を他のチームメンバーが十分に承知したうえで初めて，「役割の解放」は進み，チームは成熟し，互いの仕事をカバーしながらそれぞれの専門性を引き出し合う関係が生まれる[12]。

4. 救急医療の提供体制の維持・確保のマネジメント

ソーシャルワーカーは救急医療では，死や重篤な状態などが迫る危機のなかにありながら，福祉問題を抱えるクライエントと接触する。そういった状況においてのソーシャルワーカーと患者・家族の関係は，瞬間的で，感情が高ぶったなかで進行する可能性が高い。一方で，マルチディシプリナリなチームの一員として，医療チームとの交渉を行い，他機関への連携を実行し，患者や家族との相談を冷静に展開させる力も必要とされる。

救急医療では，救急医療ユニットに患者が滞在する時間は短いため，時間の制限に関しては常に課題となる。ソーシャルワーカーは，クライエントの治療終了後までに，家に戻るか，別の病棟に移るか，転院するかの「転帰」を想定しておかねばならない。その際，救急治療の使命を認識するならば，そこで行われる医療は救命に特化したもので，根治治療や回復期リハビリテーションは次のステージの課題となる。また，ソーシャルワーカーは，医療スタッフの言動から，彼らの意図する救命医療のエンドポイントを理解して，患者や家族が抱える福祉課題に取り組む。さらに，チームとして協働し，退院支援に参加し，患者や家族と合意形成を図りながら進める。救急医療においてとらえられたクライエントが抱える福祉課題は，救急医療のソーシャルワーカーだけで解決することばかりではない。むしろ救急医療のソーシャルワーカーによってニード発掘された課題は，次の機関に引き継がれることのほうが多いことを理解しておかねばならない。

また近年のDPC（診断群分類）における「重症度係数」や「救急医療係数」の設定など，非常に複雑な診療報酬制度が救急医療へ与える影響を注視しておく必要があり，アウトライアー（基準から外れる人）といわれるような診療報酬に評価されにくい患者の存在も意識しておかねばならない。これらのマネジメントを成立させるためには，救急医療が各ユニット単体だけでは成立しないことを意識し，前方・後方機関との緊密な連携が重要となる。そのため，「ケースごとの連携」という発想ではなく，「従前からの協働関係」を関係機関と築いておくことが必要である。救急医療からの転帰は，医療の継続性の問題をはらんでいることが多いことを考えると，これらの関係機関との協働関係の形成は，ソーシャルワーカーだけが行うものではなく，チームあるいは救急医療ユニット全体として取り組む必要がある。この分野でソーシャルワーカーは先導的な役割を果たすことが可能であり，マネジメントスキルの展開が期待される。

Ⅳ 救急医療においてソーシャルワーカーに求められること

救急医療においてソーシャルワーカーに求められる点を以下に示す。

①救急医療の制度とそのなかでのソーシャルワーカーの役割を理解していること。

②救急医療の現場において発生する倫理的な課題について理解していること。

③救急医療において必要な法律や制度を理解していること。

④救急医療におけるソーシャルワークの展開過程について理解し，実践できること。

⑤患者だけでなく家族への心理社会的支援を理解し，実行できること。

⑥救急医療におけるチームアプローチを理解し，多職種での連携した支援が実践できること。

⑦これらを実践するための知識，技法を理解し，実践できるスキルをもつこと。

⑧救急医療における心理社会的ハイリスクについての知識をもち，これらに対する対処方法に長けていること。

⑨救急医療に必要な医学的リスクについて基礎的な知識を有し，これらに基づいた実践が展開できること。

⑩臓器移植や在宅医療，そして災害医療など救急医療に取り組みが期待されている課題に対しても一定の知識や見識をもって対峙すること。

文献

1) 日本救急医学会監, 日本救急医学会指導医・専門医制度委員会, 日本救急医学会専門医認定委員会編：救急診療指針. 改訂第5版, へるす出版, 東京, 2018.
2) 小島好子, 雲野博美, 角田圭佑, 他：救命救急センターにおける医療ソーシャルワーカーが介入する患者の特性と退院支援. 日臨救急医会誌 17：395-402, 2014.
3) 岡村重夫：社会福祉学；総論. 柴田書店, 東京, 1956.
4) 篠原純史：救急医療における MSW の役割. 医療 67：500-504, 2013.
5) 黒川雅代子：救急医療における遺族支援のあり方. 龍谷大學論集 470：57-66, 2007.
6) 実方由佳：小児救急医療とソーシャルワーク；Maltreatment の対応を例に. 小児看護 32：962-969, 2009.
7) 山田妃沙子, 杉本達哉, 織田裕行, 他：救命救急センターにおける自殺予防；再企図予防に果たす PSW の役割. 総病精医 23：253-259, 2011.
8) 日本臨床救急医学会監, 日本臨床救急医学会「自殺企図者のケアに関する検討委員会」編：救急医療における精神症状評価と初期診療 PEEC ガイドブック；チーム医療の視点からの対応のために. へるす出版, 東京, 2012.
9) 菊池和則：多職種チームの3つのモデル；チーム研究のための基本的概念整理. 社会福祉学 39：273-290, 1999.
10) Wieland D, Kramer BJ, Waite MS, et al：The interdisciplinary team in geriatric care. Am Behav Sci 36：665-664, 1996.
11) 多田弘美：メディカルソーシャルワーカーからみた「相互乗り入れ型」チーム医療. NPO 法人地域の包括的な医療に関する研究会著,「多職種相互乗り入れ型」のチーム医療；その現状と展望, へるす出版, 東京, 2012, pp158-177.
12) 松岡千代：ヘルスケア領域における専門職間連携；ソーシャルワークの視点からの理論的整理. 社会福祉学 40：17-38, 2000.

（井上　健朗）

第3章

救急医療における
ソーシャルワーク

第3章 救急医療におけるソーシャルワーク

第1節 救急医療における倫理的課題

I はじめに

人間には、「自分の人生をどのように生きていくか」を自分自身で決める権利が保障されているのと同様に、「自分の人生の終わりをどのように迎えるか」を自分自身で決める権利も保障されている。救急認定ソーシャルワーカーに求められているのは、何よりもこの「患者の自己決定」を尊重することであろう。しかし、救急医療現場で「患者の自己決定」を尊重することは実は容易なことではない。とりわけ、生命維持に関する患者の意思が「万が一のときに心肺蘇生は必要ない」であった場合でも、本人による事前指示（アドバンスディレクティブ）がなされていないときは、多くのケースで医療者は蘇生を施すことになり、患者の意思は尊重されないことになる。

本節では、救急認定ソーシャルワーカーとして、とくに生命維持に関する患者の自己決定を最大限尊重するための判断の材料となる概念を整理する。具体的には、まず、「生命維持治療」「蘇生不要指示（DNAR；do not attempt resuscitation）」という概念が何を意味しているのかを確認する。そのうえで、救急認定ソーシャルワーカーを含む保健医療福祉職の倫理的判断のよりどころとなる、「医療倫理の四原則」に言及する。その後、生命維持治療をめぐる問題点を論じ、それらの問題点への対応法を模索する。

II 「生命維持治療」「延命治療」の定義

生命維持治療はわが国に先行して欧米の先進諸国で進められてきたため、「生命維持治療」という概念が何を意味し、どのように意味が変化してきたのかを知るために、まず英国と米国でこの概念がどのようにとらえられてきたかを確認する必要がある。

英国では、「生命維持治療」は"life-prolonging treatment（直訳すると「延命治療」）"と呼ばれている。英国医師会のガイドラインではこの「延命治療」は以下のように定義されている[1]。「延命治療は、患者の死を遅らせる可能性があるすべての治療法を指し、心肺蘇生法、人工呼吸器による治療、化学療法や人工透析など、特定の症状に対して用いられる治療法、生命に危険を及ぼすおそれがある感染症に罹患した場合に用いられる抗生物質投与や人工的な栄養・水分補給法などが含まれる」[2]。

一方、米国ではかつては「生命維持治療」を表す概念には、英国と同様に"life-prolonging treatment"という語があてられていたが、1994年以降は"life-sustaining treatment（直訳すると文字どおり「生命維持治療」）"という語が用いられるようになっている[3]。この「生命維持治療」は以下のように定義されている。「生命維持治療は、もともとの症状を改善することなく、生命を延長するために役立つすべての治療法のことである。生命維持治療は人工呼吸器による治療、腎臓透析、化学療法、抗生物質投与、人工的な栄養・水分補給法を含むが、これらの治療法に限定されているわけではない」[4]。

では、生命維持治療に関しては後発のわが国では、その概念はどのように定義されているのであろうか。日本医師会医事法関係検討委員会答申〔2004（平成16）年3月〕では、「延命処置とは生命維持処置を施すことによって、それをしない場合には短期間で死亡することが必至の状態を防ぎ、生命の延長を図る処置・治療のことをいう」と定義されている[5]。さらに、「"生命維持処置（生命維持治療）"とは、死が差し迫っている場合に、死の瞬間を人為的に引き延ばすことだけに役立つ生命機能を維持するための機械的またはそれ以外の人為的な処置であり、治療である」[5]とされている。

わが国における「生命維持治療」「延命治療」の定義は、英国や米国のそれと比べ、わかりにくい。日本医師会の前述の定義をみるかぎり、「生命維持処置」は「延命処置」よりも狭い意味で用いられている一方で、「生命維持治療」は「生命維持処置」と同義で用いられている。しかし、辞書的な意味でも、「処置＝病気や傷などの手当をすること」「治療＝病気やけがを治すこと」という具合に、明確な意味の違い（「処置」には「回復」の意味は含まないが、「治療」には含む）があり、誰もが違和感を覚

えることなく日本医師会の定義を受け入れることは難しいであろう。また，人によっては「生命維持」と「延命」の違いを「延命のための手段が生命維持」ではなく，例えば，「延命治療」には「無駄な治療」という否定的なイメージを，逆に「生命維持治療」には肯定的なイメージを抱くことも考えられる[6]。人生の最終段階の生命維持に関して，誰もが明確にイメージできる用語がいまだに定着していないこと自体が，日本社会でこうした問題を語ることが容易ではなかったことを表しているともいえる。

III 「生命維持治療不要」「延命治療不要」（DNAR/DNR）の定義

前述の「患者の死を遅らせる可能性があるすべての治療法」と正反対の「患者の死を早める医療的対処」に関しては，わが国では「生命維持医療」「延命医療」よりもさらに議論は遅れているといわざるを得ない。

治療による負担や苦痛が恩恵よりも大きい場合や，死を先延ばしにするだけの延命処置を望まず穏やかな人生の最終段階を迎えることを希望する患者がいた場合，保健医療福祉職に従事する者には，後述するように，その患者の意思決定を尊重する義務がある。この「生命維持治療不要」「延命治療不要」に関しても，その定義を確認する必要がある。

実際に，「生命維持治療不要」「延命治療不要」という患者の要望が事前にあった場合，主に医師によって，心肺停止となった患者に対して心肺蘇生術〔心臓マッサージや mouth-to-mouth resuscitation（救助者の口から患者の口へ直接息を吹き込む人工呼吸法），さらに AED（自動体外式除細動器）による除細動や蘇生のための薬物使用などが含まれる〕を行わないことが告げられる[7]。これを「蘇生不要指示」というが，この言葉を意味する英語の概念には，DNAR と DNR（do not resuscitate）の2つがある。「DNR は DNAR を簡単に略した言葉だと思っていた」と発言した研修医がいたというエピソードがある[7]が，DNR と DNAR とでは，「蘇生の可能性」に関するニュアンスが異なる。

英語で"Do not～"という場合，「しようと思えばできることを，するな」という意味になる。例えば，学校の廊下を走っている子どもに注意する場合は，「Do not run（走ろうとすれば走れるのだろうけれど，そこを我慢して歩け）」というフレーズを使う。一方，両足を骨折してギプスで固められているやんちゃな子どもに対して，「まさかやらないだろうと思うが，その足で病院の廊下を走り回ろうとするなよ。転倒して大けがをするよ」という意図を伝えたい場合は，「Do not attempt to run（そもそもギプスで両足を固められていて走れないんだから，走るなよ）」というフレーズを使う。つまり，"Do not attempt～"という場合，「そもそもできないことを，しようとするな」という意味になる[8]。

このニュアンスの違いを押さえれば，米国の The Executive Committee of the United Medical Staff of Boulder（UMSB）が，1989 年に DNAR と DNR の違いに関して表明した以下の見解はよく理解できるであろう。

「UMSB より提案された新しい名前は"DNAR"である。これは，入院時に実施される蘇生は多くの場合"無益（futile）"であることが多いことを反映している。それゆえ，望めば，その患者を蘇生できることをほのめかす DNR という用語は，誤解を招き不適切であると思われる」[9]。

すなわち，DNAR という語を用いるときは，「その患者が蘇生する可能性はない，またはきわめて少ない」場合である。こうして，DNR の「その患者はもしかすると蘇生可能かもしれない」というニュアンスから，DNAR の「その患者は末期であり，蘇生の可能性がほとんどない」という前提への変更が定着して，2000 年以降は DNR に代わって，DNAR という語が用いられるようになっている[10]。

IV 医療倫理の四原則

「なぜ生命維持医療や DNAR 指示が問題になるのか」を論じる前に，救急認定ソーシャルワーカーを含む保健医療福祉職に従事する者が守らなければならない，「医療倫理の四原則」に言及する。生命維持医療や DNAR 指示をめぐる問題のほとんどは，この「医療倫理の四原則」が守れないことに関係している。この四原則は具体的には以下の項目からなる。

①患者の自律尊重原則「患者の自律（自己決定）を尊重せよ」
②善行原則「保健医療福祉職に従事する者は，患者の最善の利益を考えて行為しなければならない」
③無危害原則「患者に有害なことをしてはならない」
④正義原則「複数の患者がいる場合に，公平に扱うことを命じる」[11]

それぞれの原則をもう少し詳しくみてみよう。
①の「自律尊重原則」とは，文字どおり，意思能力（自分が受けるケアの内容が理解でき，それを受けるか受け

ないかを自分で判断する能力[12]）のある個人は自己決定することができ，かつその自己決定は尊重されなければならない，ということを意味している。インフォームドコンセント（患者が，治療内容についてよく説明を受け十分理解したうえで自らの意思に基づいて治療に合意する，あるいは治療を拒否すること）の権利やプライバシー権（守秘義務と個人情報保護）もこの原則によって支持される。原則的に，医療者は患者本人の同意がなければ手術などの侵襲的治療行為を行うことはできない[13]。ただし，「患者の自律を尊重すること」と「患者の考えをそのまま受け入れること」は同義ではないことに留意する必要がある。例えば，患者が非科学的な迷信に基づく信念によって治療を拒否する場合，適切な情報を与えて可能なかぎり患者を説得することがむしろ患者本人の自律を尊重することにつながると考えられる[14]。

②の「善行原則」とは，保健医療福祉職に従事する者は患者の最善の利益を考えて行動しなければならない，という原則で，「恩恵原則」とも呼ばれている[14]。患者の幸福や利益のために「害を予防する」「害を除去する」といった，患者の立場に立った「善」を追求する必要がある。「何が患者の最善の利益になるのか」について，いつでもどこでも誰にでも当てはまる一定の明確な答えを導き出すことは難しいが，例えば，すぐに手術をしなければ患者の生命に重大な危険が及ぶ場合，「手術をすべきだ」という見解は善行原則に従っていると考えられるであろう[14]。

③の「無危害原則」は，患者に対して有害なことをしてはならない，という原則で，「侵害回避原則」とも呼ばれている。②の「善行原則」が積極的な善の促進を促しているのに対して，この「無危害原則」は「（たとえ患者に対して最善の利益を与えられなくても）少なくとも患者の害になるようなことはするな」という意味であり，保健医療福祉職に従事する者は，患者にとって少しでもよい結果を生むために身体的危害や精神的危害を最小限に抑える努力を怠らない必要がある[12]。

④の「正義原則」は，「公正原則」「平等原則」とも呼ばれ，複数の患者がいる場合に公平・平等に扱うことを求める原則である。例えば，人工呼吸器やICUのベッドが不足している場合，あるいはトリアージ（治療の優先度を決めるための選別）を行う必要性が生じたときに，この原則が問題になる。人は誰もが医療において平等に治療を受ける権利をもっており，同じ状況に置かれている患者に対して，社会的地位や人種，貧富の差などにより提供する医療の内容を変えることはこの原則に反する。同様に，身寄りのない高齢者や重度の障害者，生活保護下にある人を医療の現場で差別的に扱うことも，この原則に明確に反することになる[15]。

この「医療倫理の四原則」は，1979年に米国で出版された，生命倫理学の古典的教科書として知られる『生命医学倫理（Principles of Biomedical Ethics）』[16]のなかで紹介されている。著者の1人であるトム・ビーチャムは，1932年から40年間アラバマ州タスキギーで行われていた黒人小作農夫を被験者にした非倫理的な医学実験（タスキギー梅毒研究）の反省のために設立された，「生命医学研究ならびに行動学研究における人間被験者の保護に関する国家委員会」の委員でもあった。ビーチャムも執筆作業にかかわり，この委員会が1978年に公表した『ベルモント・レポート』では，「医療倫理の三原則」として，①人格の尊重，②善行，③正義，の3つが明記されている。これ以降，人間を対象とする医学研究や医療行為において，「被験者や患者への十分な情報提供」と「強制を伴わない自己決定の尊重」は，いかなる場合も保健医療福祉職に従事する者が最優先しなければならない条項にあげられている。

Ⅴ 生命維持治療とDNAR指示をめぐる問題点

生命維持治療とDNAR指示に関する問題点の多くは，前述の「医療倫理の四原則」の一つである，患者の「自律尊重原則」をめぐって生じている。

以下で具体例をみてみよう。

1. 人生の最終段階における事前指示がない

意思能力のある個人が自己決定したことに関して，その自己決定は尊重されなければならないが，中枢神経系や主要臓器の機能の回復が見込まれない人生の最終段階に自分自身をどのように扱ってほしいかについて，意思能力があるうちに事前に書面で意思表示している国民はわずか3.2％にすぎない[17]。しかし，それとは裏腹に「交通事故により心肺停止となったのち蘇生したものの，2週間を経過した時点で意識はなく人工呼吸器と点滴を受けている場合」にどうしてほしいかを尋ねたところ，79.7％の人が「状態が悪くなるのに対応したさらなる治療は望まない」，また68.2％の人が「現在の治療を継続することを望まない」と答えている[18]。さらに，内閣府が2012（平成24）年に行った調査でも，治る見込みがないときに延命治療を望まない人は9割を超えている[19]。

2. 事前指示が不明な場合の判断が難しい

　延命治療または延命治療の拒否について，本人の事前意思が確認できない場合，家族等に代理判断を委ねることになる。実際，日本学術会議が1994（平成6）年に発表した，「死と医療特別委員会報告；尊厳死について」[20]のなかでも，遷延性意識障害の患者の延命治療中止について，次のように言及されている。「延命医療を拒否する書面による事前の意思表明（リビングウィル）に基づいて患者の診療方針を決め，それを患者の意思の確認手段として延命医療の中止を行うべきであろう。（中略）文書の形式を採らなくても，近親者等の証言によって事前の意思が確認できれば，それを本人の意思ないし希望として扱ってもよいように思われる」。しかし，わが国では，人生の最終段階の患者の状態を受け入れることができない家族が，「心臓が動いていれば"奇跡"が起こる可能性もある」と考え，あらゆる延命治療を希望することもある[21]。

　一方，英国では，以下の英国医師会の「生命維持治療の差し控えと中止に関するガイドライン」（2001年）で述べられているように，持続的な遷延性意識障害状態での生命維持医療は患者の人としての尊厳を冒すという考え方が主流である。「存在していることそのものに本質的な価値があるので，どのような要因があろうとも，生命維持は患者に利益をもたらすという考え方の持ち主もいる。しかし，英国医師会はこの考え方には同調しない。（中略）障害程度が著しく重篤で，患者が自分の存在についての意識をもたない場合，あるいは最少程度の意識しかもたない場合で，意識を回復する見込みがない場合，あるいは，緩和困難な重度の疼痛などを有している場合は，人工的に生命の延長を目指す治療を継続することは患者に利益をもたらすかどうかが疑問になる」[22]とされている。

　本人の事前意思表示がなく，生命維持治療を継続するか否かについて家族等の判断が持ち込まれるとき，保健医療福祉職に従事する者は，患者との意思疎通が不可能になっても存在してくれていることに価値や意味を見出す文化や死生観が，家族等の判断のなかに反映されている可能性があることを踏まえる必要がある。

VI　問題点への対応

　このような問題点に対して，救急医療にかかわるソーシャルワーカーとしてどのように対応したらよいのであろうか。

　まず前者の「人生の最終段階における事前指示がない」という問題に関しては，事前指示書の作成を積極的に薦めていくことに取り組む必要がある。これは救急現場での対応以前の日々の地道な取り組みになるが，延命医療を差し控えたり中止したりする場合は，原則として本人の「私は延命治療を望まない」という意思表示が必要であり，この事前指示がなく，しかも本人の意思が不明な場合は，標準的治療が実施されることになる可能性が高い。

　「事前指示」の定義は，「意思能力が正常な人が，将来，意思能力を失った場合に備えて，治療に関する指示（治療内容・代理判断者の指名など）を事前に与えておくこと」であり，その内容は具体的には「延命治療などの治療内容に関するもの（これを書面で表したものがリビングウィル）」と「医療に関する代理判断者の指名」[23]である。

　事前指示書の作成は，患者の自己決定権を尊重することになり，家族が患者本人の意思を根拠なく憶測することの心理的・感情的苦悩を避けることができるという直接的なメリットのほかに，保健医療福祉職に従事する者が法的責任追及を免れることができる，という利点を併せもつ。さらに，事前指示書の作成プロセス自体が，患者・家族・医療介護関係者相互のコミュニケーションを促進し，信頼関係を深めることにつながる可能性が高い[24]。

　次に，後者の「事前指示が不明な場合の判断が難しい」について考える。家族などによる代理判断が行われる場合，以下の手順を踏むことになる。①患者の意思・事前意思が確認できる場合はそれを尊重し，②確認できない場合は家族の話から患者の意思が推定できるときはその推定意思を尊重し，③推定できない場合は，患者にとっての最善の利益となる医療を選択する，という手順である[25]。この代理判断の手順はわが国を含む世界各国のエンドオブライフ・ケアに関するガイドラインで採用されているが，家族がDNARを代理判断する場合は，考慮しなければならない難しい点がある。具体的には，「家族の意見が患者本人の意思願望ではなく，家族自身の意思ではないのか」「家族内で意見の不一致はないのか」「家族の意見はそもそも本人の最善の利益につながるのか」「患者本人と家族との間に利益相反はないのか」といった論点である。このような点についてもっとも多くの情報をもち，適切な判断を下せる可能性が高いのは，医師や看護師などの医療者ではなくソーシャルワーカーであろう。例えば，患者の介護や世話を家族が負担に感じ放棄したいと思っているのか，あるいは年金や資産相続など

の利益相反はないのか[26]ということも含めて，家族による代理判断が適切かどうかを見極める重要な役割をソーシャルワーカーは担っている。

VII 救急認定ソーシャルワーカーの役割

エンドオブライフ・ケアの現場では，実際に患者本人の意思は不明であるのに，医師と家族でDNARを決定し，電子カルテ上に表示されていることがよくある[27]，といわれている。つまり，医療者個人の価値観がパターナリスティックに患者に押しつけられている例も少なくない現状がある。限られた人々により閉鎖的な環境でエンドオブライフ・ケアに関する決定が行われないようにするためにも，救急認定ソーシャルワーカーの存在は重要になる。

厚生労働省が2007（平成19）年5月に公表した，「終末期医療の決定プロセスに関するガイドライン」[28]〔2015（平成27）年3月に「人生の最終段階における医療の決定プロセスに関するガイドライン」に名称変更〕においても，患者の意思確認の決定について，「多専門職種の医療従事者から構成される医療・ケアチームによって，医学的妥当性と適切性を基に慎重に判断する」ことが重視されている。2018（平成30）年3月に改訂された「人生の最終段階における医療・ケアの決定プロセスに関するガイドライン」では，アドバンス・ケア・プランニング（advance care planning）の重要性が強調され，人生の最終段階で受ける医療やケアなどについて，患者本人と家族等の身近な人，医療・ケアチームが事前に繰り返し話し合う取り組みの必要性に言及されている[29]。

人生の最終段階にある患者のチームケアに救急認定ソーシャルワーカーがかかわる場合，医療に間接的にかかわる多くの難しい問題への対応を求められることになる。例えば，患者の事前意思が不明な場合に家族の意向をどこまで尊重するかについて前述したが，家族がいない患者の場合はどのように対応すべきなのだろうか。実際，身寄りのない認知症患者に医療を施す場合に医療者は成年後見人に医療同意を求めているケースが多く見受けられるが，実は法的には成年後見人には医療に関する同意権はないと解釈されている[26]。このような状況下で救急認定ソーシャルワーカーは，「患者の自律尊重」を最優先しながらセカンドベストな対応法を考える重要な役割を担っている。

最後に，以下で本節の論点をまとめておく。

- 生命維持治療は，もともとの症状を改善することなく，生命を延長するために役立つすべての治療法のことである。
- わが国では人生の最終段階の生命維持に関して，誰もが明確にイメージできる用語がいまだに定着していない。
- 「DNAR：蘇生不要指示」は「その患者が蘇生する可能性はない，またはきわめて少ない」ことを含意する。
- 「医療倫理の四原則」とは，①患者の自律尊重原則，②善行原則，③無危害原則，④正義原則，のことで，多くの問題は「患者の自律尊重原則」をめぐって生じる。
- 「人生の最終段階における事前指示がない」という状況をなくすため，事前指示書の作成を積極的に薦めていくことに取り組む必要がある。
- 事前指示が不明な場合，家族の意向をどこまで尊重するかの判断が難しいという現実があるが，ソーシャルワーカーは家族が経済的・精神的負担を回避したいと思っているのか，あるいは資産相続などの利益相反はないのかということも含めて，家族等による代理判断が適切かどうかを見極める役割も担っている。
- チームケアに救急認定ソーシャルワーカーがかかわる場合，医療に間接的にかかわる多くの難しい問題への対応を求められることになる。

文献

1) 会田薫子：延命医療と臨床現場；人工呼吸器と胃ろうの医療倫理学．東京大学出版会，東京，2011，pp2-3．
2) British Medical Association：Withholding and Withdrawing Life-prolonging Medical Treatment：Guidance for Decision Making. 2nd ed, BMJ Books, London, 2001, p6.
3) 前掲1），p3．
4) Council on Ethical and Judicial Affairs：Code of Medical Ethics of the American Medical Association：Current Opinions with Annotation. 2006-2007 ed, American Medical Association, Chicago, 2006, p75.
5) 日本医師会医事法関係検討委員会：終末期医療をめぐる法的諸問題について．日本医師会編，国民医療年鑑平成15年度版；医療の質と安全確保をめざして，春秋社，東京，2004，p476．
6) 田中美穂，児玉聡：終の選択；終末期医療を考える．勁草書房，東京，2017，p197．
7) 箕岡真子：蘇生不要指示のゆくえ；医療者のためのDNARの倫理．ワールドプランニング，東京，2012，p20．
8) 前掲8），p22．
9) 前掲8），p21．
10) 前掲8），p27．
11) 児玉聡：倫理学の基礎と医療倫理の四原則．前田正一，氏家良人編，救急・集中治療における臨床倫理，克誠堂出版，東京，2016，p4．

12) 前掲8),p34.
13) 前掲8),p33.
14) 前掲12),p5.
15) 前掲12),p6.
16) Beauchamp TL, Childress JF：Principles of Biomedical Ethics. Oxford University Press, Oxford, 2019.
17) 終末期医療に関する意識調査等検討会：人生の最終段階における医療に関する意識調査報告書. 2014, p22.
http://www.mhlw.go.jp/bunya/iryou/zaitaku/dl/h260425-02.pdf
18) 前掲18),p61.
19) 内閣府：平成24年度高齢者の健康に関する意識調査結果. 2013, p125.
https://www8.cao.go.jp/kourei/ishiki/h24/kenkyu/zentai/pdf/2-3_3.pdf
20) 日本学術会議「死と医療特別委員会」：死と医療特別委員会報告；尊厳死について. 蘇生13：160-164, 1995.
21) 氏家良人：終末期医療に関するガイドライン. 前田正一, 氏家良人編, 救急・集中治療における臨床倫理, 克誠堂出版, 東京, 2016, p95.
22) 前掲1),p30.
23) 前掲8),pp107-108.
24) 前掲8),p109.
25) 前掲8),p38.
26) 前掲8),p40.
27) 前掲8),p32.
28) 厚生労働省：終末期医療の決定プロセスに関するガイドライン. 2007.
https://www.mhlw.go.jp/shingi/2007/05/dl/s0521-11a.pdf
29) 厚生労働省：人生の最終段階における医療・ケアの決定プロセスに関するガイドライン. 2018.
https://www.mhlw.go.jp/file/04-Houdouhappyou-10802000-Iseikyoku-Shidouka/0000197701.pdf

（上野　哲）

第3章 救急医療におけるソーシャルワーク

第2節 救急医療における患者・家族の権利擁護

I はじめに

本節では，救急医療における患者・家族の権利擁護について述べる。救急の場面では，普通に暮らしていた成人が，発病・受傷を契機として一時的または長期的に判断や意思表示ができなくなった状態で出会うことも少なくない。また，家族も急な事態に戸惑い，混乱して通常の判断ができなくなる場合がある。子どもや認知症の高齢者，知的・精神障害者となればよりいっそうの配慮が必要となる。そういった状況下において，ソーシャルワーカー（social worker；SW）はどのように患者・家族の権利擁護を行えばよいのか読者と共に考えたい。

II 権利擁護

まず，権利擁護の定義について確認する。『ソーシャルワーク基本用語辞典』[1]によると，権利擁護とは，「高齢や障害などの理由で，自己の権利や援助のニーズを表明することが困難となってきた場合に本人の法的諸権利に基づき，本人の意思あるいは意向を尊重しつつ，その権利が保障されるように支援を行うこと」と書かれている。

また，権利擁護について先行研究を整理した日田[2]は，権利擁護を「判断能力が不十分であるために権利の侵害や，そのおそれのある人々の本来ならば得られる権利の実現を目指すべく，市民や専門家が本人や家族を含めた当事者のエンパワメントを支援してニーズの充足を図ること」と定義している。この先行研究においては，擁護だけでなく，本人や家族を含めた当事者が主体的に生活課題を解決していくというエンパワメントの視点が含まれていることが特徴である。

次に，弁護士資格をもち，大学で教鞭に立ち，自身も知的障害の息子をもつ佐藤[3]は，権利擁護を「何らかの事情によって自分の思いや考えを，他の人に伝えることができず（あるいは伝え方が弱いため），その結果，日常の社会生活において不利な立場に置かれている人たち（場合によれば動物の生命・生活や自然環境の改善）を支援する活動」と定義している。ここでは，判断能力だけでなく，「伝え方が弱い」と表現された人々，それは社会の偏見や貧困，日常的に虐げられパワーレス状態であることを余儀なくされている人々をも対象としていることが特徴である。

これらの定義から重要な点は，第1に，権利擁護とは少なくとも何らかの権利を守ったり・支援することであり，第2に，本人や家族がもっている力を信じてエンパワメントを重視することを権利擁護のなかに含め，第3に，単に判断能力の有無だけでなく，伝え方が弱い人々をも支援対象として含めることであろう。

救急医療の現場で働くSWは，伝え方が弱い人々と聞いて，どのような患者・家族を思い出すであろうか。パートナーからフライパンで殴られて傷を負いながらも多くを語らずに救急外来の処置室で震える女性。息子からの暴力で足を骨折したと救急隊に漏らしたが，その後は「自分でこけて骨折した。息子は優しい子」と話す高齢女性。サウナに泊るお金が底を尽き，真冬に店の駐車場で寝泊まりし低体温症にて救急車で運ばれてきたホームレスの男性。われわれが普段支援を行っている人々の姿やそのときのやり取りがありありと思い浮かぶのではないだろうか。判断能力が不十分な患者はもちろんのこと，彼ら・彼女らに対してわれわれが行っている支援を権利擁護という視点から考える必要がある。

また，別の視点として，患者と家族では必ずしも権利擁護の内容が同じとはかぎらず，時に対立する場合があることを指摘しておく必要がある。例えば，ヤングケアラーの事例では，経済的に困窮したシングルマザーの母親が脳梗塞で緊急入院した際，速やかに生活保護の申請を行い経済的な保障を確保しつつ，患者である母親に対して治療・リハビリテーションを行い，住み慣れた自宅に帰れるように支援を行う。一方で，同居の高校生の娘には今後，主介護者の役割が期待されるが，娘自身の教育を受ける権利や，同世代と同じように遊んだり，自分の時間を過ごす機会が制限される可能性がある。この場合，独立した個人としてそれぞれの権利を擁護しつつ，家庭全体の調和を図るためには，ほかにどういった策があるか，患者・娘・関係者を交えて検討する必要があ

表3-2-1 日本国憲法における基本的人権の分類

区分	該当条項
自由権	身体の自由（第18条），精神の自由（第19～23条），経済活動の自由（第22条）
平等権	幸福追求権（第13条），平等権（第14条），家庭生活における個人の尊厳，両性の本質的平等（第24条），議員および選挙人の資格（第44条）
社会権	生存権（第25条），教育権（第26条），労働権（第27，第28条）

〔文献4）を基に一部加筆・修正〕

る。このように，患者・家族とひとくくりにできない場面も想定する必要がある。

次の項では，そもそも権利とは何かについて考えたい。

Ⅲ 権利としての人権

擁護すべき権利とは何か。権利とは，単に税金，健康保険や介護保険，年金の保険料を払っている/いないといった，社会サービスの利用における契約上の権利ではなく，人類がこれまでの歴史の上に積み上げてきた人権を指す。

日本において人権は，基本的人権として規定されており，日本国憲法第11条にて，「国民は，すべての基本的人権の享有を妨げられない。この憲法が国民に保障する基本的人権は，侵すことのできない永久の権利として，現在及び将来の国民に与へられる」と明記されている。また，第97条「この憲法が日本国民に保障する基本的人権は，人類の多年にわたる自由獲得の努力の成果であつて，これらの権利は，過去幾多の試錬に堪へ，現在及び将来の国民に対し，侵すことのできない永久の権利として信託されたものである」とも明記されている。

木原[4]は，表3-2-1のとおり，日本国憲法における基本的人権に該当する条項を自由権・平等権・社会権の3つに分類している。そして，20世紀以降，自由主義，資本主義によって生じた社会的問題を国家として補償し，解決するために国家的最低限の生活を保障する「社会権」という発想が登場し，「社会権」のなかでもとくに生存権（第25条）が社会福祉の理念の根幹であると指摘している。また，第25条が最低限の生活を保障するという意味では消極的あるいは守りの思想であるのに対して，平等権に分類される幸福追求権（第13条）は，より積極的な思想であり，この観点からも改めて社会福祉をとらえていくことが重要とも述べている。

一方，「憲法はプログラム規定といわれ，実定法（法律，条約，条例など）上の権利のように，基本的に個人と個人のなかで規定されるものに比して，直接的な効力，拘束力には乏しいとのとらえ方がある」という指摘がある[5]。そのため，権利としての人権は必ずしも所与のものとして存在するものではなく，常に運動のなかで獲得・維持・拡大し続ける必要がある。生存権（第25条）の実定法である生活保護法においてさえ，「健康で文化的な最低限度の生活水準」を争う，朝日訴訟や堀木訴訟といった運動の成果もあって，歴史的にその生活水準は引き上げられてきた。しかし，今日においてもなお生活保護費の基準額をデフレなどの影響を名目に2013（平成25）～2015（平成27）年にかけて引き下げたことの違法性を問う裁判が全国各地で行われている。

医療における患者の権利については，医療法第1条の2において，「医療は，生命の尊重と個人の尊厳の保持を旨とし，医師，歯科医師，薬剤師，看護師その他の医療の担い手と医療を受ける者との信頼関係に基づき，及び医療を受ける者の心身の状況に応じて行われるとともに，その内容は，単に治療のみならず，疾病の予防のための措置及びリハビリテーションを含む良質かつ適切なものでなければならない」とわずかに記載されているのみである。そのため，「医療の質と安全の確保」「医療提供体制の充実」「財源の確保と国民皆保険制度の堅持」「患者本位の医療」「病気又は障がいによる差別の禁止」「国民参加の政策決定」「関係者の役割と責務」の7つを骨子とした医療基本法の制定に向けて，患者団体と共に，日本社会福祉士会，日本精神保健福祉士協会，日本医療ソーシャルワーカー協会が共同提案団体となって，運動に取り組んでいる。これは権利擁護において，クライエントと同じ状況に置かれている人たちの権利を守るために，新しい資源を開発しようとするコーズアドボカシーの1例である。

以上のことから，本節においてわれわれSWが権利擁護を行う場合の権利とは，基本的人権を指すこととする。その実は生存権（第25条）を根幹としながらも，幸福追求権（第13条）を含めて支援を行う必要がある。なお，同性婚のように憲法の解釈が問われたり，憲法条文には記載されていない環境権やプライバシー権など，現代社会において権利は常に変化・広がりをみせており[4]，その動向に注視する必要がある。

表 3-2-2　医療ソーシャルワーカー行動基準〔2022（令和 4）年の追加項目〕

11．権利擁護
11-1　医療ソーシャルワーカーは，クライエントの権利について十分に認識する。
11-2　医療ソーシャルワーカーは，クライエントの権利を擁護するために，積極的かつ最善の方法を用いて，その権利の行使を促進する。
11-3　医療ソーシャルワーカーは，クライエントの権利が擁護されるよう，積極的に環境に働きかける。
11-4　医療ソーシャルワーカーは，クライエントの権利擁護について積極的に啓発する。
11-5　医療ソーシャルワーカーは，クライエントが自身の権利を自覚し，適切に行使できるよう支援する。

〔文献 7）より引用〕

Ⅳ　倫理綱領

2014（平成 26）年に採択された，国際ソーシャルワーカー連盟（International Federation of Social Workers；IFSW）による，ソーシャルワーク専門職のグローバル定義において，「社会正義，人権，集団的責任，および多様性尊重の諸原理は，ソーシャルワークの中核をなす」と書かれている。これは，2000（平成 12）年に採択されたソーシャルワークの定義においても，「人権と社会正義の原理は，ソーシャルワークの拠り所とする基盤である」と書かれており，従来より人権は重視されてきた。

ソーシャルワーク専門職のグローバル定義の改定を受けて，日本においても 2020（令和 2）年に，「ソーシャルワーカーの倫理綱領」[6)]が改定され，原理（旧価値と原則）の項目に新たに権利が独立して掲載されることとなった。内容は，「ソーシャルワーカーは，すべての人々を生まれながらにして侵すことのできない権利を有する存在であることを認識し，いかなる理由によってもその権利の抑圧・侵害・略奪を容認しない」となっている。

さらに，日本医療ソーシャルワーカー協会は，前述のソーシャルワーク専門職のグローバル定義や「ソーシャルワーカーの倫理綱領」[6)]の改定を踏まえ，2022（令和 4）年に「医療ソーシャルワーカー行動基準」[7)]を改定し，新たに「11．権利擁護」の項目を追加している。詳細を表 3-2-2 に示す。

また，日本精神保健福祉士協会は 2018（平成 30）年に改訂した，「精神保健福祉士の倫理綱領」[8)]のなかで，2003（平成 15）年版に引き続き前文において，「クライエントの社会的復権・権利擁護と福祉のための専門的・社会的活動を行う専門職としての資質の向上に努め，誠実に倫理綱領に基づく責務を担う」と記載している。

以上のとおり，SW にとって人権は中核となる原理であり，ソーシャルワーク専門職のグローバル定義の改定を受けて，日本の各職能団体の倫理綱領や行動基準などにおいても人権・権利・権利擁護の項目が追加されてきた。人権・権利を重視し，その擁護を行うことが SW にとって重要であることが明文化されたことにより，われわれの業務において権利擁護がいよいよ重要になってきていることがわかる。

Ⅴ　手段としての権利擁護

ここではより具体的に，手段としての権利擁護をソーシャルワークのなかに実装するための考え方について，「意思決定支援」「支援の枠組み」「支援の具体化」の 3 つを紹介する。

1．意思決定支援

権利擁護を行うためには，患者・家族とコミュニケーションを図り，どういった意思をもっているのかを知ることから始めることになる。そこで得られた患者・家族の意思や生活状況，心配ごとを踏まえて，基本的人権に照らし合わせ不足すること，不十分なことを洗い出していく。経済的困窮に対する生活保護申請の支援は，経済的支援であると同時に基本的人権である「生存権」を保障するための権利擁護でもある。また，患者や家族が無職であったり，職を転々としている場合や，就いている職業によってマイナスのイメージが先行してしまい，院内スタッフのなかで陰性感情が生じ，本来受けられるはずの治療やケアが不十分になる場面をみかけることはないだろうか。そのように，「自由権」に属する「何人も，公共の福祉に反しない限り，居住，移転及び職業選択の自由を有する」（第 22 条）や「平等権」に属する「すべて国民は，法の下に平等であつて，人種，信条，性別，社会的身分又は門地により，政治的，経済的又は社会的関係において，差別されない」（第 14 条）が十分に守られていない場合，患者・家族に対して理解が得られるように院内スタッフに働きかけることも権利擁護である。

注意点として，患者・家族ごとに事情が異なるため，SW が勝手に経験則でパターン化して，「きっとこう思っているはずだ。こう困っているはずだ」と決めつけて支援を開始してはならない。権利擁護を行うにあたり，

SWの正義感だけで権利擁護を行うことはパターナリズムのリスクが生じたり，独りよがりな支援に陥りやすい。

さらに，患者は病気の発症や事故によるけがによって，家族は一時的なショックや混乱で意思決定がうまくできない場合がある。そのため，患者・家族が意思決定できるように，人的・物的環境を整備したうえで，意思形成支援，意思表明支援，意思実現支援の3つのプロセスを踏むことが重要となってくる。ここでは，厚生労働省[9]および国立がん研究センター[10]のガイドラインや手引きを参考にして解説する。

まず，人的・物的環境の整備については，「信頼関係を築ける支援者の態度」「物的環境の整備」「患者の体調への配慮」が必要となる。「信頼関係を築ける支援者の態度」とは具体的に，「本人が安心して話せるような態度で接する」「大勢で囲むなど緊張させないように配慮する」などである。次に，「物的環境の整備」とは，「静かでリラックスできる環境を用意する」「プライバシーを確保する」「焦らせない」などである。最後に，「患者の体調への配慮」とは，痛み・疲労・意識障害・ストレス反応や抑うつに注意することである。ポイントは，「優先順位を考えて簡潔に説明・質問する」ことである。また，脳梗塞や脳外傷の場合，初回面接時点では意識障害により会話ができる状態ではないことが少なくない。その場合は医師と相談し，治療経過とともに会話ができる可能性があれば時間をおいて，再度本人に聞き取りをする。なお，本人の理解力の程度について把握するために，看護師に患者との日常的なやり取りの様子を確認したり，注意障害・記憶障害・失語といった高次脳機能障害の評価について，作業療法士や理学療法士に確認することも参考になる。

また，突然の発症や受傷により，患者・家族は混乱している。安心して治療に専念してもらうために，SWとして状況に合わせた広範囲な制度の活用や家に残されるケアの必要な家族・ペットへの対応の有無など，支援者が課題点を整理しつつ意思決定支援をすることが重要である。一方で，まずは患者や家族に「生活上のことで，いま心配なこと・気になっていることは何ですか？」と尋ね，その対応を行うことによってSWとして信頼を得る方法もある。

ただし，これらは，あくまで危機介入としてのアプローチであり，患者・家族らが危機に陥る以前に保持していた機能遂行の水準まで回復させることを目標とするものである[11]。

救急外来の処置室や救命救急センターの病室，家族控室で短期間のうちにこれらのことすべてに配慮することは簡単ではないが，可能なものをできるかぎり取り入れることが大切である。なお，救急場面の限られた時間で効果的なコミュニケーションを図る方法として，伊藤ら[12]の紹介しているコミュニケーションスキル，Vital Talkがある。救急場面でのアドバンス・ケア・プランニング（advance care planning；ACP）に特化したスキルであり，悪い知らせを伝えるためのSPIKES，感情を受け止めるNURSE，治療のゴールを話し合うREMAPの3つで構成されているため参照されたい。

次に，意思形成支援，意思表明支援，意思実現支援の3つのプロセスについて解説する。意思形成支援（A）は，本人の意思を明確にするための支援である。適切な情報提供，認識，環境の下で選択肢を検討できるように支援する。意思表明支援（B）は，Aで形成した意思を他者に適切に表明するための支援である。意思実現支援（C）は，Bで表明した意思を実現するための支援である。権利擁護はCの段階にあたる。通常の意思決定支援に加えて，患者・家族の権利が保障されるように院内・院外に対して働きかけていくことになる。段階的にはA・B・Cの3つの段階に分類されるが，実際には，AとBを行き来しながら，徐々にCに至るケースがほとんどである。エンパワメントの観点からも，患者・家族の能力を最大限活用し，支援の対象者が主体的に取り組めるように心がけたい。

なお，Aの段階で現実に選択肢がなく，説得が必要な場合がある。その場合も，患者・家族の尊厳を守り，誠実な態度で説明を行う。SWの提案に対して患者・家族が了解しない場合は，何か事情があるかもしれない。相手の事情や理解度に合わせた情報提供を行ったり，これまでの取り組みを教えてもらったり，いったん発露を受け止める必要がある。スムーズに了解してもらえないからといって，「〇〇しないと，××になってしまいますよ」と相手を責め立てるような態度になっていないか省察が求められる。

近年，さまざまな状況や人を想定した意思決定支援に関するガイドラインが厚生労働省から5つ公表されている（表3-2-3）[13]。院内多職種や地域の多機関とチームで意思決定支援を行う際の共通言語・土台として活用したい。とくに医療職は，普段から治療に関するガイドラインを活用する習慣があるため，受け入れられやすい。

2. 支援の枠組み

前述の佐藤[3]は，図3-2-1のような権利擁護の実践を紹介している。法的支援・相談支援・生活支援の3つの円で互いに重複する部分があることを示したうえで，権

第3章 救急医療におけるソーシャルワーク

表3-2-3 意思決定支援などにかかわる各種ガイドラインの比較について

	A：障害福祉サービス等の提供に係る意思決定支援ガイドライン	B：認知症の人の日常生活・社会生活における意思決定支援ガイドライン	C：人生の最終段階における医療・ケアの決定プロセスに関するガイドライン	D：身寄りがない人の入院及び医療に係る意思決定が困難な人への支援に関するガイドライン	E：意思決定支援を踏まえた後見事務のガイドライン
策定時期	2017(平成29)年3月	2018(平成30)年6月	2007(平成19)年(2018年3月改訂)	2019(令和元)年5月	2020(令和2)年10月
誰の（意思決定）支援か	障害者	認知症の人（※認知症と診断された場合にかぎらず、認知機能の低下が疑われ、意思決定能力が不十分な人を含む）	人生の最終段階を迎えた人	医療にかかわる意思決定が困難な人	成年被後見人など
ガイドラインの趣旨（意思決定支援などの担い手を含む）	意思決定支援の定義や意義、標準的なプロセスや留意点を取りまとめたガイドラインを作成し、事業者や成年後見の担い手を含めた関係者間で共有することを通じて、障害者の意思を尊重した質の高いサービスの提供に資すること	認知症の人を支える周囲の人において行われる意思決定支援の基本的考え方（理念）や姿勢、方法、配慮すべき事柄などを整理して示し、これにより、認知症の人が、自らの意思に基づいた日常生活・社会生活を送れることを目指すもの	人生の最終段階を迎えた本人・家族などと医師をはじめとする医療・介護従事者が、最善の医療・ケアを作り上げるプロセスを示すもの	本人の判断能力が不十分な場合であっても適切な医療を受けることができるよう、Cガイドラインの考え方も踏まえ、医療機関としての対応を示すとともに、医療にかかわる意思決定の場面で、成年後見人などに期待される具体的な役割について整理するもの	成年後見人などが意思決定支援を踏まえた後見事務を適切に行うことができるように、また、中核機関や自治体の職員などの執務の参考となるよう、成年後見人などに求められている役割の具体的なイメージ（通常行うことが期待されること、行うことが望ましいこと）を示すもの

〔文献13〕より一部抜粋・改変〕

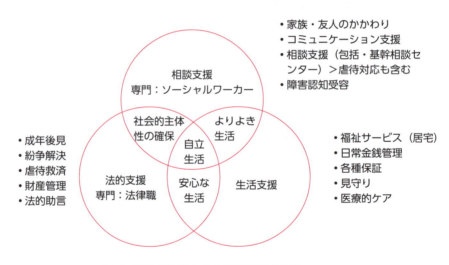

図3-2-1 権利擁護と実践

〔文献3〕より引用・一部改変〕

利擁護の内容が立体的に描かれている。法的支援は、成年後見、紛争解決、虐待救済、財産管理、法的助言など法律行為が基本的な守備範囲となり、主に法律職が担うとしている。相談支援は、家族・友人のかかわり、コミュニケーション支援、障害認知受容が基本的な守備範囲となり、SWが担うとしている。生活支援は福祉サービス、日常金銭管理、各種保証、見守り、医療的ケアが基本的な守備範囲となり、家族、友人、ヘルパーが担うとしている。中核には自立生活があり、権利擁護をするうえで目的概念として設定されている。実践図があることでどのポジションから何の支援を行おうとしているのか、支援の枠組みをより具体的にイメージできる。

例えば、身寄りのない患者が重度の脳出血で搬送されてきた場合、将来的に本人の判断能力の回復が望めないと主治医に判断された際は、本人の金銭管理やさまざまな契約行為を支えていくために権利擁護として成年後見

表 3-2-4 アドボカシー援助活動

項目	内容
意識化	患者の権利や医療ソーシャルワーカー（medical social worker；MSW）として行うべきアドボカシーに関する役割を意図的に意識すること
情報提供	社会資源や社会システムなどの援助に必要な情報，また欲している情報を患者の置かれている状況や力量に添って適切に情報提供を行うこと
啓発	患者が抱えている問題や困りごとに対して自身が有する権利を意識してもらい，自ら対応できるように促すこと
代弁	患者が自身の意向や思いについて表明できない，もしくはしにくい場合にMSWが代わりに意思表明，意向を伝えること
対立	院内スタッフと患者の意向や利益について異なる意見となり，折り合いがつかない場合に交渉すること
院内調整	院内スタッフと患者の意向や利益について意見交換やアドバイスを行い，調整すること
変革	病院内外に対して，患者の権利に対する理解を深めるように努めて，不利益に対して是正を試みること

アドボカシー援助活動の定義：医療機関においてクライエントの権利・利益が阻害されないようにするおよび阻害されたときに対応する援助活動

〔文献14）より引用・改変〕

制度の申請が必要である。この場合，病院のSWだけでなく成年後見センターを運営する市町村の社会福祉協議会のSWと市町村の老人福祉法担当部門の職員による市町村長申立の支援が必要となり，内容によっては弁護士・司法書士などの法律職の支援も必要となる。権利擁護を行ううえで，支援を俯瞰して院内にとどまらず，多機関に広げて検討するために実践図の活用は有効である。

3. 支援の具体化

鈴木[14]は，アドボカシー援助活動を「医療機関においてクライエントの権利・利益が阻害されないようにするおよび阻害されたときに対応する援助活動」と定義している。なお，ここでいうアドボカシーは権利擁護と同義ととらえることとする。表3-2-4に示すように，アドボカシー援助活動には，「意識化」「情報提供」「啓発」「代弁」「対立」「院内調整」「変革」の7つの項目がある。下位の項目になるほど，個人ではなく院内・院外を対象としたアドボカシー援助活動になっている。権利擁護という表現だけでは漠然としたものになるが，アドボカシー援助活動の項目を意識すると，日常的に行う支援としてイメージしやすくなるのではないだろうか。

救急の場面では，判断能力が問われる認知症の高齢者や知的・精神障害者だけでなく，貧困や長年の暴力などにより自分の権利を知らないまたは諦めており，意思があったとしても「自分の思いや考えを，ほかの人に伝えることができず（あるいは伝え方が弱いため）」にいる患者に出会うことが少なくない。そのため，患者が抱えている問題や困りごとに対して自身が有する権利を意識してもらい，自分が対応できるように促す「啓発」がとくに重要となる。しかし，救急の場面では本人が衰弱していたり，意識がもうろうとしていることもあるため，本人が主体的に取り組むことは難しい場面も少なくない。そのため，危機介入として「代弁」することになるが，そこには常にSWがもつパターナリズムや本人の意思の読み違えのリスクがあるため，あくまで限定的な使用を心がける必要がある。

また，時にSWの正義感が暴走してしまい，本人の権利擁護のために，院内多職種や地域の関係機関に強く交渉してしまうことがある。その場合も，常にいま行っている支援がSW自身の自己満足になっていないかを省察する。さらに患者本人はどうしたいと思っているかを都度確認し，本人が何らかの理由で意思表示できない場合は本人の意思を推定して，支援の方向性について常に軌道修正を行う必要がある。

以上をまとめると，権利擁護を行うにはまず，「意思決定支援」により本人・家族の意思を確認することがすべての前提となる。その際，各種ガイドラインが院内多職種や地域の多機関とチームで意思決定支援を行う際の共通言語・土台となり得る。次に，「支援の枠組み」を想定し，どのポジションから何の支援を行うことで本人・家族の意思を実現できるか検討する。そして，「支援の具体化」では，権利擁護を行うために使用するアドボカシー援助活動の7項目のうち，何を行うのかを意識して実践することになる。これら3つの手段をうまく活用しつつ権利擁護を進めてもらいたい。

VI おわりに

本節では，権利擁護の定義や権利としての人権，倫理綱領における権利擁護の位置づけ，権利擁護を進めるための3つの考え方について述べた。救急の現場で行う権

第3章 救急医療におけるソーシャルワーク

利擁護には限界があるかもしれないが，初動によって，患者・家族の権利が守られれば安心して治療に専念できる．また，救急から離脱した後も必要であれば院内・院外の担当者にソーシャルワークを引き継ぐ必要もあろう．本節の内容が，救急の場面における権利擁護を実践する際の参考になれば幸いである．

文献

1) 日本ソーシャルワーク学会編：ソーシャルワーク基本用語辞典．川島書店，東京，2013, pp59-60.
2) 日田剛：専門職後見人の実践における権利擁護に関する研究；首長申立てケース受任者へのインタビュー調査から．社会福祉学 58：14-26, 2017.
3) 佐藤彰一：権利擁護とは何か　意思決定支援とは何か．日本福祉大学権利擁護研究センター監，権利擁護がわかる意思決定支援；法と福祉の協働，ミネルヴァ書房，京都，2018, p26.
4) 木原活信：社会福祉と人権．ミネルヴァ書房，京都，2014.
5) 小西加保留，品田雄市：権利擁護（成年後見）．救急認定ソーシャルワーカー認定機構監，救急認定ソーシャルワーカー認定機構研修・テキスト作成委員会編，救急患者支援 地域につなぐソーシャルワーク；救急認定ソーシャルワーカー標準テキスト，へるす出版，東京，2017, pp46-56.
6) 日本ソーシャルワーカー連盟：ソーシャルワーカーの倫理綱領．2020.
7) 日本医療ソーシャルワーカー協会：医療ソーシャルワーカー行動基準．ソーシャルワーカーの倫理綱領，2022.
https://www.jaswhs.or.jp/images/NewsPDF/NewsPDF_SxJkPTQeWAzKhP1L_1.pdf
8) 日本精神保健福祉士協会：精神保健福祉士の倫理綱領．2018.
9) 厚生労働省：認知症の人の日常生活・社会生活における意思決定支援ガイドライン．2018.
https://www.mhlw.go.jp/file/06-Seisakujouhou-12300000-Roukenkyoku/0000212396.pdf
10) 国立がん研究センター：高齢者のがん診療における意思決定支援の手引き．2020.
11) ドナ C. アギュララ著，小松源助，荒川義子訳：危機介入の理論と実際；医療・看護・福祉のために．川島書房，東京，1997.
12) 伊藤香，大内啓：新訂版緊急 ACP；悪い知らせの伝え方，大切なことの決め方．医学書院，東京，2022.
13) 厚生労働省：意思決定支援等に係る各種ガイドラインの比較について．2020.
https://www.mhlw.go.jp/content/000689414.pdf
14) 鈴木裕介：医療ソーシャルワーカーが行うアドボカシー援助活動の構成要素．医療社会福祉研究 24：55-67, 2016.

（樋渡　貴晴）

第3章 救急医療におけるソーシャルワーク

第3節 救急医療におけるチームアプローチ

I 救急医療におけるチームアプローチの理解

1. 医療におけるチームアプローチ

現代の医療や福祉の実践には，チームアプローチが不可欠といわれる。専門分化した高機能の医療を展開していくためには，さまざまな専門性を集約した集学的アプローチが必要とされることは言うまでもなく，患者が抱える生活の総体をとらえた支援を考えるときに，1人の専門職，1つの専門性，1つの機関のアプローチだけでは，解決には至らないことは明らかである。複雑化・多様化した支援ニーズに応えていくためには，連携やチームでのアプローチが不可欠になる。

救急医療におけるチームは，伝統的な医療チームの構成職種である医師，看護師，薬剤師，放射線技師などに加えて近年では，理学療法士や作業療法士，言語聴覚士といったリハビリテーション関連職種，公認心理師，臨床心理士，ソーシャルワーカー，管理栄養士，臨床工学技士，救急救命士などの職種もチームに参加し，職種が増え，そのプロセスも複雑かつ高度なものになっている。また，救急医療においては，病院前救護と救急病院の連携が課題になっており，入退院支援など地域との連携に目を向ければさらに関連する機関や職種は増える。

救急医療の目的の達成と質の担保のためには，チームアプローチは不可欠である。しかし，多種多様な専門性や価値を身につけた専門職同士が協働することは，さまざまな軋轢や葛藤を生む要因にもなり，結果的に非効率な支援となってしまうことがある。そうするとチームに対して否定的な感情が残り，その援助者はチームから距離を置くようになってしまうかもしれない。われわれはチームアプローチを方法としていかに活用するかについて，知識や技術をもたなければならない。

本節では，救急認定ソーシャルワーカー（emergency social worker；ESW）としてのチームアプローチや連携の活用について述べる。

2. 「手段」としてのチームアプローチ

単独の援助者だけは解決に至らない状況において，問題や課題の解決のために組織されたものを「チーム」と呼ぶとしよう。しかし，その場にたまたま集まった人たちのことを「チーム」とはいわない。このようにチームが作られることには，「目的」があると考えるべきである。多職種が参加することによって，ある課題の解決（目的）に向けての「手段」としてチームアプローチは採用されている。われわれESWは，クライエントの抱える課題を解決もしくは軽減するための手段として，チームアプローチを活用しているのである。チームが招集されることによって，さまざまな視点が導入され，解決のための介入方法も多様化することができる。また，支援者同士が意図的なコミュニケーションを行うことで互いに評価し，専門性を高め合い，互いをサポートし，より大きな力を発揮することも期待される。

3. チームアプローチの利点と課題

それでは，チームアプローチにはよいことばかりあるかというと，そうではない側面もある。人材をそろえるためには，時間的，経済的コストが生じ，さまざまな支援についてそれぞれの価値観をもつ専門職が集まったチームの意思統一を図ることは容易ではない。

価値観の葛藤やぶつかり合いは疲弊や無気力を引き起こしてしまうこともある。また，パワーバランスの問題も生じる。クライエントや利用者にとっては，大勢の専門家のチームから示された援助方針に逆らい，自己主張することは困難を極める。極端な例をあげると，援助者側の立てた援助方針がクライエントの個別性を凌駕し，チームの方針に従えない事例を「困難事例」として扱ってしまうようなモラルリスクをはらんでいる。さらに，「責任」の所在もあいまいになり，クライエント側からみて，実施されたサービスについての責任主体が誰なのかがわかりにくくなってしまう。チームアプローチの利点と課題を表3-3-1に示す。

チームが形作られることによって，協働（collabora-

表 3-3-1　チームアプローチの利点と課題

利点	課題
・多様な視点・専門性が導入できる ・介入方法が多様化する ・相互監視による支援のチェック体制が築ける ・多職種からの評価を受けることで各職種の力量が向上する ・互いのサポートができる ・効率的・効果的なサービスが提供できる ・サービスの均質化・標準化を図ることができる	・専門職チームのパワー過多とモラルリスクをはらんでいる ・クライエントの意向表出が困難である ・チーム間の意思統一が難しい ・守秘・プライバシーの問題がある ・時間的制約や人件費コストがかかる ・責任のあいまいさがある ・非効率的なチーム作業（結論の出ない会議など）がある ・成果の明確化，統一が困難である

表 3-3-2　ジャーメインによる専門職連携（協働）の定義

・専門職間連携とは，単独では達成できないヘルスケアに関する目標や課題を遂行するための，2つあるいはそれ以上の領域でのコミュニケーション，計画，行動などの交換プロセスである

〔文献1）2）より引用・改変〕

表 3-3-3　チームアプローチ体制を評価した診療報酬点数の例

緩和ケア診療加算（1日につき）390点	症状緩和にかかわる専従のチーム（緩和ケアチーム）による診療が行われた場合に算定する
精神科リエゾンチーム加算（週1回）300点	精神科医，専門性の高い看護師，薬剤師，作業療法士，精神保健福祉士，臨床心理技術者などの多職種からなるチーム（精神科リエゾンチーム）が診療することを評価する
栄養サポートチーム加算（週1回）200点	栄養管理にかかわる専門的知識を有した多職種からなるチーム（栄養サポートチーム）が診療することを評価する
医療安全対策加算1（入院初日）85点	組織的な医療安全対策を実施している保険医療機関を評価する
感染対策向上加算1（入院初日）710点	院内に感染制御のチームを設置し，院内感染状況の把握，抗菌薬の適正使用，職員の感染防止などを行うことで院内感染防止を行うことを評価する
呼吸ケアチーム加算（週1回）150点	保険医，看護師，臨床工学技士，理学療法士などが共同して，人工呼吸器の離脱のために必要な診療を行った場合
入退院支援加算1（退院時1回）700点（一般病棟入院基本料等の場合）	入退院支援および地域連携業務に専従する職員（以下，入退院支援職員）を各病棟に専任で配置，入院後7日以内に病棟の看護師，病棟に専任の入退院支援職員および入退院支援部門の看護師ならびに社会福祉士などが共同してカンファレンスを実施

〔文献3）を基に作成〕

tion）が生まれる。協働とは，「共有されたチームの目的を果たすために行われるメンバー間の異なった要素の相互作用からなる行動のプロセス」と考えられる。保健医療領域での協働について，ソーシャルワークの研究者であるジャーメイン[1]は，一学問領域および個人では達成困難な課題に対して，多様な専門性をもつ職種が学際的な協力をするプロセスを「協働」として，その協働のために組織化されたものが「チーム」であるとしている（表3-3-2）[1,2]。2人以上の異なった専門職がある共通目的を達成するために協力するプロセスが生じていれば「協働」が行われていて，それが意図的に（少なくとも意識されて）組織化されたものが「チーム」とみなされる。

4. チームアプローチへの評価

近年の診療報酬改定においても，チームアプローチの体制を診療組織内に意図的に形成することを評価した項目が多くみられる（表3-3-3）[3]。チーム医療の目的は，医療が抱える問題に対して，専門職の積極的な活用を図り，多職種の協働体制を構築することによって，質の高い医療を効率的に提供することにある。診療報酬による評価は，多種の専門性を動員した効率的かつ効果的な診療活動を評価し，患者の利益を高める方向へ病院医療を誘導する試みであると考えることができる。算定の要件は，チームを組織のなかに構成すること，「チーム作り」がまず評価され，そのチームでの業務を標準化し，実施することにより満たされるようになっている。チーム医

表 3-3-4 専門職の連携・協働のチームのモデル

チームアプローチのモデル	モデルの展開プロセス	医療での適用の例
マルチディシプリナリ（multi-disciplinary）	チームのメンバーが個々に独自の専門性の高い役割を発揮し、最終的に責任者の下に集約されながら機能するチーム	急性期医療などにおける役割分担
インターディシプリナリ（inter-disciplinary）	チームである目標を共有し、専門職間での意見の交換を行いながら、対立・交渉などの相互作用のプロセスを含んで機能するチーム	リハビリテーションにおけるチームアプローチなど
トランスディシプリナリ（trans-disciplinary）	それぞれの専門職の領域にとらわれずに、「役割の開放」や「相互乗り入れ」を含んで展開するチーム	在宅医療や退院支援など

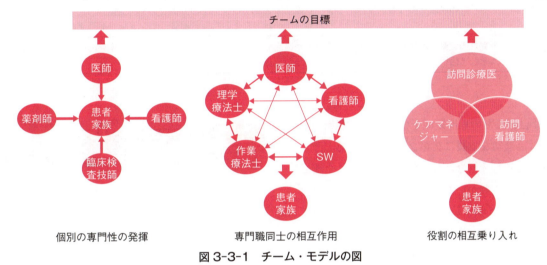

図 3-3-1 チーム・モデルの図

SW：ソーシャルワーカー

療の質の改善と担保のためには、①コミュニケーション、②情報の共有の仕組み、③チームマネジメントが重要とされている。

診療報酬の評価については、算定するための要件としてみるだけでなく、なぜチームアプローチを行うのか、「チームアプローチを行うことで提供される医療の質が高くなり、患者、家族の満足度が高くなる」ことを期待し、手段としてチームアプローチが評価されていることを再確認する必要がある。

5. チームアプローチの類型モデル

専門職の連携・協働のチームのモデルについては、Wielandら[4]の提示したマルチディシプリナリ（multi-disciplinary）モデル、インターディシプリナリ（inter-disciplinary）モデル、トランスディシプリナリ（trans-disciplinary）モデルの3つのモデルがもっとも取り扱いやすいモデルと考えられるので紹介する（表3-3-4）。

マルチディシプリナリモデルは役割分担が明確で、それぞれの専門性が個々に独立したかたちで行われるため、ベストなパフォーマンスが期待される。インターディシプリナリモデルは学際的協働モデルといわれるように、一部の役割を重複しつつ、異なる専門職同士の相互コミュニケーションを重視しながら展開するものである。トランスディシプリナリモデルでは、場面に応じて、専門職の役割を代替しながら、他の専門職の知識や技術を吸収、活用しながらチームが機能していくモデルとされており、その際はチームのメンバー間の高い信頼が担保されていることが条件になると考えられている（図3-3-1）。

救急医療については、個別に歴史を刻んだ各専門職がそれぞれの専門性を提供しながら組織化されてきたものが、救急医療であり、個々の専門職が最大の技量を発揮するマルチディシプリナリモデルであるといわれてきた。しかし近年、これからの救急医療は、①職種間の有機的な連携を活用して、②組織間の合理的な協働を行うことによって、③患者の利便性・満足度の向上を目指すべきであり、そのためには、「役割の開放（相互乗り入れ）」を含んだチーム医療の実践が不可欠である[5]という主張がある。このチーム・モデルは、役割の開放性を多く含むトランスディシプリナリをイメージしたものと考えられる。

例えば、ソーシャルワーカーの専門的役割である、障害年金や介護保険などの社会保障制度の活用支援をソーシャルワーカー以外の職種が行ったときに、ソーシャル

表 3-3-5　チームアプローチに必要なコンピテンシーの例

能力	目的	具体的なスキル
チームビルディング	チーム全体の目的と目標を明確にして，仕組みを作る	チームメンバーに共通の目的意識をもたせ，統一されたチームのビジョンをもつ。チームのなかに，互いに助け合う環境（仕組み）を作る
チーム成果の確認	チームにより得た成果を確認・共有する	チームで行った成果の共有，メンバーが得た収穫を確認する。チームの継続のためにも必要である
メンバーシップ	チームメンバーとしての貢献と責任の確認	チーム参加者としての自身の価値や個性の確認，貴重なチームメンバーとしての評価を与え，得る
パートナーシップ	相互に有益な成果の確認とオープンなコミュニケーション	開放されたコミュニケーションと相互に有益な成果を確認する
扱いにくいメンバーのコントロール	チームの効果を損なうメンバーへの対処	チームの効果を乱すパターンの分析とチーム全体のコミュニケーションの評価と見直し。チームの文化の共有と葛藤（コンフリクト）マネジメントのスキル
多様性の尊重	異なる意見の尊重と受け止め，そして活用	意見の相違を発展的（生産的）に受け止める。意見の相違に対する感情的なコントロールができる。衝突の緩和

ワーカーは「自分たちの専門領域を侵された」「私たちが行わなければ，適切な支援にならない」などと感じ，あるいは実施した側も「自分たちの仕事ではないことをさせられた」と感じる者がいるかもしれない。救急医療は24時間の対応が求められるが，すべての時間帯にすべての専門職が配置されているわけではない。そのため，このようなインターディシプリナリモデルの「役割の開放」や「役割の相互乗り入れ」がうまくいくためには，一定の条件があるとされる。その条件の一つとして，チーム内において，他のメンバーが「何を」「どこまで」行うのか，ということがある程度共有され，チーム内で一定のコンセンサス（合意形成）が得られていることが重要であるといわれている[4]。とくに医学的な情報を患者や家族に伝える役割を担うスタッフにはこのコンセンサスが重視される。チームメンバーが利己的な判断で，勝手に他職種の役割を取り込んで支援を展開したときに，たとえうまくいったとしても，チーム内での軋轢や葛藤が生じてしまうことが考えられる。役割の重複，開放によるスタッフ間のコンフリクト（役割葛藤）を回避しながら，クライエントとの関係性や利便性，利益を優先させてチームアプローチを用いる考え方である。チームを構築する場合にどのようなモデルを想定するかについて，メンバー間でイメージを共有しておくことで，それぞれの役割範囲が明確になり，軋轢を回避することにもつながる。

II 救急医療における チームアプローチのスキル

1. チームアプローチのスキルとコンピテンシー

医療安全などの分野で，チームワークトレーニングの一つとして知られる，「チームSTEPPS」では，チームワークに必要なスキルとして，①リーダーシップ，②状況のモニタリング，③相互支援，④コミュニケーションをあげている。具体的には，①メンバーの活動（勤務状況など）を調整し，チームに統一した目標を提示し，チーム作りを行う。②チームの継続的な活動のために自己を含めたチームの周囲を分析し，周囲，メンバーとの足並み合わせを行う。③オープンな雰囲気を作り，メンバーの活動を相互に評価する。④情報の共有の行われ方に関心を置いて，情報共有のルールを作り，とくに悪い情報や緊急・重大な情報の伝わり方などを工夫すると紹介されている[6]。

効果の高い優れたチームを運営，活用するにはどのような能力要素（team competency）が必要とされるかについて山口は，「目標達成のための明確な道筋と戦略」と「適切な能力を有する人的資源の確保」，そしてそれをつなぐ「チームワーク」の存在であると論じている[7]。

このチームワークの質にかかわるものが，個人が発揮するチームワークにおけるコンピテンシー（competency）である。優れたチームマネジメントを行い，あるいは優れたチームメンバーとして活躍している人が実際に発揮しているコンピテンシーについてを表 3-3-5 に示す。クライエントへの支援にチームアプローチをじょうずに活用している例ととらえることもできる。

また，吉本ら[8]の多職種連携コンピテンシー開発チームが報告した，「協働的能力としての多職種連携コンピテンシーモデル」では，①患者，サービス利用者，家族，コミュニティのために，協働する職種で患者や利用者，家族，地域にとっての重要な関心事／課題に焦点を当て，共通の目標を設定することができる力（患者，利用者，家族，コミュニティを中心としたコミュニケーション能力），②患者，サービス利用者，家族，コミュニティのために，職種背景が異なることを理解したうえで，互いに職種としての役割，知識，意見，価値観を伝え合うことができる力（職種間コミュニケーション能力）の2つを中心領域のコンピテンシーとしている。さらに，①「職種の役割を全うしてチームに貢献する力」，②「チームの維持・調整や葛藤解決など関係性に働きかける力」，③「内省的に自らの職種を振り返る力」，④「他職種のことを理解し，協働に活かすことができる力」などを中心領域のコンピテンシーを支える4つの領域の力として構造的に示している。

2. チームへのフィードバック

チームマネジメントにおいて，目標の設定は重要な役割をもつ。何に向かってチームが機能していくのか，社会的転帰方針の決定はその意味でもチームの舵をどのように切っていくかを決める重要な要素である。ソーシャルワーカーは，業務の性質上，救急入院患者の「転帰」にかかわることが多い。また，退院後の患者の様子を知る機会をもつことがほかの職種よりも多い。患者自身または家族からの報告や情報収集，関係機関からの報告やネットワーク会議での情報収集など，いわゆるモニタリングやエバリュエーション行為により，退院後どのような経過をたどったのかを知る機会を得る。そこで得られた情報の一部はチームの「成果」としてフィードバックすべきである。対象患者が常に入れ替わり，新しい治療ニーズに対応することに奔走する医療チームは，自身のチームの結果や成果を知る機会に乏しく，自身が参加したチームがどのような役割を果たしたのかの振り返りの機会を逸してしまい，不全感を募らせる場合もある。チームへのポジティブな成果のフィードバックは，よい状態のチームが維持され，次の成果をあげていくために力強い役割を果たす。

III 救急医療におけるチームアプローチの実践

1. ジェネラリストとしての実践

近年，医療の世界でジェネラリスト（generalist）という存在が注目されている。ジェネラリストという用語は，以前は臓器別の医学教育のヒエラルキに象徴されるような分野分けされた専門性をもつスペシャリストたちが，一般的，総合的な知見を用いて対処する専門性の低い人たちに対して侮蔑的に使う言葉として用いられていたとされている[9]。しかし今日では，適用の狭い傾向のある専門性を克服し，社会科学的知見や生活学，そしてナラティブなアプローチまでも取り込んだ総合的実践力の高い専門職をジェネラリストと呼んでいる。このジェネラリストの専門性の一つは，チームアプローチをじょうずに支援に活用できることにあるとされている[9]。他者（他職種）の評価（アセスメント）をねぎらいと感謝ともに支援に取り込み，「包括的アセスメント」を行い，多職種と連携し，支援を展開する。クライエントの課題解決と軽減のためにチームアプローチをじょうずに活用することがソーシャルワーカーの実践に重なる。われわれは救急医療の場で活躍するソーシャルワーカーであるが，スペシャリストの側面もありながら，ジェネラリストとしても機能する。スペシャリストとジェネラリストはもはや対立概念ではない。

2. 専門性を引き出し合う関係

すべての支援場面にすべての職種が一堂に会して支援を実践することは，理想ではあっても困難なことである。そのようなことから，チームにおいて役割の相互乗り入れ，役割共有は重要なチーム課題となっている。在宅ケアや退院支援においては，ソーシャルワーカーや看護師，医療連携事務スタッフなどが同じ役割を果たしている例を多くみる。互いの専門性を尊重するということは，相互に干渉しないようにするということとは違う。相手の専門性にふれる部分に「口出しをする」のは失礼なことのようにも思われる。しかし，解決すべきクライエントの抱える課題をとらえたときに，「そのために必要な専門職の知見や行動を引き出す」ことは，大切な支援のアクションである。医療職ではないソーシャルワーカーは，身体的な事象について経験に基づいた判断を安易にせずに，医療職に判断を求めることはきわめて重要である。病状的な変化が予測される患者の退院支援にあっては，当該患者の検討しておくべき身体予後につい

ての知見を医療職にきちんと確認しておくべきである．それはクライエントへ不利益を与えないためであり，必要な専門的判断をクライエントへ届けるために行われる．

文献

1) Germain CB：Social Work Practice in Health Care. Free Press, New York, 1984, pp198-229.
2) 松岡千代：ヘルスケア領域における専門職間連携；ソーシャルワークの視点からの理論的整理．社会福祉学 40：17-38, 2000.
3) 社会保険研究所編：医科診療報酬点数表令和4年4月版．社会保険研究所，東京，2022.
4) Wieland GD, Kramer BJ, Waite MS, et al：The interdisciplinary team in geriatric care. Am Behav Sci 39：655-664, 1996.
5) 有賀徹：第5回チーム医療の推進に関する検討会資料．2009. https://www.mhlw.go.jp/shingi/2009/11/dl/s1124-4c.pdf
6) 鈴木明，種田憲一郎：チームSTEPPS（チームステップス）；チーム医療と患者の安全を推進するツール．日臨麻会誌33：999-1005, 2013.
7) 山口裕幸：チームコンピテンシーを育成・強化するマネジメント方略の研究．平成16・17年度文部科学省科学研究費補助金研究成果報告書，2006.
8) 吉本尚，春田淳志：医療保健福祉分野の多職種連携コンピテンシー；Interprofessional Competency in Japan. 2016. https://www.hosp.tsukuba.ac.jp/mirai_iryo/pdf/Interprofessional_Competency_in_Japan_ver15.pdf
9) L. C. ジョンソン，S. J. ヤンカ著，山辺朗子，岩間伸之訳：ジェネラリスト・ソーシャルワーク．ミネルヴァ書房，京都，2004.

（井上　健朗）

第3章　救急医療におけるソーシャルワーク

第4節　救急医療におけるソーシャルワーク（精神科リエゾン）

I　身体科救急医療機関における精神科救急医療のソーシャルワーク

救急医療の現場における患者の医学的問題や背景は多種多様であり，そのなかには精神医学的な問題も多く含まれる。わが国において総務省消防庁が公表する事故種別の救急出動件数（救急出動理由の区分）に関する報告では，救急出動全体の約1％弱が「自損行為」による救急出動であり，救急出動全体の65.5％を占める「急病」の2.5％が精神科的問題であることが明らかにされている[1]。また，救急医療機関への入院後に，搬送時には明らかではなかった新たな精神医学的な問題が判明する症例も少なくない。日野らが横浜市立大学附属市民総合医療センター高度救命救急センターで実施した調査では，同センターに入院となった全患者のうち10％程度が自殺企図患者であったこと，さらに全患者のうち25％が入院中に精神科医の診療を要したことを報告している[2]。実際，救急要請のあった現場の患者が身体的急性期症状と精神科的精神症状を併せもった場合，精神科医療機関での受け入れは困難であり，身体科救急医療機関に搬送されることになる。このような現状から，身体科救急の現場では必然的に，身体科救急医療だけでなく精神科救急医療のソーシャルワーク対応が求められる。この両面からソーシャルワークを展開することは，救急認定ソーシャルワーカー（emergency social worker；ESW）ならではの業務といえる。現場では，搬送先の受け入れ問題や，身体科医療と精神科医療の連携，精神症状を有する患者とのかかわり，帰宅困難など，さまざまな難しさに直面する。それらに対応するためには，精神科救急医療のソーシャルワークにおける知識・技術・連携について理解を深めたい。

II　情報収集と関係機関との連携

搬送時に救急隊や同行者から精神疾患既往や通院先の情報が得られる場合が多い。まずは，かかりつけ精神科医療機関に診療情報提供を依頼することになるが，精神保健福祉士が配置されている医療機関であれば，外来担当の精神保健福祉士と連携し，患者の家族歴や生活歴，経済状況，症状悪化時や支援における配慮事項など社会背景を広く聴取したい。併せて，地域での関係機関の介入，担当者も確認する。障害福祉サービス等の利用がある場合は，サービス等利用計画を作成する相談支援事業所の相談支援専門員（介護保険サービスでいうケアマネジャー役割）から情報収集をすることで，搬送前の生活状況，家族やキーパーソン，取り巻く支援状況，生活上の課題を把握することができる。搬送直後から，医学的情報以外に，これらの社会背景を迅速に把握することは，治療上のアセスメントや方針，患者のケアに有用な情報となる。具体的サービスを利用していない場合でも，障害者基幹相談支援センターや保健所，市町村の精神保健福祉相談につながっている場合もあるため，地域のネットワークを活用しながら，情報収集と社会背景を含む患者のアセスメントを行う。

III　入院中の精神症状への対応

身体疾患に伴い，さまざまな精神症状（不眠，せん妄，抑うつ，不穏など）が生じる。救命救急センター入院患者の12.3％に精神医療の必要性があり，そのうち18.5％（全体の2.2％）は身体・精神ともに入院治療が必要との報告もある[3]。高齢者や精神疾患既往といったリスクが予測される患者の精神症状の悪化を早期発見し，適切なケアにつなげていくことが重要である。具体的には，院内に精神科医が勤務する場合には診察依頼・相談をするコンサルテーション・リエゾンの見知から，精神科リエゾンチームが機能する施設ではチームによる多職種の見知から，症状の緩和・予防，患者や家族のサポート，対応するスタッフ支援の検討につなげるとよい。また，かかりつけ精神科がある場合には，かかりつけ主治医から薬物調整の効果や副作用などの助言を得るなど，院内に精神科医が不在であるなど医療資源の乏しい施設においても，積極的なソーシャルワークによって補完することは可能である。

患者本人への対応では,「TALK」の原則の実践が重要である[4]。精神症状を有する状況であっても,誠実な態度で話しかけ(Tell),自殺企図や虐待など聞きにくいことであってもしっかりと尋ね(Ask),訴えや思いを共感的・受容的に傾聴し(Listen),安心して療養できる安全な環境を整える(Keep safe)。ESW 自身が社会資源として救急医療の現場で確かな信頼関係を培うことが,地域への信頼関係を引き継ぐ第一歩となる。

IV 精神科入院調整

精神科入院は,精神保健及び精神障害者福祉に関する法律(精神保健福祉法)に基づいて,入院形態や「家族等」の同意が規定されている。精神保健福祉法の 2022(令和 4)年の改正も含めて理解しておきたい。精神科への転棟・転院調整にあたって重要なことは,医療者側の評価・判断だけで調整を開始しないことである。事前に患者の意向や「家族等」の所在とその意向を確認することが重要である。これらを踏まえて打診することで,受け入れ先が円滑に受け入れを検討することができる。また,かかりつけ精神科が病床をもたないなどにより入院検討ができず,新たにほかの精神科病院を調整する場合は,かかりつけ精神科主治医の診療情報はもちろん,主治医の意向もあらかじめ確認するなどの配慮が円滑な転院調整や退院後の地域へのつなぎに大切となる。さらに,夜間や休日などの ESW 不在時にも精神科医療機関との円滑な調整を行えるよう,地域の精神科救急医療システム[5)6)]について,院内の対応フローを作成するなどして,多職種に周知しておくとよい。ただし,本事業は地域ごとに詳細が異なり,随時運用課題について精神科救急医療システム連絡調整委員会などで検討されているため,実際に現場ではどのように活用が可能かを各都道府県精神保健担当課に確認しておくとよい。

V 自殺未遂者支援

自殺企図症例は,ESW の業務のなかでも時間的・精神的負担の大きいものの一つである。しかし,自殺未遂者は虐待・DV と同様に,「支援へのつながりにくさ」「援助希求性の乏しさ」があり,自ら相談支援機関などにつながることは少なく,救急医療の現場は貴重な介入機会となる。そのため,自殺企図症例に立ち会う ESW への期待は大きい。自殺未遂者支援の実践は,搬送後,患者本人に自殺企図の確認をすることから始まり,信頼関係を構築しながら,心身の医学的評価,心理社会的背景の確認を通した自殺の危険因子の抽出,再度の危険性の評価といったアセスメントを行い,精神科医療と地域の支援につなぐ総合的なソーシャルワークである(対応の詳細は,第 5 章典型的な支援領域の事例,事例 5 自殺企図を参照)。しかしながら,自殺未遂者支援の本質は,ソーシャルワークの本質と何ら異ならない。アセスメントの過程は,実践のあらゆる現象を「人と環境の相互作用」としてとらえるソーシャルワーカーの基本視点であり,支援過程は,患者を生活の連続性や人とのつながりをもつ「生活者」としてとらえて「かかわり」,主体的な力を培いながら日々の生活そのものを獲得していく個別援助と,地域へのネットワーキングのアプローチである。救急医療の現場でソーシャルワークを完結できないからこそ,このような生活モデルを意識した危機介入と地域につなげるための支援の実践が救急医療の現場に立つ ESW のソーシャルワークにおいて重要となる。

VI 覚醒剤などの違法薬物に関するソーシャルワーク

救急医療の現場では時に,覚醒剤などの違法薬物の使用に遭遇することがある。違法薬物などの使用を発見した場合は,決して個人で対応せず,スタッフ間や組織として情報共有,協力することが重要となる。警察への通報は,医師の裁量に委ねられており,通報義務はない。通報する場合は,組織として判断および対応し,警察からの情報提供依頼には文書で対応する。院内対応マニュアルがある場合には,マニュアルに沿った対応を行う。日本臨床救急医学会の PEEC™ コースでは,司法的対応よりも治療的対応による本人や家族の利益を優先した立場をとっている[4]。精神運動興奮が著しく自傷他害のおそれがある場合には,精神保健福祉法第 23 条(警察官の通報)による措置診察などといった精神科医療につなげる。支援につなぐソーシャルワークとしては,依存症専門病院や自助グループ(薬物依存症回復支援施設ダルク,ナルコティクス・アノニマスなど)を紹介し,家族がいる場合には,家族の困惑の受け止めとねぎらいを忘れず,その後の専門病院や行政,自助グループへのつなぎを検討する。地域の薬物依存などの関連情報は,各都道府県精神保健福祉センターなどに事前に確認しておくとよい。薬物依存などに対応する ESW の視点として,ソーシャルワークの対象を薬物問題だけに限定せず広い視野で,患者の世帯全体を生活困窮や養育問題などのさまざまな視点からアセスメントし,必要な支援介入を検討することが重要である。

表 3-4-1 さまざまな入院形態と根拠法

措置入院中の医療	精神保健福祉法第 20～44 条
心神喪失等医療観察法指定入院中の医療	心神喪失等の状態で重大な他害行為を行った者の医療及び観察等に関する法律（医療観察法）第 81～103 条
精神鑑定中の医療	刑事収容施設及び被収容者等の処遇に関する法律第 62 条

VII 各種法的処遇下のソーシャルワーク

　救急医療の現場では，さまざまな法的処遇下または今後法的処遇の対象となる可能性のある患者が搬送され，各法律への配慮を必要とするソーシャルワークを経験する。例として，精神保健福祉法による措置入院中の身体的急変による措置入院の外出や仮退院，または処置後の同法第 23 条（警察官の通報）へのつなぎ，著しい精神症状を有するなかで放火や傷害などを起こして自らも受傷した搬送の治療後の警察による事情聴取や心神喪失等の状態で重大な他害行為を行った者の医療及び観察等に関する法律（医療観察法）の処遇の対象となる可能性の検討，すでに医療観察法の指定入院や指定通院処遇中，責任能力鑑定中の搬送による付き添いや手続きの検討などがある。このとき，警察や検察官，裁判所，保護観察所，保健所，精神科医療機関など多岐にわたる関係機関との調整を要する。事前に法的根拠や処遇中の医療の取り扱いの詳細（表 3-4-1）を深く理解しておくことは容易ではないが，このような症例の際には，各関係機関との組織的調整が必要となるため，窓口の明確化，文書でのやり取り，治療が長期化する場合の安全管理や処遇手続きについて，院内各部署との情報共有や協力体制を検討する。

VIII 主な精神保健福祉に関する機関・相談窓口

　都道府県精神保健福祉担当課，都道府県精神保健福祉センター，都道府県自殺防止センター，保健所精神保健担当課，市区町村精神保健/障害福祉担当課，障害者基幹相談支援センター，圏域コーディネーター，療育コーディネーター，相談支援事業所，各障害福祉サービス事業所，警察生活安全課，精神科救急情報センターなどがある。

IX おわりに

　今日，誰もが住み慣れた地域で自分らしく暮らせるための地域包括ケアシステムの構築が推進され，2017（平成 29）年には，「これからの精神保健医療福祉のあり方に関する検討会報告書」[7]で，「精神障害にも対応した地域包括ケアシステム」の構築を目指すことが示された。ESW は，まさに身体科救急医療と精神科救急医療，社会背景といったあらゆる側面からのソーシャルワークを通して，地域で暮らす生活者および地域課題と向き合っている。分野を超えたソーシャルワークでは，各機関との連携の難しさや制度の限界，社会資源の乏しさなど，多くの困難に直面する。しかし，医療と地域の最前線に立つ ESW として，自らのソーシャルワークに限界を設けることなく，目の前の患者に確かに寄り添い，積極的に地域とつながり，地域を耕していくようなソーシャルワークを実践していくことが期待される。

文献

1) 総務消防庁：令和 4 年度版救急・救助の現況. https://www.fdma.go.jp/publication/rescue/post-4.html
2) 日野耕介, 小田原俊成：救急医療とリエゾン精神医学. 精神医学 57：185-193, 2015.
3) 保坂隆, 本間正人：平成 18 年度厚生労働科学研究精神科病棟における患者像と医療内容に関する研究；分担研究救急医療より見た精神医療の課題. 2007.
4) 日本臨床救急医学会総監修, 日本臨床救急医学会「自殺企図者のケアに関する検討委員会」監, PEEC ガイドブック改訂第 2 版編集委員会編：救急現場における精神科的問題の初期対応 PEEC™ ガイドブック；多職種で切れ目のない標準的ケアを目指して. 改訂第 2 版, へるす出版, 東京, 2018.
5) 厚生労働省：精神科救急医療体制整備事業実施要綱. 2008.
6) 厚生労働省：精神科救急医療体制整備事業実施要綱の一部の改正. 2022.
7) これからの精神保健医療福祉のあり方に関する検討会：これからの精神保健医療福祉のあり方に関する検討会報告書. 2017. https://www.mhlw.go.jp/file/05-Shingikai-12201000-Shakaiengokyokushougaihokenfukushibu-Kikakuka/0000152026.pdf

（佐々木由里香）

第5節 精神科救急医療におけるソーシャルワーク

第3章 救急医療におけるソーシャルワーク

I はじめに

精神科救急について、平田[1]は、「わが国で1995年に精神科救急医療システムが稼働し始めて（中略）現在、わが国の精神科医療の領域では、救急・急性期医療と在宅医療が車の両輪であり、診療活動の基盤である」と示し、図3-5-1のように分類している。

このシステムのなかの二次救急、三次救急に対応する受け皿として精神科救急病棟・急性期治療病棟があり、これらの病棟に入院する半数近くが本人の同意を得ない強制入院である。地域差はあるが、精神症状の悪化だけではなく、アルコールによるせん妄、オーバードーズなど依存症問題を抱えている人、夜間急に精神的な混乱を起こし周囲を巻き込む問題行動のある人、自殺企図や自傷などの行動により警察から連れて来られる人、食事や水分を拒否し放置すれば命のリスクに直結する人など、その状況はさまざまである。未治療や治療中断、あるいは医療機関との関係がうまくいっていないケースもあり、入院時に「治療を受けたい」「治りたい」と思っている人ばかりではない。「命を救う」ことが最大の使命である身体科救急と、患者の命や暮らしを守ることを使命としながらも、「自傷他害を防ぐ」という社会防衛的な役割も課せられた精神科救急の違いがここにある。

多少の差はあれど、精神科救急病棟・急性期治療病棟に入院する患者は、半数近くが強制的に収容され治療を開始され、頑強にそれを拒否し抵抗する患者には、保護室への隔離や身体拘束を行われる場合もまれではない。さらに、精神科医療や精神科病院がもつ負のイメージは社会では根強く、患者もまたそれにより適切な治療やリハビリテーションの機会から遠ざけられてきた。精神科救急病棟・急性期治療病棟のソーシャルワーカー（social worker；SW）は、このようななかで患者本人と出会う。精神科救急システムや精神科医療の構造的な問題を認識し、患者本人が入院に至るまでの苦悩に寄り添いつつ、現実的には短い入院期間のなかで退院後の生活基盤の確立を目指していかなければならない。SWは本人が自ら自分の病気や障害を受け入れ、生活の再構築を目指す支援をしたいと思いながら、他職種との考え方の相違や病床稼働率・回転率、在宅移行率などの基準に縛られ、葛藤することがしばしばある。以下、目指すべき精神科救急におけるSWの視点と役割を明確にする。

II インテーク面接・アセスメントの重要性

SWは精神科救急病棟・急性期治療病棟に入院する患者に対して、ほぼ全員に入院時、もしくは入院後に可能なかぎり速やかにインテーク面接を行う。本人から話を

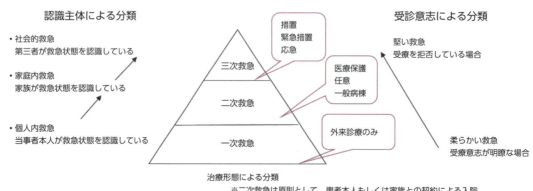

図3-5-1 精神科救急の分類

〔文献1〕より引用・改変〕

聞くことが最優先されるが，入院当初は困難な場合もあり，家族や地域の支援者などから，医療保険の有無，経済状況，家族状況，社会資源の利用状況，地域の支援者の情報，通院治療状況，これまでの本人の生活歴，現在の生活状況などを聞き取る。入院に至るまでの経過を丁寧に聞き取りながら，本人の不安や混乱，振り回された家族の疲弊感や複雑な感情を受け止めることが大切となる。本人にどのような課題があるのかをアセスメントし，SWとしての支援計画を考える。

SWは目の前の問題・課題を解決するためだけに動くのではなく，なぜその問題が起こったのかを考察し，できるだけ本人自身が問題に気づくように働きかけ，問題解決に向けて一緒に考えていく。例えば，本人の精神症状悪化の原因が本人の生活環境や家族関係にある場合，入院環境で状態が安定しても退院後に元の環境に戻れば症状が再燃する可能性は高い。再入院を繰り返さないよう，本人が本人らしく生活できるよう治療環境と並行して地域支援体制の構築や，本人と家族がよりよい関係で生活できるようなかかわりに向けたアプローチをする。

III 本人とのコミュニケーション

精神科救急病棟・急性期治療病棟の場合，本人の望まない強制治療，強制入院が多く，SWの関与も入院当初は拒否され，会話の糸口さえつかめないこともある。最長3カ月という短い入院期間で信頼関係を構築することは難しい場合もあり，本人の意思や思いを十分に受け止めることができないまま，SWは課せられた役割（速やかな退院支援など）を果たさなければならない。

SWの介入時期は，入院当初の保護室に収容されている急性症状の激しいときや，ある程度会話が成り立つほどに落ち着いたときなどがある。向き合いやすいのは後者であるが，前者の場合は情報を得るというよりは，そのときに本人が感じている恐怖・怒り・不安などの気持ちに寄り添うことが目的となる。初めての出会いの体験は本人も覚えていることが多く，本人の状態が安定した際のSWとの関係性に好影響を与えることがある。一方，本人が興奮し，さらに精神状態が悪化するリスクも想定しておかなければならない。SWの軽はずみな言動・行動により本人の隔離や拘束がさらに長引く可能性もあり得る。医師や看護師などと綿密な情報共有のうえで面接を行う必要がある。

話す内容は状態に応じて工夫が必要となる。幻覚妄想が激しい状態や周りが信用できない状態で入院に至る経過を確認したり，課題解決や問題の可視化を図ろうとしても実りはない。こういった状況では，SWは受容と共感の姿勢に徹した面接にとどめる。現実を見つめ，振り返りの作業や退院後の生活，そのための支援を具体的に想定し準備するには，クリニカルパスや多職種カンファレンスなどを参考にタイミングを測ることが重要となる。また，同じ内容の話であっても，伝えるタイミングは本人の状態に合わせ，本人の健康な部分に働きかけるような面接を心がける。

IV 家族支援・家族教育の視点

本人の入院時に付き添う家族は，もっとも身近な支援者であると同時に，家族自らが支援を必要とする場合もある。本人の精神科入院に対し，「精神科病院に入れてしまった」という罪悪感を抱いたり，とくにそれが親であれば，「育て方，かかわり方が間違っていたのではないか」という迷いや自責感に苛まれる家族もいる。「今後の本人や自分たち家族の生活はどうなるのか」という不安を抱き，経過によっては「もう二度とこんなつらい思いをしたくない」「本人と距離を置きたい」といったように燃え尽きてしまう家族もいる。また，「本人の行動のせいで，こんなにも迷惑をかけられた」という怒りの感情をスタッフに表出する家族もいる。SWの面接場面では，このような家族の感情を受け止め，ねぎらいの言葉をかけながら，家族が安心できるような支援を心がける必要がある。それが本人と家族の関係を改善し，再構築する契機にもなり，家族支援の視点と技術が求められる。さらに，病気についての知識や情報を提供し，本人の気持ちの理解や接し方について学び，同じ悩みをもつほかの家族との交流や情報交換の場である家族教室の開催についてや，地域の家族会への紹介などを行う。

V 地域の支援者との連携

入院期間内に本人の問題がすべて解決できることはまれであり，退院後の支援を精神科救急病棟・急性期治療病棟のSWが担うことは困難である。そのため，SWには必要に応じて地域の支援者につなぐ役割が求められる。入院前から地域の支援者がいる場合には，入院当初から情報共有を行い，その都度経過を報告し，退院前カンファレンスには地域の支援者に出席してもらうなどの働きかけが必要となる。そこでは，入院前の支援内容と現在の本人の状態（日常生活動作や手段的日常生活動作，生活環境など）を評価し，支援内容を検討・調整のうえで円滑な地域移行を行う。事情により元の地域に戻るこ

とができない場合やもともと地域の支援者がいない，あるいは入院後に支援者が撤退する場合もある。この場合，本人の支援を新たに構築する必要があるが，退院後に入院前と同じトラブルを起こすのではないかという不安や病識の乏しさから治療を中断するリスクや，家庭内の高ストレス関係などの本人の抱える問題が大きく，退院に向けての支援ができるのか不安に感じることがある。どこの誰と連携すれば本人が安心して地域での暮らしを続けていけるのか，SWは地域の関係機関や支援機関の特性，強みを確認する作業が必要となる。また，本人の希望や適性に応じて，地域の社会資源の選択肢は多いに越したことはない。しかし，留意しなければならないのは，地域の社会資源の利用が本人にとって必要かどうかの判断である。利用しないという選択肢があることも本人に伝える必要があり，サービスにつながないことを不安に思う他職種に本人の視点に立って的確な説明を行うこともSWの役割となる。

地域移行の際には，地域の支援者に情報を提供するだけではなく，本人と地域の支援者の直接のやり取りを設定し，のちの支援の道筋を本人と一緒に考え，双方が安心できる関係作りに取り組む必要がある。地域の支援者が本人のサポートに不安を感じている場合は，本人と一緒に緊急時の対応を考えておくこと，本人と医療機関が作成したクライシス・プラン注1)を提示することは有効である。

VI 支援展開をするうえでの注意点

精神科救急病棟・急性期治療病棟に入院している患者の場合，本人の病状や障害により，入院前に家族や支援者，近隣住民などを困らせていることがある。例えば，家族への暴力，地域での迷惑行為など，深刻な困りごとにSWが直面することは現場では少なくない。そのため，限られた時間のなかで「この問題を何とか解決しなければならない」という使命感にかられ，本人不在のまま，支援という名の患者管理が進んでいくことがある。しかし，支援を受けるのは本人である。本人が生活できる環境を調整することはSWとしての重要な役割ではあるが，本当にその支援が本人に安心と安全を保障するのか，先々の本人の生活を想像したときに本人の望む暮らしになっているのか，常に問い直す作業が必要となる。

VII 権利擁護の視点

医療保護入院・応急入院・措置入院・緊急措置入院といった非自発的入院で精神科救急病棟・急性期治療病棟に入院した場合，病状悪化時の隔離・拘束や行動制限による治療は少なくない。これに対しては，より人権意識をもち，本人の権利をいかに擁護していけるかを考え続けなければならない。本人・家族が処遇に不服がある場合，精神医療審査会に退院請求や処遇改善請求などを行う権利があることを説明することも一つである。しかし，「処遇に不満があるなら精神医療審査会に」という説明で終わってはならない。SWは精神科医療がもつ法的に許容された権利侵害に対して敏感であるべきであり，本人の不安・不満に寄り添い，常に人権意識を研ぎ澄まし，自己主張をしきれない本人に代わり，本人の権利を医療チームの中で主張する必要がある。

引用文献

1) 平田豊明：「精神科救急」の定義についての提案．2013．https://www.jaep.jp/psy99.html
2) 野村照幸：「クライシス・プラン」ってなんだ？：なぜこのツールが注目に値するのか．訪問看護と介護 22：446-448, 2017．

参考文献

日本精神保健福祉士協会編：精神保健福祉士業務指針．第3版, 2020．

（駒野　敬行）

注1) クライシス・プランは，「安定した状態の維持，また病状悪化の兆候がみられた際の自己対処と支援者の対応，病状悪化時の自己対処と支援者の対応について病状が安定しているときに合意に基づき作成する計画」[2]と示されている。精神科救急の場合，本人の病状悪化時の対処法を考える際に有効となる。

第**4**章

救急医療における
ソーシャルワーク実践の展開

第4章 救急医療におけるソーシャルワーク実践の展開

第1節 実践の展開

I はじめに

　救急医療は，急性に発症した病気や外傷に対する初期的（primary）かつ集中的（intensive）な対応を行う医療であり，その対応がきわめて短期的であることに特徴をもつ。生命の維持に特化された治療が重視され，緊急処置や救命救急措置，対症療法などが根治的治療に先行して行われる点において一般医療とは診療プロセスは異なる[1]。

　救急医療において展開されるソーシャルワークもまたきわめて短期間に展開され，その支援は根治的治療やリハビリテーションなどを行う次の医療機関あるいは，地域へと引き継がれていくことが多い。一般的なソーシャルワークの基本的展開過程[2]を理解したうえで，救急医療の特性にソーシャルワーク活動を適応させていくことが期待される。表4-1-1では，一般医療と救急医療の展開プロセスの対比と一般的なソーシャルワーク活動の展開過程を縦軸とし，救急医療におけるソーシャルワークの特徴と活動に求められる能力を記した。個別事例への対応（ミクロレベル）だけでなく，介入や支援の仕組み作り，組織作り（メゾレベル），地域や政策課題としての展開（マクロレベル）を包括し，「救急医療におけるソーシャルワークの特徴」として表に収斂したので参照されたい。

　「救急医療におけるソーシャルワークの特徴」では，救急医療におけるソーシャルワーク援助は，ケースファインディング，インテーク，アセスメント，プランニング，インターベンション，モニタリング，エバリュエーション，ターミネーション，そしてフォローアップへと展開され，それぞれに救急医療におけるソーシャルワークの特徴や求められる能力を記している。

　後述する，時系列での援助展開を各部分でチェックしながら，日常の業務を進める。一方で，救急分野におけるソーシャルワークが普遍的でかつ，時代に即したものになるために業務の特徴を認識していきたいと考える。

II 病院での患者との接触と介入

1. 初期① 来院直後：起こるであろう問題を予測し，支援計画を立てる

1）救急患者における診療プロセス

　この段階は，病院前救護との連携が重要となる。身体的に重症な傷病者はもちろんのこと，社会的にサポートが必要なアディクション，虐待などのケース，高齢者の入所施設からの救急搬送，慢性疾患の増悪，在宅での看取り希望の患者の搬送などがあげられる。救急隊接触段階での情報が初期治療の判断に有益であるだけでなく，ソーシャルワーカーの介入の契機と適切な退院支援につながることも多い。身体・心理・社会的に危機状況に置かれる患者が多く，結果として混乱した状況にある患者や家族をサポートすることがその役割となる。

2）ソーシャルワークのプロセス

●ケースファインディング

　ソーシャルワークにおいては，生活課題解決の主体はクライエント本人であり，クライエント自身および周囲の人々がその解決に向かって取り組む力があることに気づき，パワーレスな状態に陥っている場合にはその力を取り戻すことを支援するという考え方が根底にある。しかし，救急搬送されてきたとしても，自ら支援を求められない，支援が必要な状況であることに気づいていない，あるいは本人が周囲の人々の支援を受けたくないなど，ケースへの接近が困難な場合がある。このような状況をヴァルネラブルな状態ともいい，ソーシャルワーカーから積極的に出向き，クライエントの受け止めのペースに合わせて介入するアウトリーチが求められることとなる。

　初期①においては，搬送前と搬送後の2段階に分けてかかわる必要がある。まず，搬送前情報の共有は救急搬送される患者や家族への時間をあけないタイムリーな支援につなげるために，積極的に体制作りにかかわり，支援を必要とするケースの発見を心がける必要がある。救急搬送された患者にきわめてフレキシブルに対応し，救

第1節　実践の展開

表 4-1-1　救急医療におけるソーシャルワーク業務の特徴

ソーシャルワーク援助の展開過程	一般診療における診療プロセス	一般的なソーシャルワーク援助実践	救急患者における診療プロセス（三次救急想定）	救急医療におけるソーシャルワークの特徴	救急医療におけるソーシャルワークに求められる能力
ケースファインディング（支援ニーズの発見）	発症	個人の範囲や依頼の仕組み作りなどソーシャルワーカーが介入すべきケースとの結びつきを行う	救急搬送	搬送されてくる患者層は不特定であり、事前情報がないか、救急者などからの情報収集が行われる。ソーシャルワーカーへの依頼・個人の仕組み作りが重要となる	医師・看護師の視点で、ソーシャルワーク依頼のスクリーニングが行われることも多く、個人の範囲を他職種と共有しておくことが求められる。救急医療における権利擁護や意思の尊重にかかわる法制度や課題などをスタッフと共有しておく必要がある
インテーク（受理・エンゲージメント）	受診	患者・家族・ソーシャルワーカーとの整合性が提供する援助との整合を図りながら、援助を受ける意思や必要性を明らかにする	診察・緊急検査救命救急処置対応治療介入緊急処置	介入期間が短いといって支援にだけすれば、搬送直後における支援が開始される。患者・家族への支援が開始される。精神的動揺がみられる患者・家族に対して、関係形成・アセスメント・支援が同時に実施される	関係機関への連絡・通報などの外部機関との早期の連携が求められる場合も多く、支援の見通しをもった的確な情報収集の能力が求められる。危機状況にある人への対応支援の能力が求められる。援助関係形成を図りながら、支援の必要性を見極め、的確に優先順位をつけ、時にはこれを指示的に実施する能力が求められる
アセスメント（事前評価）	診察・検査	支援開始のための事前評価を行う。情報収集を行いニーズをより詳しく把握するための事前評価を作成する	病因診断バイタルサインの安定化	事前情報が薄々ながらも、患者・救護者・関係機関からの聞き取りなどから患者の社会関係の形成状況について把握する医学的診断が確定していくなかで、治療（入院）期間などの見通しをつかみ、そのなかで実施できるソーシャルワーク援助と次の機関との連携によって展開する支援を検討する患者の身体状況が変化しているなかで、治療の方向性を踏まえて支援方針の検討やチェックを行う	患者・家族の社会関係について、短時間で的確に把握する能力が求められる情報が十分でない状況のなかでも転帰先などとの合的予後に対する見通しをつかみ、（選択肢）を踏まえて想定しておく能力が求められる包括的アセスメントの能力が求められる。身体的側面、治療状況について他のスタッフから適切な情報を入手し、支援の選択、優先順位について柔軟に対応することが求められる
プランニング（援助計画の策定）	精密検査	目標設定と計画作成を行う。ニーズが充足された状態を示した援助目標を立て、その目標を実現するために行う援助計画を作成する	精密検査	ソーシャルワーカーが立てた支援計画は、ほとんどの場合スタッフと共有される必要があり、スタッフにプレゼンテーションを行い、評価される治療計画との整合性がより求められ、情報や意識の共有と合意形成が重要となる	ソーシャルワーカーの支援計画が治療計画と齟齬がないか、医療スタッフから評価を取り込む技術が求められる支援計画の提示にあたっては、いつまでに、どのようにかを明確化できていることが求められる
インターベンション（介入）	確定診断	患者・家族と合意した支援の効果目標を行い、必要であれば、目標の再設定、援助計画の見直しを行う	確定診断	公的扶助へのリンケージ、危機介入、退院計画など早期に実施しなければならないものから他機関との連携による長期的な生活課題への取り組みなど段階的に実施される	患者・家族の希望を踏まえながら、患者・家族・スタッフに対し課題解決へ向けての取り組みの優先順位や遺憾を説明し、同意を得ながら支援を進めるための技術的な実施が求められる。合意形成を図りながら支援を進めるための技術や関係機関とネットワークの創造のために地域関係機関や関係する能力が求められる
モニタリング（中間評価）	保存的療法内科的治療外科的治療集学的治療各診療科による治療	患者・家族と合意した支援の効果目標を行い、必要であれば、目標の再設定、援助計画の見直しを行う	集学的治療各診療科による治療	課題解決状況の確認を意識し、救急医療での治療やソーシャルワーク援助の限定を意識しながら、援助計画のゴールを確認する	救急医療における治療の到達点を見極め、ソーシャルワーク援助のゴールを調整する柔軟な対応が求められる
エバリュエーション（事後評価）	退院・転院外来経過観察	援助過程について、効果の判定、予測およびその後の改善を患者・家族と共に確認し援助の終結を伝える	退院・転病棟・転院	援助の終結とのリンクを意識し、生活課題の確認や目標までの到達点の確認をしながら、患者・家族と残された課題や継続の支援などを確認する	アセスメントと同様に事後評価を包括的に行われる必要がある。他職種、とくに医療スタッフからの評価を踏まえ、家族と共に評価することが求められる。最終的に患者・家族と共に確認し、引き継ぎ機関への適切な申し送りを行う
ターミネーション（終結）		当該機関による支援が必要なくなったと判断された時期、援助関係を終わらせる	退院・転病棟・転院	治療の継続、生活課題の支援の継続が必要な場合が多く、引き継ぎを重視しながら終結場面を迎える	救急医療において、見出された治療および生活課題について、治療継続や支援のリレーについて患者・家族と共に確認し、引き継ぎ機関への適切な申し送りを行う
フォローアップ（追跡調査）		終結後一定期間、問題の再発、新たな同題の発生の有無を調査し、必要な場合は援助につなげる	外来経過観察	支援後の経過を確認することにより救急医療での支援の効果や課題について再確認するとともに、課題改善や地域調査そして社会資源の創設や関係機関との連携につなげていくことにつなげる	リファーラルを行った関係機関でのケースのその後の経過を密にし、フィードバックを作っておくことが望ましい。救急医療を受ける体制機関での支援を洗練させていくことが重要となる。また一つの社会問題として認識していく姿勢も求められる

（井上　健朗、2024）

※一般診療と救急診療における診療のプロセス・モデルについては、文献 1) 第1章-3の図 1-3-1、1-3-2 を参照した
※ソーシャルワーク援助過程については、文献 2) の「ソーシャルワーク・プロセス」の8つの過程の記述を参照し、ケースファインディングを付け加えた

急隊の立場を理解し、常に良好な関係を築いておくことが重要である。院内外での多職種間の情報共有と互いの迅速な対応は、社会的課題の多い患者の治療方針の決定や延命措置、看取りの自己決定などへソーシャルワーカーが介入できることとなり、有益である。

搬送前情報から患者について把握し、行政などの関係機関と連絡を取る準備を始めるというシステムを構築している病院もある。救急隊に搬送された直後から、ソーシャルハイリスクが予測される患者について介入のタイミングを図れるよう工夫することも求められる。

救急搬送後は、救命救急センターのカンファレンスへの参加、回診の同行、看護師との情報交換、ソーシャルワーカー独自のスクリーニングシステムの構築カンファレンスなど、患者情報への積極的なアクセスならびにスクリーニングを心がける必要がある。日ごろから医師や看護師、事務職員などとの連携を取り、ルーティーンで必要最低限の情報は得られるような体制整備を心がけておく必要がある。

来院当日はもっとも情報量が多いと考えられるため、そこでの情報収集能力がソーシャルワーカーの早期介入の判断につながることとなる。そのため、受傷機転、搬送までの経緯、搬送時の様子、病状、付き添いの有無、保険情報、服装、所持品、家族関係などを収集し、リアルタイムにソーシャルワーカーが介入できる情報源を日ごろから培っておく必要がある。また、救命救急センターの受付などとの連携が重要となる。情報収集しやすいように、電子カルテやフェイスシートなどをカスタマイズするなどの工夫をしておきたい。これらから情報を得ることによって、早期介入のエビデンスとなる初期予測が可能となる。

2. 初期② 接触と介入:「いま」行わなくてはならない支援は何かをアセスメントする

1) 救急患者における診療プロセス

予定入院を含む一般診療科と異なり、情報が豊富であっても、治療方針、予後、退院・転院などの目途が立たない状況であることが多く、医師や看護師と綿密にやり取りしながら、刻々と変化する病態などに合わせ、ソーシャルワーカー自身が柔軟に介入の必要を判断する時期である。

2) ソーシャルワークのプロセス

(1) インテーク、エンゲージメント

インテークとは、ソーシャルワークの初期段階を表し、クライエントや関係者と初めて出会う段階のことをいう。受理面接、受付面接ともいわれる。救急医療の場では、情報収集や問題の把握だけでなく、支援するソーシャルワーカーの紹介やどのような支援が行えるのかを説明しながら、関係構築に取り組む姿勢が求められる。とくに、クライエントや家族などの不安を解消し、課題への取り組みに対する意欲を少しずつ取り戻せるようなアプローチが求められることとなる。さらに、ともに課題解決に取り組むことへの合意を得ることをエンゲージメントと呼ぶ。

この段階は、ほぼ連続して進行する。ソーシャルワーカーが情報収集によって見通しを立て、実際の行動を計画し、患者・家族に出会う時期である。限られた入院期間であるうえに、短い時間で何を解決し、患者にとって何が必要なのかを見極めなければならない。さらに、課題が複雑に絡み合っていることが多いため、この初期段階でソーシャルハイリスクを抱えた患者を抽出し、その家族に接触し、課題解決へのアクションを起こすことが重要である。

治療の見通し、治療方法の選択を迫られる場面となるこの時期に、予期せぬ傷病、疾患の増悪などにより、患者は不安になることがある。また、意識障害などで、患者が通常の判断をできる状況にないことも多い。重症な状況の場合、患者の家族は病状を理解することさえ難しく、戸惑いを覚える。さらに、治療方法の選択を求められたり、判断に時間をかけることができない場合がある。そのため、ソーシャルワーカーは、医師からの説明時に同席することで、病状理解への支援を行ったり、家族との面接で家族の話を傾聴し、不安を軽減しつつ、患者本人や家族の状況、関係性などを注意深く観察しながらサポートする。

(2) アセスメント

アセスメントとは、生活を送るにあたり困難な状況にあるクライエントについて、その状況を明らかにし、さらに、クライエントが自身の課題や困難な状況に立ち向かうためにもっている意欲や能力・資源などを発見することである。とくに、状況を把握するためには、いくつかの情報を関連づけ、行動パターンを明確にするスキル、獲得した情報に基づいて、潜在的な問題を特定するスキル、特定された問題を既存のあるいは必要とされる社会資源などに結びつけていくスキルが求められる。救急医療においては、さまざまな項目の情報を収集、整理し、ニード(行うべき支援)の特定を迅速に行う必要がある。

まずは生活歴のなかで、経済状況の把握が必要である。無保険、資格者証、非課税世帯、外国人、労災、休業、失業などを確認する。無保険などの経済的困窮、も

しくは経済的課題に関する情報があれば，介入する。医療費の支払いができない状況は，病院にとっては未収金につながることとなり，同時に，患者にとっても安心して療養生活を送るために解決すべき課題である。また，「集中治療室などでの治療は高額になる」と説明され，不安のあまり，「払えない」と相談に来る患者の家族も多い。医療費だけではなく，生活そのものに困窮している場合もあるため，患者もしくは家族に対して，この時点から支援を開始する。キーパーソンが不在の場合は，家族機能の代行となることもある。

次に，家族および家族関係の把握がある。現在，過去の関係性にもふれることとなる。本人を代弁できる立場として，課題解決の鍵になる家族，もしくは関係者がいるかどうか，その家族のもつ解決能力に関する情報は，これから家族と共に課題を解決していくソーシャルワーカーにとって重要である。緊急事態であるがゆえに疎遠であった家族が救急隊や警察からかかわりを求められ，キーパーソンになることがある。しかし，本人の直近の生活状況を把握していない場合やキーパーソンとなることを躊躇する場合がある。そのため，キーパーソンはクライエントシステムを構成する重要なアクターとしてとらえ，クライエント本人との相互作用を把握しながらサポーティブにかかわる必要がある。昨今では，高齢者の老老介護，身寄りがなく保証人もすぐに見当たらない一人暮らしの患者も増えてきており，キーパーソン不在のケースへの準備が必要となってきている。

（3）プランニング，インターベンション

ソーシャルワーカーは治療がスムーズに進むよう，療養環境の整備にチームメンバーの一員としてかかわりながら，単なる入院環境の整備だけではなく，今後を予測し，プランを立て（プランニング），介入（インターベンション）を小刻みに実行していく段階となる。目標が立てにくい段階ではあるが，組織の目標である退院や転院を視野に入れ，クライエントが本来の力を取り戻し，社会や環境に再び適応して生活課題に取り組んでいくために必要なソーシャルワークのプランを考え，実行せねばならない。救急で運ばれ，傷病が重症であればあるほど重い障害が残る可能性があり，患者のみならず，家族の生活環境も変わることを予測しておく。その患者・家族が置かれた環境について理解し，障害受容や病状理解への促進に働きかける時期を判断する。治療計画の把握，予想される治療期間，障害残存の可能性，休職などといった社会的課題に関する情報の把握に努め，介入していくことが求められる。

3. 中期：実施された支援を随時検証し，必要な支援を見出し，さらに介入する

1）救急患者における診療プロセス

治療の進行とともに，患者の状態像が明確になり，治療期間や予後の予測がある程度明確化される時期である。救命を主とした治療から根本治療や医学的リハビリテーション，治療療養の場などの方向性が検討される時期でもある。また，難治性の患者や予後不良の患者の場合，引き続き救急医療における治療の方向性が模索・検討されている例もある。

2）ソーシャルワークのプロセス

●モニタリング（中間評価および再アセスメント）の実施

患者，家族に合意された支援が実行されている途中において，①支援が計画どおりに実施されているかの確認を行い，②目標がどの程度達成されたかについて効果測定を行う。さらに，③新たな問題や課題が発生していないかの確認を行う中間評価行為をモニタリングという。実施されている支援は，その経過中に繰り返しクライエントと共に検証されることが必要になる。適切なモニタリングが行われるためには，プランニングの際に実行される支援内容が明確化され，その目標が言語化され，クライエントや他職種と共有されている必要がある。モニタリングは，主にクライエントと共に実施される必要があるが，客観的な評価を得る必要がある場合には，他職種などから意見を聴取する。

この段階では，支援の効果や課題解決の状況を確認するとともに，医療チームが実施している治療の進行状況を基に援助期間とのすり合わせを行う必要がある。救急医療においては，支援開始の初期では情報量が少なく，治療経過とともに新たな情報が加わり，中間評価において新たな課題がみつかり，再アセスメントを実施する必要性が高くなるケースも少なくない。治療状況（患者の回復状況）などから，どの程度の入院期間になるかについての見通しも徐々に明らかになってくる。治療期間およびソーシャルワーカーとして援助が実施可能な期間を見据えながら，実施すべき支援課題と，引き継ぎなど支援のリレーが必要な支援課題とを仕分ける作業を行うことになる。救急医療における治療の到達点を見極めつつ，期間内におけるソーシャルワーク援助のゴールを見極めるには，柔軟な対応が求められる。

治療の進行に伴い，予後に見通しがついたり，状態が変化したりすることによって，新たな危機状況が生じることもある。また，重症例や治療の長期化が予測される

場合には、経済的打撃を受けることや、これまで患者が担っていた役割の喪失などから患者や患者家族の生活に慢性的な課題が生じてくる可能性も高い。救急医療においては、治療の進行に合わせて、モニタリングと再アセスメントのサイクルを繰り返しながら、支援の優先順位を見出し、焦点化された介入を行う必要がある。

合理的なモニタリングを行うためには、アセスメントの段階で明確化されたニーズに対し、プランニングにおいては具体的な支援目標（ゴール）が提示されていなければならない。ソーシャルワーカーによって支援目標が提示されなければ、支援効果の測定はできない。この目標は、「安心・安全な退院後の生活の確保」のような、長期的、抽象的なものではなく、「医療費を含め生活の経済的見通しが立てられる」など、具体的、短期的、細分化された目標を設定することにより、適切な効果測定が可能になる。

前述したように、モニタリングにおける評価は、可能なかぎりクライエント（必要な場合はキーパーソン）が参加して実施される。そのためには、プランニングの提示の段階から目標を共有する。つまり、「この支援計画を実行することで、クライエント（と家族）の生活が、一定（プランニングにおいて示した「目標」）の状態になることを目標にして、この内容の支援を実行しようとしている」ことが説明され、同意されている必要がある。救急医療のようなクライエントの危機状況においては、ソーシャルワーカーが半歩前に立って、解決的手法を提示し、リードしながら支援が進むことも少なくない。その際にも、クライエントに対して、できるかぎりその介入方法と目標が提示されること、またその内容が公式な記録に記され、他職種に共有されることが望ましい。

ソーシャルワーク援助は、クライエントの暮らしを対象としており、その背景となる要素も複雑で、個人の価値も多様であり、「答えは一つではない」「正解のない支援」などといわれる。しかしその支援は、「行き当たりばったり」なものではなく、根拠に基づくものであり、また、「やりっぱなし」にならないようにすべきである。そのためには、支援の進行に合わせ、モニタリング（中間評価と再アセスメント）を繰り返し行うことにより、真の（リアル）ニーズに近づき、適合させていく過程が必要になる。

4．後期：援助関係を終わらせ、援助経験の蓄積を行い、成果をチームに知らせる

1）救急患者における診療プロセス

救命や急性期治療など救急医療機関において行われるべき治療が終了し、患者は次の療養の場へと移動する段階である。救急医療においては、退院が「治療の終了」を意味するものではない例も多い。転病棟、転院、外来、在宅医療、療養施設などと場所を変え、根本治療、療養、リハビリテーション、精神科医療、特定の診療科による治療など継続的な医療ケアに向けて、引き継ぎの作業が行われる。それぞれの治療の場によって提供される医療やケアの質・量は異なるため、移行にあたって調整を必要とする。

2）ソーシャルワークのプロセス

救急医療における実践においては、「退院」という出来事が支援の終結とみなされることが多い。しかし、「患者が退院したので支援を終結とする」というのはソーシャルワーク援助の終結の正式な理由にはならない。ソーシャルワークにおける援助の終結作業は、クライエントとソーシャルワーカーの間でその援助関係を終わらせることに同意する作業が含まれる。一般的にはソーシャルワーク援助が効果を上げ、その目的を達成したことを両者が確認したときに終結を迎える。しかし、すべてのソーシャルワーク援助が目標を達成できるわけではない。患者が退院した後に、クライエントとして支援し続けることに構造的な困難を伴う場合（業務として許可されないなど）も多い。その場合には、達成されない課題を確認し、適切な援助の移管先を模索する。例えば、転院先や地域のソーシャルワーカーに引き継ぎを行うことがそれにあたる。クライエントに了解を得たうえで申し送りを作成し、新しい援助者との関係形成を支援することもこの段階の重要な作業である。

（1）エバリュエーション（事後評価）

援助の終結段階において、支援全体の効果測定、ソーシャルワーカーによる援助行為の評価、生活課題の変化についての将来の予測、今後の課題、当該機関の支援の終結に伴う援助の引き継ぎ（移管）の確認などの評価作業がエバリュエーションである。アセスメントと同様にエバリュエーションも包括的に行われる必要がある。救急医療においては、他職種、とくに医療スタッフからの評価も踏まえ、クライエント、家族と共に最終評価を行う。

エバリュエーションにおいて、最初に立てた目標が達成できたかどうかの効果性、無駄なく合理的に結果を生

み出したかどうかといった効率性の観点から総合的に評価を行うことで，今後の援助の資料として蓄積することができる。迅速性を必要とする救急医療でのソーシャルワークにおいて，介入の方法や手段を洗練させていくことは重要であり，こうした蓄積により可能となる。

（2）ターミネーション（終結）

当該機関における援助が目標を達成するなどし，ソーシャルワーカーとクライエントの援助関係を終わらせる段階がターミネーション（終結）である。ターミネーションには，当該機関の支援の終結に伴う援助の引き継ぎ（移管）が行われる場合も含まれる。

援助関係を終わらせるにあたって，その理由を明確にしておく必要がある。留意しておきたいことは，「退院したので終結とする」は終結理由としては適切さを欠くという点である。ソーシャルワーク援助の目的は，「退院すること」「転院すること」ではない。アセスメントにおいて見出し，モニタリングで修正されたクライエントの生活課題に対応する援助目標が達成されたか，次の機関などに引き継ぐことが確認された場合に当該機関のソーシャルワーカーの援助は終結を迎える。援助関係が終結した後も，クライエントが社会生活機能の維持，向上するための準備過程としての側面を有していることや，終結後にクライエントが再び援助を求めてくる可能性を踏まえ，クライエントとの関係をすぐに再開できるような関係作りやアフターケアを行う必要がある。

（3）フォローアップ（追跡調査）

終結後の一定期間，問題の再発，新たな問題の発生の有無を確認・調査し，必要な場合に援助につなげる行為をフォローアップという。終結後に生じた支援の必要な状況を再発見することも大きな役割であるが，支援後の経過を確認することにより，救急医療での支援の効果や課題について再確認することも重要な任務となる。これらにより業務改善，地域調査，社会資源の開発や関係者の組織化につなげていくなど，メゾレベル，マクロレベルの展開としてこの作業を活用することができる。

また，リファーラル（援助の移管）を行った関係機関などとの連携を密にして，支援の振り返りを行う体制を作っておくことが望ましい。医療機関においては，ソーシャルワーカーが外部からの報告を受け，その内容をチームにフィードバックする役割を担うことも多い。

医療チームが行った支援に対する外部からの評価は，チームの成果物の一つであり，ポジティブなフードバックは，医療チームが行う支援の動機づけを高め，支援を洗練させていくよい資料となる。また，所属機関のある地域における共通の保健医療の課題を見出し，他機関と共同して，地域課題に取り組むこともソーシャルワーカーに求められる実践である。

現在のところ診療報酬制度では，入退院支援やその他のソーシャルワーク援助について，中期，後期におけるモニタリングやエバリュエーションなどの支援活動は直接的には報酬評価の対象にはなっていない。しかし，救急医療においてソーシャルワーカーの支援行為がソーシャルワークであるためにはモニタリングやエバリュエーションの過程を経ていることが厳に求められることを意識しておきたい。ソーシャルワークはソーシャルワーカーによる根拠のある意図的な支援行為であり，その経過において，支援の内容はクライエントに説明され，検証され，評価を受ける。必要な場合は他の専門職からの確認や検証が組み込まれる。

クライエントは支援のプロセスに参加することで，主体性や自己決定が尊重され，見直しが行われることによって，その質が担保される。臨床的なソーシャルワークは過程として意識される必要がある。

● 引用文献

1) 日本救急医学会編：救急診療指針．改訂第4版，へるす出版，東京，2011.
2) 日本ソーシャルワーク学会編：ソーシャルワーク基本用語辞典．川島書店，東京，2013，p144.

● 参考文献

浅野正友輝，天野博之，河合由美，他：「社会的問題を抱えた傷病者に対する救急隊とMSWの連携」事業の試行的運用結果；豊田市消防とトヨタ記念病院MSWの連携からの考察．トヨタ医報 30：67-73，2020.

矢澤長史，中村雄治，加納隆弘，他：消防と福祉部局との連携による不急的な救急利用対策．日臨救急医会誌 23：674-678，2020.

太田義弘，中村佐織，安井理夫編著：高度専門職業としてのソーシャルワーク；理論・構想・方法・実践の科学的統合化．光生館，東京，2017.

榊原丈，菅田淳悟，大屋悠真：社会的問題を抱えた傷病者に対する救急・福祉連携について．日臨救急医会誌 26：747-751，2023.

岩間文雄：ソーシャルワーク・プロセスの局面についての考察．関西福祉大研紀 25：43-50，2022.

（野村　裕美，内田　敦子，井上　健朗）

コラム

病院前救護体制と ESW の連携

　愛知県豊田市消防本部は，社会的困難を抱える地域住民の不搬送事例や搬送困難事例などが増加したことをきっかけに，救急隊員がキャッチした社会的困難情報を医療機関に所属する医療ソーシャルワーカーへ迅速に引き続くことで，必要な傷病の治療と，社会的困難への介入を引き継ぐ，EM-PASS（イーエムパス，E：emergency medical service，M：medical social worker）という仕組みを作った（図4-1-1）。EM-PASS が作成された背景にはさまざまな要因があるが，その一つに，仕組みを検討していた救急隊員が救急認定ソーシャルワーカー（ESW）の資格があることを知り，近隣の医療機関の ESW らに構想をもちかけることで具体化されたことがある。自傷行為，自殺未遂をはじめ，アルコール依存症，DV，医療中断，ヤングケアラー，ごみが散乱する住環境など，ソーシャルハイリスク群を設定し，人々の暮らしの立て直しにかかわる。救急隊員が搬送現場にファーストタッチし，入手する情報が重要であり，生活ニーズの早期発見，早期介入の契機となっている。

　近年，重層的支援体制整備事業が本格実施されるなか，豊田市救急搬送円滑化マニュアルは更新が加えられている。これまでの取り組みにおいて，消防では，福祉ニーズを抱える対象者は，現場滞在時間の延伸・頻回要請につながる可能性が高く，適正利用推進の必要性が課題となっていた。また，福祉としては，職員数の問題などから福祉問題に関する情報が十分に獲得できず，福祉問題の情報獲得が十分に行われることで問題解決のきっかけになるとされてきた。さらに，ESW がフィールドとする医療においては，福祉ニーズの背景が解決できなければ退院調整が困難になることが課題視され，早期に問題を解決することで病院運営を円滑にすることが急務とされてきた。病院前救護体制は地域のネットワークとさらにつながることで，支援会議との連携も仕組み化されている（図4-1-2）。

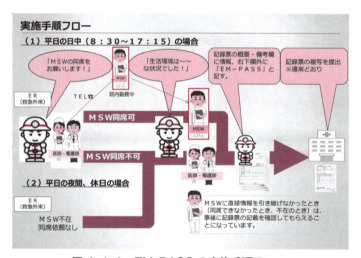

図 4-1-1　EM-PASS の実施手順フロー
（豊田市消防本部提供）

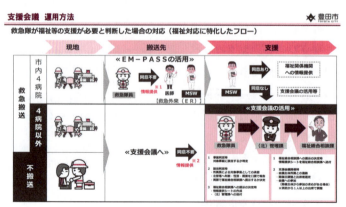

図 4-1-2　支援会議の運用
（豊田市消防本部提供）

（野村　裕美）

第4章 救急医療におけるソーシャルワーク実践の展開

第2節 実践事例；知的障害のある息子を案じて入院を拒否する母親への支援

I 事例概要

1. 医療機関のプロフィール

　一般病床，回復期リハビリテーション病棟，緩和ケア病棟，感染症病床を有する，30科目の総合病院である。
　患者サポートセンター内に総合相談室，入退院支援室，地域連携室の3室がある。ソーシャルワーカー（social worker；SW）は，外来患者や身寄りなし・虐待・無保険などの危機介入が必要な入院患者の支援を担う総合相談室に6名，入院患者の退院支援を担う入退院支援室に8名の計14名が在籍している。

2. 患者基本情報（図4-2-1）

　Aさん，48歳，女性，無職。Aさん，次男（17歳），弟の3人暮らし。夫とは離婚している。長男は同県内他市在住で関係は疎遠となっている。実母（69歳）は再婚し，Aさんと同じ市内に住んでおり，関係は疎遠となっている。
　現病歴としては，糖尿病未治療による高血糖がある。既往症はない。

3. 介入経緯

　救急車にて，救急搬送された。主治医からは，血糖コントロールのため，入院を提案される。Aさんは，「知的障害のある次男のことが心配なので入院したくない」との理由で入院を拒否した。主治医より，次男の処遇について介入し，Aさんが安心して入院できるようにしてほしいと依頼があった。

4. 支援開始時の状況

　受診当日，救急外来の処置室のベッドに横たわるAさんのところへ向かった。

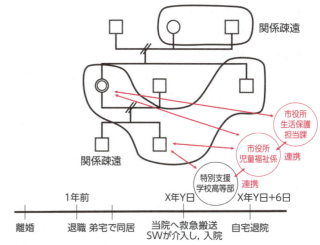

図4-2-1　ジェノグラム・エコマップ・タイムライン

II 事例経過

1. 支援経過[1)2)]

1）ケースファインディング

　X月Y日，糖尿病未治療による高血糖にて救急搬送された。主治医が入院を提案するも，拒否する。主治医より，次男の処遇についての介入依頼があり，支援を開始する。

> **主治医**：糖尿病治療をしていたようだが自己中断している。自宅から救急搬送されてきたが高血糖のため血糖コントロール目的で緊急入院が必要と考える。しかし，Aさんが「知的障害のある次男のことが心配なので入院したくない」と言って，入院を拒否している。次男の処遇について介入してほしい。
> **看護師**：次男と弟と3人で暮らしているみたいである。弟は工場で働いており，帰宅は夜9時を過ぎるということで協力は得られないとAさんが言っている。

　SWは救急外来の処置室のベッドに横たわるAさんのところへ向かった。

【救急外来の処置室で見たAさんの印象】

40代後半ということだが,50代後半くらいにみえる。ものすごく痩せている。病弱な印象。化粧はしていない。服もヨレヨレになったものを着ている。歩くのもままならない感じで,仕事どころか日常生活も送っているのだろうか。

2) インテーク(クライエント・システムへの介入,ターゲット・システム:Aさん)

■処置室のベッドサイドにて

SW:Aさんですか?

Aさん:はいAです。

SW:はじめまして。社会福祉士の樋渡と申します。医師や看護師が患者さんの治療のことでかかわりますが,私は患者さんの生活上の困りごとについておうかがいし,支援することが仕事です。先ほど主治医から依頼を受けて来ました。今回は救急車で搬送されて大変でしたね。

Aさん:そうなんです。1年くらい前から体調が悪くて。仕事もそのころに辞めてしまいました。失業保険が切れてしまって。お金がないから病院を受診するのも途中でやめてしまった。弟が働いているので住むところと食事だけは何とかなっているのですが…。次男は知的障害がある。特別支援学校の高等部(2年)に自分でスクールバスに乗って通っているけれど,最近は学校に行けていない。弟と次男はあまり仲がよくないから,私が家にいないとけんかになってしまう。先生(医師)から入院が必要と言われたけれど,お金もないし。次男のことも心配。入院せずにこのまま家に帰りたい。

SW:次男さんのことが心配なのですね。次男さんは今回自宅から救急搬送されたときは一緒にいらっしゃいましたか?

Aさん:はい,次男も自宅に一緒にいました。私が次男に救急車を呼ぶように頼んだんです。次男にはすぐに自宅に帰るから自宅で待っているように伝えてここに来たので,たぶん家にいると思います。弟は毎日夜まで仕事から帰ってこないし,仕事中は連絡が取れません。同居しているといっても,必要最低限しか話をしないし,食事も別々。次男が学校に通っていないことをよく思っていなくて,次男に「ちゃんと学校に行け」と怒るから,次男も怒り返すんですよ。医療費の支払いもできない。以前は「ひとり親家庭等医療費助成制度」を使っていたけれど,更新の手続きをしていないから使えなくなっている。国民健康保険の保険料も払っていない。弟にもお金のことは頼みにくい。母も再婚して新しい家族がいる。同じ市内に住んでいるけれど長い間連絡を取っていません。多少体調がよくなったから,このまま帰っていいですか? 次男は携帯を持っているけれど,私は携帯の料金を支払っていなくて使えないから,いまは誰にも連絡が取れない。

> SW:医師から,AさんにこれからSWがベッドサイドに来ることを事前に伝えてもらっている。Aさんの印象からはとてもAさんが次男の世話をしているようには感じられなかった。実際に話してみると気が強い感じで,自分の考えを強く主張する話し方をされる方であった。次男は知的障害があるということであるが,救急車を呼ぶことができる程度の社会スキルがあると思った。

3) アセスメント,プランニング

■院内スタッフとの状況共有

主治医:年齢の割に栄養状態が悪い。このまま自宅に帰っても早々に高血糖高浸透圧性昏睡で再搬送されてきてしまうだろう。Aさんは次男のことを気にしているようだが,あの様子だと家では自分のことでさえままならなかったのではないか? 次男の世話をしていたのだろうか? まずは次男に対する支援が入ることで,Aさんが安心して入院に同意してくれるとよいのだが…。

看護師:Aさんの受け答えはしっかりしている。長男がいるはずだし,同居の弟もいるんだから,次男のことは何とかしてくれるんじゃないかな。

> SW:Aさんは医療費の支払いと次男のことが気がかりで自宅に帰りたいと言っているのであり,入院を何がなんでも拒否しているわけではない。Aさんの了解を得たうえで,医療費のことと,次男の生活支援について,市役所に連絡を取って連携を図る予定。

4) インターベンション①(アクション・システムへの介入,ターゲット・システム:国民健康保険係・児童福祉係の担当者)

その後,Aさんと面接を続け,医療費のこと,次男のことが何とかなるのであれば入院したいという意向を確認する。Aさんの同意を得て,市の国民健康保険係へ連絡し,事情を説明する。その結果,国民健康保険の短期被保険者証を発行する。また,「ひとり親家庭等医療費助成制度」の証書も発行可能であると確認する。ただし,保険料の滞納があるため,「限度額適用・標準負担額減額認定証」は発行できないことがわかった。併せて,児童福祉係へ連絡する。事情を説明し,次男の対応を依頼した。早速,次男のところへ訪ねてくれることになった。

また，児童福祉係の担当者より，「Aさんにはくれぐれも無理はせず治療に専念してくださいと伝えてほしい」と伝言を頼まれた。

Aさんに各所へ連絡した結果について説明する。しぶしぶではあるが入院に同意した。いったん，救命救急病棟に入院することとなった。

5）インターベンション②（クライエント・システムへの介入，ターゲット・システム：次男）

（1）次男が突然病院に来院する

Aさんが入院に同意され，同時並行で児童福祉係の職員がAさん宅を訪ねたところ，次男がいないと連絡が入った。同時に救命病棟の看護師よりSWに連絡が入り，「次男が病院に来ている。お母さんがなかなか帰ってこないので心配して病院に来てみたと言っている。対応をお願いしたい」とのことであった。

（2）Aさん・次男と病室にて合同面接を行う

はじめに，Aさん同席の下Aさんの了解を得て，主治医から次男に対して，Aさんの状態や入院が必要であることについてわかりやすく説明する。主治医はほかの患者の対応があるため，説明後に退席した。

SW：Bくんだね？　病院で患者さんの困りごとの相談にのる仕事をしている，樋渡です。自宅でお母さんの調子が悪くなったときに救急車を呼んでくれたと，お母さんから聞きました。ありがとうね。おかげでお母さんの病気がさらに悪くならずにすみました。でも，お母さんが救急車で運ばれてびっくりしたんじゃない？

次男：いや，びっくりしない。お母さんはずっと調子が悪くて，家で寝てばかりだった。病院に行ったほうがいいんじゃないって，何度言っても全然病院に行ってくれなかった。心配だから僕も学校があるけれど家にいるようにして，ご飯を買ってきたり，手伝ってた。別に自分のことは自分でできるから大丈夫。叔父さんと2人っていうのがいやだけれど，まあ別に夜にしか帰ってこないからいいや。

Aさん：保険証とかどうなるの？　本当に医療費はかからないの？　手続きどうすればいいの？

SW：国民健康保険短期被保険者証と「ひとり親家庭等医療費助成制度」の証書は成人の方が手続きをする必要があります。同居の弟さんに頼んで対応してもらうことになります。Aさんが無職であることから，弟さんの健康保険の扶養に入ることで保険料の負担をなくすという方法も考えられます。また，入院中のBくんの世話も頼まないといけません。Bくんは自分で自分のことができるんだね。お母さんのこともこれまでやってくれていたと聞き，すごいなと思いました。とはいえ，Bくんは17歳で法律上未成年となるで，念のため市役所の担当者に会ってもらう必要があります。会うといっても，何かされるのではなくて，Bくんが家で過ごす間，何か困ったときに相談する相手になってくれるので，会ってもらったほうがよいと思います。お母さんも了解してくれています。Aさんも今回の入院をきっかけとして，治療に専念していただき，元気になって自宅に帰りましょうね。

Aさん：弟の健康保険に扶養で入れてもらうことは多分難しいと思う…。そこまで頼れる関係にはないから…。

次男：市役所の人…？　何だかよくわからないけれど，相談にのってくれるなら会ってみようかな。でもちょっと緊張するな…。

SW：確かに緊張するよね。今日はもう遅いので，明日また病院で市役所の人に会おうか？　よければ私も一緒にその場に同席することも可能だけれどどうする？

次男：うん，一緒に会ってほしい。

6）インターベンション③（クライエント・システムへの介入，ターゲット・システム：弟）

X月Y日＋1日；弟と電話で話す

入院当日にAさんから教えてもらった弟の携帯電話に，Aさんが入院したこと，健康保険証の手続きなど協力してほしいことがあるのでコールバックがほしいと伝言を残す。なお，Aさんにはあらかじめ，入院したこと，病名，病状について，弟に伝えることについて了解を得ている。

弟：留守番電話を聞いたので電話しました。何でした？

SW：お電話ありがとうございます。次男からお話を聞かれたかもしれませんが，Aさんが昨日，高血糖で当院に入院されました。現在救急病棟で治療を受けています。お話しはできる状態ですが，まだベッド上で安静のため，直接お電話することができない状況であり，Aさんの依頼を受けてお電話をさせていただきました。実は，Aさんの健康保険証のことなのですが，保険料の滞納があって，現在有効期間が切れてしまっています。国民健康保険係には昨日連絡を取り，ご家族が手続きに来てくれれば，有効期限つきではありますが，健康保険証と「ひとり親家庭等医療費助成制度」証書の発行は可能とのことでした。これらを使うことで医療費を無料にすることができます。ただし，食事代や寝巻代は別途支払う必要があります。

Aさんや次男の生活を弟さんが支援くださっているとおうかがいしているので，重ねてのお願いになりたいへん恐縮ですが，それらの手続きをお願いできないでしょ

うか？　無論，まず先に主治医からの病状説明の場を設けることが可能です。

弟：Aは勝手なんですよ。いつも自分のことばかり。次男のことも甘やかしてばかり。だから夫も愛想をつかして出て行ったんでしょうね。長男だってどこにいるんだか。仕事を辞めて生活できなくなったからってウチに転がり込んできて。飯も食わしてやっていて，これ以上協力はできませんよ。主治医からの説明もいりません。市役所の職員が次男のことで自宅訪問？　別に構いませんよ。私は平日仕事があるから家にいませんけれどね。いまも仕事の合間に電話しているんです。忙しいからもう電話切りますね（一方的に切られてしまう）。

7）インターベンション④（クライエント・システムへの介入，ターゲット・システム：次男，アクション・システムへの介入，ターゲット・システム：児童福祉係の担当者，特別支援学校の担任）

X月Y日＋1日；次男と市役所児童福祉係による面会

SW：（予定より30分早く次男がSW部門に来室した。袋にお菓子をたくさん入れていたのを見て）これはどうしたの？

次男：市役所の人にこれからお世話になるから。何か渡さなきゃいけないと思って持ってきました。食べてくれるかな…。

SW：（自分が大変な状況にいるにもかかわらず，他者に配慮をしようとする気持ちと行為に胸がいっぱいになる）そうか，市役所の人にあげるために持ってきてくれたんだね。後で渡してみようね。受け取ってくれるといいね。

（その後，市役所児童福祉係の職員2名がSW部門に来室する。）

次男：あの…，お世話になります。よろしくお願いします。自分のことは自分でやれます。お母さんのことが心配だから毎日病院に来たいです。なので学校にはしばらく行けません。

次男との面会後，市職員がAさんとも面会を行う。Aさん・次男の同意を得て，市職員より特別支援学校に連絡を取り，情報を共有する。学校としても次男と連絡が取れず心配していたことが判明した。担任が次男宅に訪問し，学業について相談していくことになった。

8）モニタリング，エバリュエーション

X月Y日＋6日およびそれ以降

Aさんは血糖コントロールがつき，7入院日目に無事自宅退院となった。退院後は受診の予約日を守れず，突然受診することがままあり，その際は次男が学校を休んで通院に付き添い同行している。院内でAさんを車椅子に乗せて介助している様子を時々見かける。また，弟に経済的に依存するかたちでの同居生活を解消し，経済的・精神的な安定を図るため，市役所児童福祉係や生活保護担当課とも協議を重ね，Aさん・次男は別のアパートに転居して2人だけの生活にし，生活保護受給に向けて引っ越し準備をしているところである。これらの経過を病院事務部門とも共有し，生活保護受給後に，未払いの食事代を支払ってもらう予定となっている。

2．終結理由

当初，主治医からの介入依頼は，Aさんが入院できるよう，家に残される知的障害のある次男への処遇であった。この点について，実際に次男と面接をすることで知的障害があるといっても，身の回りのことはある程度自分で行えることを確認した。そのうえで，市役所児童福祉係につなぐことで次男の自宅での生活の安全を確保した。

また，無職であることから入院費の支払いが課題であったが，短期的には国民健康保険の短期被保険者証の発行と「ひとり親家庭等医療費助成制度」証書の再発行により負担軽減となる。その後，弟と世帯分離したうえで生活保護申請を行うことにより経済的自立を図る予定となった。

以上，2つの生活課題の解決・軽減の見通しがついたことから，支援を終結することとした。なお，外来通院は継続するため，必要時に支援を行うことを本人・次男や主治医・外来看護師に伝えた。

III 事例の解説

1．予測される主な問題点

第1に，Aさんが入院している間，知的障害のある次男を養育する者が不在となる。第2に，無職，無収入であり，同居の弟からの経済的支援も望めないことから，入院医療費が支払えない。

2．支援上の留意点

1）救急認定ソーシャルワーカーに必要なスキル，知識

救急の場面では，生命に直結する緊急事態という前提があるため，インテーク，アセスメント，プランニング，そして患者・家族への心理的支援を短時間で同時に行う必要がある。疾患の特徴，各職種の動き，患者・家族の

危機状況下の心理[3)4)]，関連する制度など広範な知識と面接技術が求められる。

2）面接の導入部で心がけていること

救急場面における面接の導入部は時間が限られているため，最低限の話にとどめ，何をする職種なのか，どうしてここに来たのかについて手短に説明し，まずは救急の受診となりいまに至ることをねぎらうようにしている。最初からいろいろと聞き出そうとせず，相手が関心をもって話す内容に耳を傾ける。そうすることで，「自分の話を聞いてくれる人」と認識してもらえるため，面接の導入部から信頼関係の構築を図るよう心がける。

面接技術としては，患者・家族が混乱しており通常の判断が難しくなっている場合は，一時的に指示的な対応が必要となる場面がある。その際は危機介入アプローチが有用である。また，短時間で患者・家族から現状認識やこれまでの取り組みを的確に教えてもらうためにはソリューション・フォーカスト・アプローチ[5)]（例：コンプリメント，スケーリング・クエスチョン，サバイバル・クエスチョン）を用いることが多い。

3）医師・看護師との連携，SWへの依頼・介入の仕組み作り

本事例では，医師からの依頼を受けてすぐに救急外来の処置室に行った。事前の依頼であれば前もって情報収集することがあるが，救急の場合，医師・看護師は患者の救命が最優先であり，患者の生活状況はほとんど聞けていないことが多い。SWとして経験が浅いころは，医師や看護師が患者の生活状況を確認していないことに憤慨していたが，いまはそう思わない。なぜなら，医師・看護師にとっての優先事項とSWにとっての優先事項は異なり，生活状況の聞き取りと生活課題の解決・軽減についてはSWに任せようと認識してくれていると思うようになったからである。そのため，支援終了後，依頼元の医師・看護師に，「すぐに連絡をくれたことで早期の支援につながり，よい結果になった」と伝えるように心がけている。こういったポジティブフィードバックにより，「次も依頼しよう」と思ってもらえる循環を意識したい。

4）ポジショニングの俯瞰

市の児童福祉係とは，普段から虐待疑いや支援が必要な家庭のことで連携を取ることが多く，協力関係にある。常に重視していることはSWのポジショニングだけでなく，病院のポジショニングである。頭の中でエコマップを描き，病院が主としてかかわるクライエントの生活課題は何か，地域の関係機関が主としてかかわる生活課題は何かを俯瞰して考えるようにしている。

SWとしては，経験を積むといろいろなことができるようになるが，ともすると地域の関係機関の協力を得ず，病院単独で複数の生活課題を解決しようとする「独りよがり」な支援になってしまう危険性がある。また，同様のことを繰り返し続けると，地域の関係機関からは，「病院のSWが対応してくれるから大丈夫」と認識され，連携が弱くなるリスクがある。

アセスメントの結果，生活課題が複数抽出された場合，病院のSWがかかわるべき生活課題に優先順位を決める。また，地域の関係機関にきちんと頼ることも重要である。そうすることで結果として，病院単独で支援する以上の成果が得られるであろう。

なお，経験を積むと，事例ごとに病院内のチームの特徴や病院のルール，クライエントの住む自治体担当部署の特徴などを考慮できるようになる。そうすることでクライエントを取り巻く環境もアセスメントの対象に含めてプランニングを行うことができるようになり，より精度の高い成果を得られるようになる。

緊急時に関係機関と連携が取れるかどうかは，日常的に連携が取れているかどうかがベースとなると考える。日常的に連携が取れていなければ緊急時にも連携は取れないという考えは，救急認定ソーシャルワークのどの支援場面でもいえることだと思う。

5）家族面接の実施方法

事例の内容によって，家族それぞれと面接をすることもあれば，家族と一緒に面接することもある。どちらも目的に応じて，効果的であると思う方法を採用する。本事例では，Aさんと次男が入院という事実を共有し，互いが納得したうえでそれぞれ取り組むことを明確にする必要があり，かつ親子の相互作用を活用したかったため，2人一緒の面接とした。

17歳は，法律上は未成年となるため，このまま「様子見」とするわけにはいかず，きちんと地域の支援機関から家族を支えてもらう必要がある。どのような支援を行うかは，あくまで市の判断であり，必要であれば親との間に入ったり，親との面接場を設定することで，極力コミュニケーションの機会を保障するように努める。そのうえで，クライエント・家族の意向を踏まえて必要があれば代弁などを行う。

さらに，弟と連絡を取り，保険証関係の手続きはもちろんのこと，Aさんのキーパーソンになってくれるかどうかの確認が必要である。医療費は無料になるため心配はないが，食事代（460円/食）は請求することになる。弟の協力が得られない場合は，生活保護担当部署への相談も視野に入れる必要がある。

6）キーパーソンの選定

病院としてはいわゆるキーパーソンの決定を希望する。できれば，オールマイティな人が理想となる。確かに，Aさんに意識がなかったり，いまは意識があっても急変し得る病状の場合，主治医が自分だけで判断することはためらわれるであろう。病院としては，Aさんのように意識がない場合の治療に関する相談相手や医療費支払いの代理，身の回りの物品持参などといったキーパーソンの役割を，親族・知人・職場の人（時にケアマネジャーや民生委員）に求めることが多い。しかし，最初から病院の都合を前面に出しすぎると，一方的な要求が病院から示されたと思われてしまうので，まずは救急の時点で必要最小限の依頼（通常は，Aさんの意識がない場合の治療に関する相談相手になってもらうことと，健康保険などの各種手続き）を行う。時間軸で考え，一段階目はここまで，二段階目はここまで確認といったように，階段に分けてキーパーソン役割を調整すると，依頼された側の負担が軽減される。ただし，Aさんの病状によっては一気に決めなければならない場合もあるため，あくまで救急の場面という前提で考える必要がある。キーパーソンとなる人には極力会い，親族や知人の事情も丁寧にうかがうようにしている。原則的に，病状が許せばAさんからキーパーソンの役割を担ってもらえるよう，親族などに対して頼む機会を作るが，緊急時にはAさんに意識がなかったり，面会できないこともあるため，代理としてSWが最初に親族などと話すことがある。ただし，Aさんから頼むのが本来のかたちであり，それが何らかの理由でできない，もしくは十分にできない場合に，必要な部分を支援することが基本であると考える。自己責任ということではなく，Aさんの力を信じ，あくまでSWは支援者であるという役割を重視している。

そのうえで，合意することができた「身元保証・身元引受など」に求める機能や役割（表4-2-1）[6]の項目について，電子カルテに記載する。キーパーソンが一人ですべての役割を担う必要はないため，項目ごとに誰が担え得るのか，あるいは担えないのかを明確にして，他職種と速やかに共有するよう心がけている。そうしないと，キーパーソン＝全部の役割を担ってくれる人ととらえられてしまい，ことあるごとに病棟からキーパーソンへ連絡を入れてトラブルになり，関係が断絶するリスクがある。家族の歴史を踏まえたデリケートな部分を扱っているという認識が必要である。

今回，弟はAさんの経済的支援を不本意ながら行ってきた経緯があり，さらなる負担を負うことについては強く拒否した。しかし，電話を無視することなく病院に折

表4-2-1 「身元保証・身元引受など」に求める機能や役割

①緊急の連絡先に関すること
②入院計画書に関すること
③入院中に必要な物品の準備に関すること
④入院費などに関すること
⑤退院支援に関すること
⑥（死亡時の）遺体・遺品の引き取り・葬儀などに関すること

〔文献6）より引用〕

り返しの連絡をくれたことにより，今後すべきことが明確となった。そこで，ここまで確認したことをまずはAさんに伝え，次に，Aさんの委任状を踏まえて病棟医事に健康保険証等発行代理手続きを依頼した。その結果，無事に健康保険証と「ひとり親家庭等医療費助成制度」を取得することができた。

健康保険証の代行手続きに医療ソーシャルワーカー（medical social worker；MSW）が役所まで行くことがある。当院の場合は，院内でのポジショニングとしてMSWがすべての手続きを担ってしまうと，院内で責任の所在が偏在してしまうリスクがあるため，医療費を請求する役割（ポジション）である医療事務部門に協力を求め，対応してもらうようにしている。これはどれが正しいということでなく，病院ごとの事情があると思われるため，それぞれに合わせて対応する。ただし，MSW部門が抱え込みすぎないようにするという視点は忘れてはならない。

7）ヤングケアラーへのかかわり

本節では，ヤングケアラー（本来大人が担うと想定されている家事や家族の世話などを日常的に行っていることにより，子ども自身がやりたいことができないなど，子ども自身の権利が守られていないと思われる子ども）の事例を取り上げた。病院は患者の治療・ケアが優先されるため，たとえ子どもであってもヤングケアラーではなく，患者の身の回りの世話の協力者とみなして役割を求めることが日々の臨床では起きているのではないだろうか。

患者や家族との面接を通してヤングケアラーの存在に気づいた場合は，すべてをMSWが担うということではなく，院内・院外の職種・組織と役割分担をしながら支援ができるようにかかわることが求められる。

また，救急の場面ではひとり親の突然の入院などを契機に子どもが1人もしくはきょうだいだけで家で過ごすことになる場面に出合うことがある。自宅にいる子どもと直接会う機会は多くないかもしれないが，会う機会があれば，アセスメントやプランニングはいったん横に置いて，まずは子どもの話を十分に聞いてあげてほしい。

病院という特殊な場にあって，悲しみ・不安・戸惑いなどのさまざまな感情を安全に表出できる場がMSW部門の面談室であると考えるからである。

日ごろから，院内他職種，市町村の児童福祉担当部門や教育教務担当部門の職員，児童相談所の職員，学校との関係性があって初めて緊急時に活かすことができる。「平時の備えが緊急時に活きる」が救急認定ソーシャルワーカーにとって重要な教訓であると考える。

3. 活用すべき社会資源

国民健康保険，自治体で実施しているひとり親家庭等医療費助成制度（公費負担），生活保護，児童福祉法に基づく市町村による児童の支援がある。

文献

1) 渡辺裕一：包括的支援体制の構築とメゾ・マクロレベルのソーシャルワーク．ソーシャルワーク研 1：45-53, 2023.
2) 井上健朗，岩間紀子，内田敦子：ソーシャルワーク実践の流れ．救急認定ソーシャルワーカー認定機構監，救急認定ソーシャルワーカー認定機構研修・テキスト作成委員会編，救急患者支援；地域につなぐソーシャルワーク：救急認定ソーシャルワーカー標準テキスト，へるす出版，東京，2017, pp92-99.
3) ドナC. アギュララ著，小松源助，荒川義子訳：危機介入の理論と実際；医療・看護・福祉のために．川島書店，東京，1997.
4) 日本臨床救急医学会総監修，日本臨床救急医学会「自殺企図者のケアに関する検討委員会」監，PEECガイドブック改訂第2版編集委員会編：救急現場における精神科的問題の初期対応 PEEC^{TM}ガイドブック；多職種で切れ目のない標準的ケアを目指して．改訂第2版，へるす出版，東京，2018.
5) ピーター・ディヤング，インスー・キム・バーグ著，桐田弘江，住谷祐子，玉真慎子訳：解決のための面接技法；ソリューション・フォーカストアプローチの手引き．第4版，金剛出版，東京，2016.
6) 平成30年度厚生労働行政推進調査事業費補助金（地域医療基盤開発推進研究事業）「医療現場における成年後見制度への理解及び病院が身元保証人に求める役割等の実態把握に関する研究」班，山縣然太朗研究代表者：身寄りがない人の入院及び医療に係る意思決定が困難な人への支援に関するガイドライン．2019, p6.
https://www.mhlw.go.jp/content/000516181.pdf

（樋渡　貴晴）

第4章 救急医療におけるソーシャルワーク実践の展開

第3節 スーパービジョン事例

I 救急医療とスーパービジョン

スーパービジョンは，クライエントへの援助の向上とソーシャルワーカーの成長を目的に，スーパーバイザーとスーパーバイジーの相互のやり取りのなかで，スーパーバイジーが自ら気づき，成長するための方法であり，プロセスである[1]。福山らは，スーパービジョンの必要性について，ソーシャルワーカーには，創造性と想像性の力量が問われ，限界を理解したうえでの取り組みや工夫が求められる。その機能を遂行するには，専門職としての業務遂行が求められ，現場という組織からの認めやバックアップ体制が必要であると述べている[2]。また，ソーシャルワーカーが意欲的に仕事をし，自己実現しようとするほど，パワーレスネス状態や対人援助職の職務ストレスに起因する燃え尽き症候群（バーンアウト・シンドローム）に陥りやすい。それを防ぐためにも，個々のソーシャルワーカーを支えるスーパービジョン体制を組織的に整えることが有効とされている[3]。

救急医療の現場でも例外ではない。救急医療におけるソーシャルワークでは，支援対象は多岐にわたり，緊急性や臨機応変性などの高度な対応が求められる領域である。そのため，支援と並行したスーパービジョンを可能とする組織内におけるスーパービジョン体制の構築が必要となる。

本節では，A病院ソーシャルワーク部門におけるスーパービジョン体制を紹介したうえで，A病院のソーシャルワーク部門で実践したスーパービジョン事例，とりわけ救急医療においてソーシャルワーカーが抱きやすいジレンマをテーマとした事例を取り上げる。

なお，本節で取り上げるスーパービジョン事例は，「ジレンマとの対峙から社会福祉専門職の実践知を探る；保健医療領域におけるソーシャルワーク実践を手がかりに」[4]で紹介した内容を加筆修正したものである。

II A病院ソーシャルワーク部門のスーパービジョン体制

A病院は，救命救急センターを有する急性期病院であり，地域の中核病院として救急患者の積極的な受け入れを期待されている。

A病院のソーシャルワーク部門には，17名のソーシャルワーカーが在籍し，ソーシャルワーカーが専門的能力を発揮し，よりよいソーシャルワーク実践を行うために組織内のスーパービジョン体制を構築している。スーパーバイザーとスーパーバイジーが1対1で行う「個人スーパービジョン」に加えて，スーパーバイジーを5名ずつの小グループに分けた「ピアスーパービジョン」，全員が参加する「グループスーパービジョン」を定期的に実施している。スーパービジョンの形態によって重視する機能や取り上げる内容は異なっている。とくに，グループスーパービジョンでは，ソーシャルワーク部門全体で共有・検討する必要があると考えた事例を取り上げている（図4-3-1）。

III 事例

1. 事例1

ある日の個人スーパービジョンで，スーパーバイジーから「患者や家族から退院への不安を聞きながらも，他職種から早期退院を求められる。そのことで私も焦ってしまう」「退院支援の課題を医療専門職とうまく共有できないために生じるストレスがある」「他職種から，どれだけ早期に退院したかだけが評価される」といったことが表出された。スーパーバイジーは社会福祉専門職として退院支援において大切にしたい役割と，他職種から求められる役割との間にジレンマを感じていた。スーパーバイザーは，スーパーバイジーが抱くジレンマについて，ソーシャルワーク部門全体での検討が必要であると考え，グループスーパービジョンで取り上げることにした。

後日開催されたグループスーパービジョンでは，他の

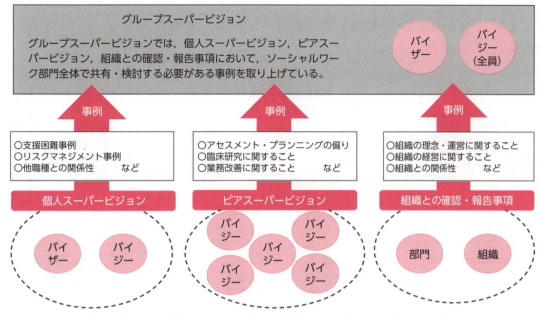

図 4-3-1　A 病院ソーシャルワーク部門におけるスーパービジョン体制

スーパーバイジーから，これまでに同様のジレンマを経験したことが共有され，事例を提供したスーパーバイジーにとって大きな支えとなった。そして，ソーシャルワーク部門として，このジレンマの克服に向けた取り組みを検討することになった。

スーパーバイジー個人では，医療ソーシャルワーカーの倫理綱領を遵守すること，面接技術や理論・アプローチの理解・習得をすること，限られた時間でのソーシャルワーク実践を行うこと，そのために研修・学会などへ積極的に参加することが検討された。ソーシャルワーク部門では，経験年数の異なるソーシャルワーカーでも適切なアセスメントを行うためにアセスメントシートを作成・運用すること，他職種向けに退院支援に関する勉強会や事例検討会を開催することが検討され，それらの取り組みを実施した。

アセスメントシートの作成過程では，スーパーバイジーらが退院支援において大切にしたいと考えるポイントについて，ソーシャルワーク部門全体で共有し，社会福祉専門職としての役割を振り返る機会となった。アセスメントシートの運用後には，項目や活用方法について定期的に改善した。アセスメントの向上と可視化，他職種とのソーシャルワーク・アセスメントの共有，スーパービジョンや事例検討会での活用に有効であった。

2. 事例 2

A 病院では月 1 回救命救急センター運営委員会が開催され，スーパーバイザーが委員として参加している。ある月の委員会で救急車収容不可時間の問題が議題にあがった。救急車収容不可時間には，「外来・業務多忙」「手術・検査中」「専門外」「ベッド満床」などの要因があり，A 病院では「ベッド満床」がその多くを占めていた。

ある日のグループスーパービジョンにおいて，スーパーバイザーは救急車収容不可時間の問題を取り上げた。スーパーバイジーは，急性期治療が終了した患者の転院調整がスムーズにいかないこと，他病院に転院相談をしても受け入れを断られてしまうこと，転院先がみつかっても転院までに時間がかかること，患者や家族の希望する転院先がみつからないことなど，地域関係機関との連携で生じるジレンマを抱いていた。スーパーバイザーは，ソーシャルワーク部門として，このジレンマの克服に向けた取り組みを検討し，実施した。

A 病院ソーシャルワーク部門を事務局とし，医療圏内病院への早期転院や転院数の増加を図り，ベッド満床による救急車収容不可時間を短縮させることを目的に，地域病院間連携プログラムとして，「地域連携会議」（年 2 回）と「地域連携実務者会議」（年 10 回）を開催した。地域連携会議では医療圏内の医師会長や病院長などが参加し，組織的かつ積極的な連携活動が推進され，地域連携実務者会議では医療圏内病院の地域連携実務者（看護師，ソーシャルワーカー，事務など）が参加し，地域連携実務者間の交流や他病院の機能や役割の理解が促進される機会となった。取り組み後，A 病院から医療圏内病院への転院がスムーズになり，A 病院の救急車収容不可時間は短縮し，救急車搬送件数が増加するなどの一定の成果を得た。

取り組みを始めて数年後，グループスーパービジョン

第4章 救急医療におけるソーシャルワーク実践の展開

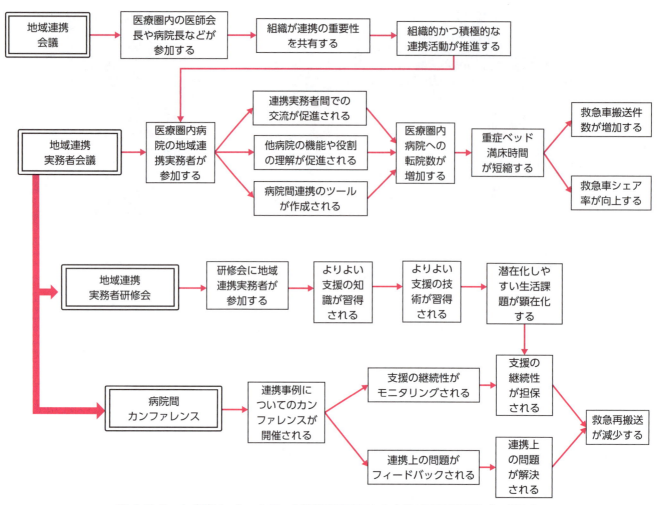

図4-3-2　A病院ソーシャルワーク部門を事務局とした地域病院間連携プログラム

において地域病院間連携プログラムの評価を行った。スーパーバイジーは，転院先にソーシャルワーカーがいない病院もあり，支援を引き継ぐことができないこと，転院後に必要な社会資源が活用されていないこと，転院先からのフィードバックがなく，支援の振り返りができていないこと，転院先からの要望に私たちが応えきれていないことなど，地域関係機関との連携で生じる新たなジレンマを抱いていた。

そこで，A病院のソーシャルワーク部門では，単なる転院数の増加や空床確保だけではなく，患者の利益に資する地域関係機関との連携が重要と考え，潜在化しやすい生活課題の顕在化，支援の継続性の確認，連携上の問題の解決を目的に，これまでの地域病院間連携プログラムを改訂し，新たに「地域連携実務者研修会」（年4回）と「病院間カンファレンス」（転院先ごとに月1回程度）を加えた（図4-3-2）。地域連携実務者研修会では，アルコール関連問題，自殺未遂者支援，外国人支援，ヤングケアラーなどをテーマに開催し，よりよい支援の知識や技術の習得を目指した。また，病院間カンファレンスでは，A病院のソーシャルワーカーが転院先を訪問し，A病院から転院した全事例についてカンファレンスを実施し，連携上の課題の有無，支援の継続性を確認した。

IV　事例の解説

1. ジレンマとの対峙

救急医療におけるソーシャルワーカーは，日々ジレンマと対峙している。例えば，救急医療の現場にはさまざまな専門職が配置され，多職種で構成された医療・ケアチームでの対応が不可欠となる。他職種との連携では，病院組織の中で大部分を占める医療専門職と少数派である社会福祉専門職の立場や，職業上の倫理原則の差異からジレンマが生じることは少なくない。保健医療領域において至上の優先的価値である「生命の保護」と，ソーシャルワーカーが大切にしている「自己決定」「生活の質」との価値の衝突は倫理的課題を包含する。

また，救急医療におけるソーシャルワーカーには，救急医療，急性期医療，そして地域ケアとの連携を通じた地域完結型の支援を意識し，保健医療機関と連携し，生

活課題の解決に向けた患者の利益に資する取り組みが求められる。身体的に重症度が高い患者の多くは、退院支援や社会復帰援助が必要となる。「退院」は、患者・家族にさまざまな課題を生じさせる局面となり、ソーシャルワーカーは単に次の療養先を探すのではなく、患者・家族の揺れ動く心身に寄り添い、療養の選択を支援する役割を担う。一方、救急医療では重篤な傷病者を24時間365日受け入れるために、地域における安心・安全な救急医療提供体制の構築が求められている。そのため、救急医療におけるソーシャルワーカーは、病院組織から早期退院によって入院期間を短縮し、病床の効率化を図ることを求められることも少なくない。

救急医療におけるソーシャルワーカーが、医療専門職をはじめとした他職種との連携や、地域関係機関との連携で生じるジレンマと対峙することは、社会福祉専門職としての役割を果たそうとしていることを意味する。本事例では、スーパーバイジーの安全が保障された組織内においてスーパービジョンが機能することにより、他職種や病院組織から期待される役割とソーシャルワーカーとして担いたい役割との間で生じるジレンマや、地域関係機関との連携における現実と理想との間で生じていたジレンマと対峙することが可能となり、スーパーバイジーが多くの気づきや成長を得る機会となっていた。

2. ジレンマの克服に向けた取り組み

ジレンマと対峙することはさらなるストレスを生じさせ、それを克服することができなければ、パワーレスネス状態や燃え尽き症候群に陥ることを回避できない。本事例では、ジレンマの克服に向けて患者・家族の利益に資する取り組みを生み出し、その取り組みを可能とする支援環境をも創出させていた。

スーパーバイジーが個人でジレンマを克服することには限界がある。個人スーパービジョンにより職務ストレスと向き合い、それに耐えられるように能力や資質を向上させることは重要であるが、ピアスーパービジョンやグループスーパービジョンのように集団としての支え合いも有効である。本事例では、個人スーパービジョンや組織との確認・報告事項をグループスーパービジョンに展開させたことでスーパーバイジーが集団に支えられ、さらにはソーシャルワーク部門としての取り組みを検討することを可能としていた。これらの展開は、ソーシャルワーク部門における専門職集団としての凝集性を高めることにもつながっていた。

あまねく救急医療の現場において、組織内におけるスーパービジョン体制を構築させ、多様なジレンマと対峙し、それを克服するためには、必要な知識および技術を有し、効果的にスーパービジョンを実践するスーパーバイザーの養成と配置が必要となる。

引用文献

1) 日本福祉大学スーパービジョン研究センター監, 大谷京子, 山口みほ編著：スーパービジョンのはじめかた；これからバイザーになる人に必要なスキル. ミネルヴァ書房, 京都, 2019, p4.
2) 福山和女, 渡部律子, 小原眞知子, 他編著：保健・医療・福祉専門職のためのスーパービジョン；支援の質を高める手法の理論と実際. ミネルヴァ書房, 京都, 2018, p46.
3) 奈良県社会福祉協議会編：ワーカーを育てるスーパービジョン；よい援助関係をめざすワーカートレーニング. 中央法規出版, 東京, 2000, p12.
4) 篠原純史：ジレンマとの対峙から社会福祉専門職の実践知を探る；保健医療領域におけるソーシャルワーク実践を手がかりに. ソーシャルワーク実践研究 14：52-59, 2021.

参考文献

篠原純史：MSWがかかわる患者・家族ケアと集中治療後のサポート. 救急医学 43：213-218, 2019.
福山和女, 渡部律子, 小原眞知子, 他編著：保健・医療・福祉専門職のためのスーパービジョン；支援の質を高める手法の理論と実際. ミネルヴァ書房, 京都, 2018, pp249-257.

（篠原　純史）

第 5 章

典型的な支援領域の事例

第5章 典型的な支援領域の事例

事例の説明

　救急医療（emergency medicine）の現場には，通常の医療機関受診では対応できないほどの救急疾患をもつ人や，生命の危機が迫っているなどの緊急性のある人がやってくる。しかし，医療ニーズの緊急性や重症度とは関係なく，Life（生命・生活・人生）[注1]において耐え難い苦痛がある人々の，さまざまな課題やニーズが顕在化する場でもある。ソーシャルワーカーにとって救命救急というエピソードは，それまで支援につながっていなかった人々の潜在化しているニーズを掘り起こし，支援につなげる重要な契機となることはいうまでもない。課題解決やニーズの充足を視野に入れながらも，早期に介入し，患者本人や家族などに生じている身体的，心理的，社会的な痛みや悪影響を少しずつ減らすかかわりをしながら（ハームリダクション），信頼関係の構築から着手することが求められる。

　本章には，救急認定ソーシャルワーカーがかかわる16事例が掲載されている。事例の作成においては，編集委員がブレーンストーミングを行い，ESWが現場で出会うクライエントの典型的な病態や状態像〔心肺蘇生後，脳血管障害，頸髄損傷，熱傷（火災），自殺企図，ホームレス状態，交通外傷，外国人，児童虐待，DV，特定妊婦（未受診妊婦），アルコール多飲（アルコール依存症），精神科救急，帰宅困難者，熱中症，末期がん患者〕を設定した。クライエント（個人）が，同心円状に広がる各システムからどのような影響を受けているのか（受けてきたのか），救命に特有な病態や状態像を契機に，ESWが介入後は各システム間の相互作用がどのように変わっていくのかを記述し（図5-1）[2)3)]，時間経過を含めた変化をジェノグラム・エコマップ・タイムラインに色分けして図示した。

　各事例に登場するソーシャルワーカーは，救急認定ソーシャルワーカーを「ESW」とし，医療ソーシャルワーカーやその他のソーシャルワーカーを「SW」と記載した。事例は，Ⅰ事例概要：1. 医療機関のプロフィー

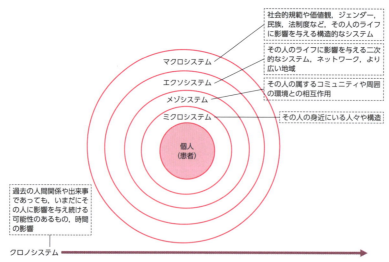

図5-1　ブロンフェンブレンナーのエコロジカルシステム理論
〔5つのシステムを特徴とするBronfenbrenner[2)]のエコロジカルシステム理論をRogersら[3)]が図式化したものを筆者により改変〕

注1）Lifeを生命・生活・人生の三層でとらえる田中千枝子[1)]の，「LIFEのトータルな把握（医療と福祉の関係性）」に依拠している。

ル，2. 患者基本情報，3. 現病歴，既往症，4. 介入経緯，5. 支援開始時の状況，Ⅱ事例経過：1. 支援経過，2. 終結理由（支援のモニタリングやエバリュエーションのポイントを踏まえた記載），Ⅲ事例の解説：1. SWが取り組むべき課題（各事例における課題），2. 支援上の留意点（各領域における典型的な留意点），3. 活用すべき社会資源（事例にかかわらず本領域における典型的なもの），引用文献・参考文献などから構成されている。事例によっては，より詳細な介入のポイントや，実際に各地の医療機関で用いられている各種ツールなどをコラムとして掲載している。

なお，執筆にあたっては，一つの事例を複数の委員で担当し，実際の事例における支援の現実性が薄れないように，類似する複数事例を組み合わせて加工し，匿名化に取り組み，最終的に架空事例を作り上げた。

16の事例を読む際に，留意してほしい点が3点ある。まず第一に，もし自分がこの事例に登場するESWであったとしたら，どのような知識やスキルと関連づけ，どのように支援を構想するか，一連の流れを考えながら読んでみてほしい。第二に，短い事例ではあるが，時にクライエントや家族を前に葛藤し，奮闘するESWの姿が描かれている。ESWはどのような状況に陥りがちであるのかを疑似体験し，実際に同じようなケースを担当することになった際には，予見・予測したり，工夫したり，備えたりする経験を積んでほしい。そして第三に，ESWの一つのモデル事例として，ぜひ参考にしてほしい。

事例を読むことで，ESWに必要な知識やスキルを知ることができるとともに，これまでに蓄積してきた経験知や臨床知のなかから新たな知識やスキルとして，概念化・理論化などを行い体系化していく意欲の醸成と推進力の涵養を目指してほしい。

引用文献

1) 田中千枝子：保健医療ソーシャルワーク論．第2版，勁草書房，東京，2014.
2) Bronfenbrenner U：The Ecology of Human Development：Experiments by Nature and Design. Harvard University Press, Cambridge, 1979.
3) Rogers M, Allen D：Applying Critical Thinking and Analysis in Social Work. SAGE Publications Ltd, California, 2019.

参考文献

U. ブロンフェンブレンナー著，磯貝芳郎，福富護訳：人間発達の生態学；発達心理学への挑戦．川島書店，東京，1996.

（野村　裕美）

第5章　典型的な支援領域の事例

事例 1　心肺蘇生後

I　事例概要

1. 医療機関のプロフィール

医科系45診療科，歯科系26診療科，基礎診療29部門，診療管理8部門からなる，特定機能病院である。

SWは診療管理部門の医療連携支援センターに配置され，入院患者に対しては病棟担当制を導入している。退院調整看護師と互いの強みを活かしながら，療養支援に取り組んでいる。救命救急センターを担う救急病棟はESW 1名で対応している。

2. 患者基本情報（図5-1-1）

Aさん，男性，40代後半，会社員，夜勤なし。妻と娘（大学生）の3人暮らし。両親，きょうだい（姉・弟）が近所に暮らしており，関係性は良好である。

3. 現病歴，既往症

会社に出勤した際に，胸痛と手のしびれを自覚し帰宅するが，その後も症状は継続していた。同日21時ごろに就寝したことを家族が確認している。22時ごろに娘がベッド上で目を見開いて呼吸をしていないAさんの姿を発見し，妻も駆けつけ救急要請をした。口頭指導で胸骨圧迫をするように言われ，妻が胸骨圧迫を始め，救急隊到着後，当院に搬送された。

既往症に高血圧，脂質異常症があり，近医通院中であった。

4. 介入経緯

入院翌日，病棟看護師や病棟クラークより，家族が精神的に混乱状態であり，限度額適用認定証の手続きが進められそうにないと情報提供がある。家族支援を含めたSWの介入依頼が入った。

5. 支援開始時の状況

当院到着後，医師らにより胸骨圧迫を継続するも，心拍再開と心停止を繰り返したため，人工呼吸器および経

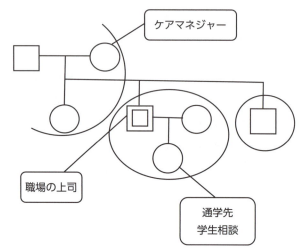

図5-1-1　ジェノグラム・エコマップ

皮的心肺補助（extracorporeal membrane oxygenation；ECMO）を挿入した。意識レベルGCS（E1，VT，M1），瞳孔散大，鎮痛・鎮静管理となった。その後は自己心拍再開を確認し，冠動脈造影検査（coronary angiography；CAG）およびCT検査を行った。検査の結果，CT検査では心停止の原因となり得る明らかな器質的異常所見はなく，急性心筋梗塞と診断され，経皮的冠動脈インターベンション（percutaneous coronary intervention；PCI）施行，補助循環法（intra-aortic balloon pumping；IABP，大動脈バルーンパンピング）管理となった。

夜間搬送から一夜明け，医師から家族へ心停止の原因が心筋梗塞であったこと，心臓が止まっていた時間の脳へのダメージが非常に大きく厳しい状態であること，さまざまな医療機器で全身をサポートしているが合併症のリスクもあり，今後の動向が不明瞭であるなどの病状説明がなされた。家族は搬送から病状説明を受けるまで，状況説明がなかったことに声を荒げており，何としてでも救ってほしいと懇願していた。

II 事例経過

1. 支援経過

X月Y日

家族の救急要請にて救急搬送された。搬送時間が夜間帯だったため，待機していた家族に対しては救急外来および入院病棟看護師にて，病状説明の同席や入院にあたっての案内が行われていた。また，医事窓口も休日夜間での稼働だったため，保険証の確認のみが行われ，高額療養費制度の説明は実施されなかった。

X月Y日 +1日 (SW初回面接)

昨晩の搬送から一夜明け，キーパーソンの妻は帰宅せずに家族待機室で患者の経過報告を待っていた。その後，未明に初回の病状説明が行われ，非常に厳しい状況であることから，妻以外に娘・姉・弟が来院し，交代で面会が行われていた。

病棟巡回中のSWに病棟看護師から声がかかり，家族全員が泣き崩れており，現状の把握ができているかどうかが看護師でも確認しにくい現状であることが共有された。また，病棟クラークからは，ICU病棟に入院したため，限度額適用認定証の申請説明を行いたいが，家族へ声をかけても，「いまはそれどころではない」という回答で話が進まないと困惑した様子で報告を受けた。

まずSWは，主治医と連絡を取り，病状の把握を行った。いつ急変してもおかしくない病態ではあるが，患者に必要な医療処置はすでにすんでおり，医療機器のトラブルがないか全身状態を観察しているため，家族がいったん病室を離れてもよい状況であることを確認した。

面会中の家族へ，医師とSWから声をかけ，落ち着いた環境に移動し，家族の同意を得て，SW面接の時間を確保した。キーパーソンの妻と相談し，妻と姉の2名で面接を行った。集合マンションにAさん・妻・娘の3人暮らしで，同マンションに両親と姉，近所に弟が単身生活をしている。日ごろから交流があり，きょうだいがいない妻にとって姉は頼りになる存在であることがわかった。現時点での困りごとや不安について聞くと，患者のこれからの病状はもちろんのこと，妻はパート勤務で娘は大学生であることから，患者が世帯の経済を担ってきており，妻は何から手をつければよいのかわからず，漠然とした不安を常に抱いているようであった。母親は介護サービスを利用している状態であったが，担当ケアマネジャーに相談できたことで，姉からは一緒にサポートするとの発言を得た。SWも一緒に手続き関係の支援を行えることを説明し，了承を得た。

今回の初回面接は患者のそばにいたいという妻の希望もあったため，傾聴とSW支援内容の情報提示にとどめ，翌日に再面接の機会を設定した。

X月Y日 +2日 (SW再面接)

家族の希望により職場の上司も来院したため，上司も含めて再面接を行った。上司に労災の適用ではないことを確認したうえで，高額療養費制度における限度額適用認定証の発行手続きを入院月であるX月中に行い，当院に提示すれば，窓口の医療費負担軽減が可能になることを説明した。妻が手続きに不安があることを上司も把握し，職場で手続きが可能との回答が得られた。限度額適用認定証が確認でき次第，医療費の概算は後日妻に情報提供することを約束した。また，入院後の給与体制を確認したところ，有給休暇が約2カ月分取得可能であるため無給にはならないことが上司より説明され，妻も安堵している様子であった。ほかに，生命保険や住宅ローンの債務弁済など，個人契約の保険関係を家族間で情報整理しておくことを勧めた。

面接終了後，妻より，「主人の容態ももちろん心配ですが，いろいろな医療機器につながっている姿を見て，どれほどの高額な費用がかかるのか正直不安でした。命が大事なのでお金はかかっても救ってほしいという思いは第一でしたが，今日しっかりとお話が聞けたので安心しました」との発言と笑顔が見受けられた。

X月Y日 +3日

心臓のほかに脳や肺，そして腎臓にもダメージが出ており尿が出にくくなったことから，透析導入を考えざるを得ない状況となり，家族もでき得る治療は行ってほしいと医師と共に再度確認を行ったうえで，24時間の透析が開始された。医師からは入院後，幸いにも合併症はなく経過をたどっているが，現時点ででき得る治療はすべて行っていることが説明された。そして今後は本人の体力次第であり，よくなっていくようであれば機械のサポートを一つずつ外していくことになるが，逆にこれ以上状態が悪くなった場合には心停止に至る可能性も提示された。

妻や姉は繰り返される病状説明に対し，医師へ積極的に質問をするなど，入院当初から比べると現状把握が可能になっている様子であった。しかし娘は面会のたびに泣き崩れ，過呼吸状態になることもあり，妻からはつらかったら面会をしなくてもよいことを伝えるも，「パパが頑張っているから，私も頑張りたい」と答えるため，妻と姉は娘の対応に困り，SWに相談があった。娘に既往症はとくにないことを確認し，家族，主治医の許可を得て，SWからリエゾンチームへ心理支援の相談を行っ

た。精神科医師より公認心理師の家族心理支援が可能な旨の情報をもらい，娘が希望したため，同日に心理面接を実施した。過呼吸の呼吸法や夜間の不安増強時の自律訓練法のやり方を伝え，それでも落ち着かないときには精神科医師につなげられることを提示した。

SWから心理面接後に声かけをすると，「ありがとうございます。パパにしっかり声をかけられるようになりました」と娘より発言があり，その他の家族からも，「しっかりと家族の時間を作っていきます」と回答をもらった。

X月Y日 +7日

血圧が不安定となり，医療機器の回路凝固が出現した。医学的にも回復の見込みが非常に厳しいと判断し，多職種ケースカンファレンスを開催した。Jonsenの四分割表をもとに，医師，看護師，薬剤師，管理栄養士，理学療法士，臨床工学技士，公認心理師，SWが意見を出し合った。カンファレンスの結果，今後の生命維持は非常に厳しく，医療機器の回路凝固が生じた際には交換せず終了とし，本人と家族の時間を最優先に過ごすことが「本人の最善の利益」であることの意見が共有された。カンファレンス内容は倫理コンサルテーションチームへ報告され，承認された。主治医から家族へ病状説明を行い，BSC（best supportive care）かつ急変時DNAR（do not attempt resuscitation）方針で意思を確認した。病棟看護師と共にSWから家族へ声をかけ，追加の説明の必要性や不明点を確認したところ，「先生からは何度も説明をしていただき，最善を尽くしてくださっていることが十分理解できました。奇跡は難しいと思いますが，家族としては最期まで諦めずに声をかけ続けたいと思います。ありがとうございます」と発症から短期間でありながらも現状を受容しているような発言が見受けられた。これまで面会を控えていた高齢の両親も家族に付き添われ面会を果たすことができた。

X月Y日 +8日

家族に見守られながら死亡確認となった。

2. 終結理由

死亡時，SWが対応可能な時間であったため，葬儀会社や職場の上司と連絡を取り合っていた妻と姉以外の家族（娘と母親）に対して，家族待機室でSWも今後の動きがわかるまで付き添った。常に涙を流していたが，これまでに多くの職種が家族をサポートしていたことから現状を受け止められている様子で，患者とのこれまでの思い出について笑顔をみせながら話していた。娘に対し心理面接に関しての希望を確認したが，「いまは父と残りの時間を大切にしたいし，家族と一緒にいられるので大丈夫です」と回答があった。職場の上司からも協力が得られることがわかり，妻も取り乱すことなく，当院からの遺体搬送時には医療者に向けて感謝の言葉も伝えられていた。SWからは今後，遺族支援として精神科受診または心理面接の相談も可能な旨を情報提供し，SWを窓口としていつでも連絡を入れてもらってよいことを伝えた。

X月Y日+20日後，家族からSWへ電話が入り，葬儀が無事に執り行われたとの内容であった。X月Y日+24日，医療費支払いのため妻が来院した際にSW面接を行った。死後処理は継続しており慌ただしい日々が続いているが，妻は仕事を再開する予定であること，娘は大学の学生相談につながり復学時期を検討していくと報告があった。当院の精神科受診の希望はないことを確認し，妻が入院病棟のスタッフへのあいさつを希望したため，管理者に了承をもらい病棟へ案内した。案内時に改めての病状説明の希望はないことを確認し，SW支援を終結とした。

III 事例の解説

1. SWが取り組むべき課題

1）精神的負担の大きい家族に対する状況理解のサポートや代弁機能を果たす

本事例のように，重度な意識障害により意思疎通が困難な場合，家族が代理意思決定を担うことが多い。生死にかかわり，時間的制約があるなかで治療方針についての判断が重要になる。救急領域は，患者家族にとって非日常的な空間であり，命にかかわる重篤な状態であればあるほど，状況把握には時間を要し，家族の精神的な負担は大きい。

「救急・集中治療における終末期医療に関するガイドライン；3学会からの提言」[1]や「人生の最終段階における医療・ケアの決定プロセスに関するガイドライン」[2]でも示されているとおり，患者家族が医療者と共に話し合うことは，共同意思決定のためには重要なプロセスである。そのため，SWは医師からの病状説明の場に同席し，家族の状況理解へのサポートを行い，家族が治療方針の選択が可能となるように代弁機能を果たす役割を担っている。

2）生命の維持が長期化する場合の療養支援を行う

病態によっては一命を取りとめ，長期的に重度の障害が残る場合も少なくない。その際には，医療依存度の高

い状態での転院が必要になる場合がある．SWは医師はじめ医療スタッフから今後の病態やその後の見込みを情報収集しアセスメントを行い，患者の状態に適切な機能をもつ病院への転院についてサポートする．

2．支援上の留意点

1）突然の発症により混乱状態に陥った家族に対して心理社会的なサポートを行う

病状の変化が激しいため，家族が混乱状態にあるなかで，医療費などの制度を紹介する場合，口頭説明では家族が理解できたかどうか不明のため，パンフレットを用いてわかりやすい言葉で説明することを心がける．そして説明後も制度がきちんと理解できているかどうかを把握しながら適切に手続きが進められるようにサポートする必要がある．

2）院内スタッフとの連携

突然発症した重症症例への治療方針や意思決定の支援には，患者自身の意識レベルに関する情報は重要であり，今後の医学的所見を多職種間で共有し，理解することが重要である．必要な検査が行えない病態の場合もあり，神経学的所見が不明瞭なこともあり得るが，多職種間では適宜現状を共有しておかなければ，家族へ過度な期待や不安を与えてしまう可能性があるため留意が必要である．もし患者の意思確認が困難な状態であれば，代理意思決定者となり得る家族に本人の推定意思を確認することになるが，発症前に本人からの意思表示がなかった場合には，家族の意思が全面に表出される可能性があることも念頭に置き，家族の意思が「患者の最善の利益」となるのかを多職種で共有する必要がある．

救命困難または臨床的脳死が想定される場合，エンドオブライフ・ケアにおける支援が求められるが，現場スタッフ間の共有だけではなく，入院時重症患者対応メディエーターとの連携や必要時には倫理コンサルテーションチームや倫理委員会，緩和ケアチーム，リエゾンチームなどの専門チームへ意見を諮り，患者の最善の利益を協議し，家族に対しても十分に納得かつ決断ができるようサポートする．また臨床的脳死状態に際しては，臓器提供が選択肢の一つでもあり，臓器移植コーディネーターとの連携も重要になる．そして家族が臓器提供を希望する場合は，多くの職種・部署・関係機関がかかわり，短期間で手続きが進むため，家族支援においては職種間の混乱を防ぐために，スムーズに支援が行えるよう日ごろの体制整備が求められる．

3）遺族に対してソーシャルワーク支援を行う

死亡症例に対してSWは，病棟スタッフや精神科スタッフと情報を共有しグリーフケアを受けられるようにするなど，心理的サポートの役割が求められる．また死後対応や今後も続く遺族の悲しみや苦しみに対しても，各自治体の相談窓口や遺族の集いへつなげる役割を担っている．

3．活用すべき社会資源

- 高額療養費制度（限度額適用認定証）

引用文献

1) 日本集中治療学会，日本救急医学会，日本循環器学会：救急・集中治療における終末期医療に関するガイドライン；3学会からの提言．2014．
2) 厚生労働省：人生の最終段階における医療・ケアの決定プロセスに関するガイドライン．2018．
https://www.mhlw.go.jp/file/04-Houdouhappyou-10802000-Iseikyoku-Shidouka/0000197701.pdf

参考文献

Jonsen AR, Siegler M, Winslade WJ 著，赤林朗，蔵田伸雄，児玉聡監訳：臨床倫理学．第5版，新興医学出版社，東京，2006，p13．

（阿部　靖子）

第5章 典型的な支援領域の事例

事例 2 脳血管障害

I 事例概要

1. 医療機関プロフィール

医療圏内で唯一の救命救急センターを有する急性期病院である。地域内では脳卒中地域連携クリニカルパスを運用しており、地域の医療機関との円滑な連携を図っている。

SWは患者サポートセンターに所属し、診療科または病棟ごとに配置されている。救命救急センターでは専従のSWが入院患者への早期介入のために入院時スクリーニングを行い、病棟カンファレンスなどに参加し、院内多職種と情報共有しながら支援を行っている。

2. 患者基本情報（図5-2-1）

Bさん、女性、50代前半、製菓工場に勤務。夫（60代前半、会社員）、次男（20代後半、会社員）、母親（80代後半）との4人家族。母親は軽度認知症状があり、要介護2、デイサービスを週2回利用している。

3. 現病歴、既往症

仕事中に右腕の動かしづらさを自覚した。ろれつが回らず発語しにくい状態となり、職場の同僚が救急要請し、救急搬送された。来院時の状態は、JCS I-1で、概ね意識は清明であった。右片麻痺、聞き取り可能な程度のろれつ障害がみられた。検査の結果、左視床出血の診断であった。これまでに健康診断で高血圧の指摘を受けており、かかりつけ医に定期通院し、内服による加療中であった。

4. 介入経緯

脳神経外科の主治医より、「本日、左視床出血で入院。出血の増大や合併症がなければ、脳卒中地域連携クリニカルパスでリハビリテーション目的の転院が必要になる」との連絡あり。その後、救命救急センターにて、主治医、病棟看護師、SWにて、Bさんの今後の治療方針やリハビリテーション目的での転院について共有し、本日予定されている夫への病状説明にSWも同席することとなる。

5. 支援開始時の状況

入院当日、主治医から夫への病状説明に同席する。主治医から夫に対して、現在の出血の程度から保存的加療の方針であること、このまま出血が増大せずに経過すれば、脳卒中地域連携クリニカルパスに基づいて、社会復帰に向けたリハビリテーション目的に転院となることが説明された。夫は不安な面持ちであったが、病状説明により、現在のBさんの状態と今後の治療方針について理解した様子であった。また、短時間ではあったが、Bさんと面会できたことで安堵した様子であった。主治医の

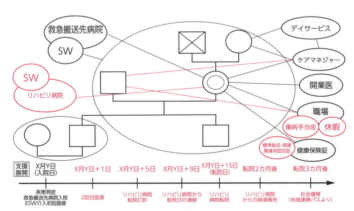

図5-2-1 ジェノグラム・エコマップ・タイムライン
リハビリ病院：リハビリテーション病院

説明後，引き続いてSWと面接を実施することになった。

Ⅱ 事例経過

1. 支援経過（支援期間：入院15日）

X月Y日

主治医からの病状説明後，面接室に移動し，夫と面接する。Bさんの生活歴や家族歴を確認した。Bさんは製菓工場で朝から夕方まで勤務し，帰宅後は家事全般や母親の身の回りの世話で，休む暇もなく毎日を過ごしていた。夫より，今回の入院に伴い，Bさんの病状がもっとも気になるが，自宅での家事や母親の身の回りの世話など，これまでにBさんが担っていた役割を家族内でどのようにすればよいのか不安に感じているとの話があった。

SWは，家事について同居する次男と相談のうえで役割分担すること，母親のことは担当のケアマネジャーとサービス利用などについて相談することを提案した。また，夫より高額な医療費への不安が表出されたため，高額療養費制度の限度額適用認定証の手続きについて情報提供し，入院中の仕事の休みの扱いや給与補償に関しては，Bさんの職場に確認することを提案した。

X月Y日 +1日

主治医からBさんと夫に，出血の増大はなく，本日からリハビリテーションが開始になることが説明された。

主治医の説明後，病棟の面談室でBさんと夫と面接する。夫より，長男は他県在住のためサポートを得ることが難しいこと，夫が次男と相談し，夫の仕事を調整しながら入院中の対応を行うこと，母親については担当のケアマネジャーと相談し，状況が落ち着くまでデイサービスの利用回数を増やしたり，ショートステイなどの利用を検討することになったとの話があった。また，夫からBさんの職場の上司に状況を説明し，入院中の仕事の休みの扱いや傷病手当金，高額療養費制度の限度額適用認定証の発行についての説明を受けたとの話があった。

Bさんは，自分が入院したことで家族を含めて周囲の人たちに迷惑をかけてしまったという想いを吐露した。夫から，気にせず治療に専念し，元気に退院してほしいとの言葉があり，Bさんは安堵している様子であった。

SWより，脳卒中地域連携クリニカルパスの患者用パンフレットを用いて，治療から社会復帰までの流れを説明し，連携している回復期リハビリテーション病棟を有する病院について情報提供を行った。Bさんは家族が来院する負担を考慮し，自宅から近い病院への転院を希望したが，夫はBさんに家族のことは気にしなくてよいこと，今後の人生を優先して考えてほしいことを伝えた。その結果，自宅からは遠いが，社会復帰に向けて脳卒中のリハビリテーション実績のあるリハビリテーション病院（以下，リハビリ病院）へ転院相談することになった。今後の社会復帰に向けてBさんは，元の職場に復帰できるようになりたいと希望した。また，Bさんが住む地域は公共交通機関の便が悪いため，自動車の運転ができるようになることもリハビリテーションの目標となった。

X月Y日 +5日

病棟カンファレンスにて，リハビリ病院に転院相談を開始することを多職種と共有した。

X月Y日 +6日

脳卒中地域連携クリニカルパスの様式を用いて，リハビリ病院へ転院相談を行う。

X月Y日 +9日

リハビリ病院より，X月Y日+15日に受け入れ可能との連絡あり。Bさんと夫に転院日時について伝える。転院時の移動手段について，担当の理学療法士と協議し，転院先には夫の車で向かうことになった。夫から転院先と転院日時についてBさんの職場にも伝えること，母親についてはデイサービスの利用回数を週2回から週3回に増やすことになったとの報告を受けた。

X月Y日 +15日

リハビリ病院に脳卒中地域連携クリニカルパスの様式を送付し，退院時の最新情報を伝える。リハビリ病院へ転院する。

2. 終結理由

転院2カ月後，リハビリ病院のSWより，右半身麻痺の状態が改善したこと，自動車運転訓練システムにより運転技術や判断能力を確認したこと，リハビリ病院入院中に外出し，運転免許センターで最終確認することになったとの報告を受けた。また，職場復帰に関しては，職場の上司と相談し，まずは短時間での勤務を開始して，Bさんの体調をみながら業務内容を調整していく方向で話が進んでいるとのことであった。

転院3カ月後，Bさんはリハビリ病院を退院となった。リハビリ病院から脳卒中地域連携クリニカルパスの様式が送付される。Bさんは職場復帰を果たし，リハビリ病院で通院リハビリテーションを継続していること，自動車の運転は運転免許センターで再開可能との判定であったが，しばらくは夫の送迎で外出や通勤をすること，再発予防のために日々の血圧測定とかかりつけ医に定期通院し，内服を継続しているとの報告があった。これらの情報を救急搬送された病院の多職種と共有し，支援を終

結とした。

III 事例の解説

1. SWが取り組むべき課題

1）円滑な退院支援

脳卒中の治療は，急性期治療後，リハビリテーションの適用のある場合には，回復期リハビリテーション病棟を有する医療機関へ転院となる治療の流れが確立されている。SWは退院支援において病院内で一義的な役割を担うため，SWの支援介入のきっかけは転院相談に関することが多い。限られた病床を地域内で有効活用するためには，円滑な退院支援が必要であり，本事例のように脳卒中地域連携クリニカルパスの活用が地域関係機関とのシームレスな連携には有効となる。

2）救急医療と並行した入院早期からの支援介入

本事例では，夫より高額な医療費の不安が表出されていた。緊急入院によって救命救急センターなどに入院する場合は，高額な医療費の支払いが課題となる。患者やその家族は，高額な医療費がかかるのではないかといった漠然とした不安を抱いていることもあり，必要に応じて高額療養費制度などの各種社会保障制度の情報提供が必要となる。また，家庭内において家事全般や高齢な母親の介護者としての役割も担っていたBさんの緊急入院に伴い，Bさんが担っていた役割の代行者を立てなければならない状況であった。SWは，緊急入院による夫の心理的状況に配慮しながら，想定される課題の整理と課題解決に向けた現実的な提案を行っている。

突然の傷病は，患者の身体面だけではなく，心理社会的側面にも大きな影響を及ぼす。SWには，予測される患者の心理社会的な課題の解決に向けて，救急医療と並行した入院早期からの支援介入が必要となる。

2. 支援上の留意点

1）患者・家族への早期介入

脳卒中により緊急入院した患者は，意識障害が遷延し，重篤な状態であったり，精神的にも不安定で混乱状態であることも少なくない。患者やその家族は，病状をはじめ，入院費用などの経済的な不安，後遺障害や退院後の生活の不安などを抱えていることがある。早期からその不安を軽減するためには，多職種と連携することでSWと患者・家族が早期につながることのできる仕組みが必要となる。とくに，社会的生活基盤が脆弱な場合には，傷病を機にこれまで抱えていた生活課題が身体の危機とともに顕在化する。さまざまな課題に対処しなければならないが，その課題が深刻かつ膨大な場合には，冷静かつ適切に行動できないことも多い。SWの早期からの介入は，混乱状態にあり，判断能力が低下している患者・家族にとって大きな支えとなる[1]。

2）迅速かつ適切なアセスメントと多職種連携

脳卒中による緊急入院の場合，その後の経過で意識レベルが改善することもあれば，出血の増悪などにより意識レベルが低下することや，合併症などにより状態が悪化することも考えられる。SWには救急医療の流動的な展開のなかで，迅速かつ適切なアセスメントが求められる。そのためには，アセスメントシートなどを活用するとともに，治療にかかわる医師や看護師などの院内多職種と連携する体制が重要となる。

3）脳卒中地域連携クリニカルパスの活用

脳卒中治療においては，多くの地域で脳卒中地域連携クリニカルパスが導入されている。脳卒中地域連携クリニカルパスを活用することで，患者や家族に対して，急性期，回復期，生活期のステージごとの診療内容や目標，多職種による支援内容を提示し，患者や家族が安心して脳卒中治療を受けることが可能となる。脳卒中地域連携クリニカルパスには，SWの支援介入のチェック欄や支援内容の記載欄，SWサマリーの様式があらかじめ設けられていることが多い。SWは自身の支援内容を言語化したうえで，地域関係機関との適切な情報共有を行う必要がある。また，救急医療を担う病院が，脳卒中地域連携クリニカルパスによって連携した関係機関からのフィードバックを受けることで，患者のリハビリテーションによる回復や社会復帰のイメージをもつことが可能となる。さらには脳卒中地域連携クリニカルパス運用におけるバリアンスを分析することで，地域関係機関との連携体制を見直すことにもつながる。

3. 活用すべき社会資源

- 高額療養費制度（限度額適用認定証）
- 傷病手当金
- 回復期リハビリテーション病棟

文献

1) 篠原純史：MSWがかかわる患者・家族ケアと集中治療後のサポート．救急医学 43：213-218，2019．

（髙橋　紀貴）

第5章 典型的な支援領域の事例

事例 3

頸髄損傷

I 事例概要

1. 医療機関のプロフィール

特定機能病院の救命救急センターであり，SWは救命センターに専従配置となっている。

2. 患者基本情報（図5-3-1）

Cさん，男性，60代前半。妻と2人暮らし。子どもは長女のみで，結婚後同市内に在住し関係は良好である。Cさんは，20代から町工場に就職，受傷当時も現役で勤務していた。飲酒はビール2缶/日，喫煙なし，被用者保険に加入している。

3. 現病歴，既往症

自宅で夕食時にビール2缶を飲酒した。入浴後，23時ごろに就寝した。朝方にトイレに行く際に階段から誤って14段を転落した。物音に気づいた妻が救急要請した。当院救命救急センターに搬送された。

非骨傷性頸髄損傷〔老化や疾患などで脊髄の圧迫が生じている人が転倒などによって衝撃が加わることで脱臼や骨折がなくても起きる脊髄損傷（C5）〕，ASIA分類Cの運動不全麻痺，感覚残存，肛門収縮ありの診断であった。

既往症は高血圧である。

4. 介入経緯

搬送時に救命センターにて，SWが家族と接触し，面接を実施した。当日の病棟カンファレンスにて，リハビリテーション目的の転院に向けての調整および家族への支援を依頼された。

5. 支援開始時の状況

搬送時に担当SWが生活歴や既往症を聴取し，社会的背景やかかりつけ医などについての情報を家族から確認した。この時点で，家族に対して，療養に関連したさまざまな問題に対応するとの援助関係形成を行い，初期治

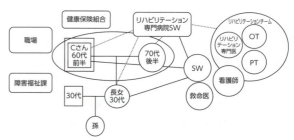

図5-3-1 ジェノグラム・エコマップ

療経過中に短いコンタクトを繰り返した。

医師によるインフォームドコンセント（informed consent；IC）では，四肢麻痺が残存する可能性が伝えられ，今後の療養についてSWと話すように伝えられた。

II 事例経過

1. 支援経過

X月Y日（入院日，初回面接）

センター担当SWが生活歴や既往症を聴取した。救急隊に現着時の家屋状況などを確認した。情報を医療チームで共有する。初療時，妻には突然の出来事で動揺がみられた。妻の動揺に対し，SWが支持的な傾聴を行ったことにより，妻はしだいに平静を取り戻すことができた。その後，長女も来院し，医師よりICを行いSWも同席した。医師からは，脊髄の損傷であり，四肢に麻痺が残る可能性が高いこと，複数回の手術が必要になるが，当院での治療が終了したら，リハビリテーションを目的とする転院となることが伝えられた。

医師からのICの後，SWは再度家族と面接した。医師の説明に対する家族の理解は，ショックはみられるものの，しっかりとしていた。SWは，家族の動揺に配慮しながら，療養の初期段階に行うべき手続きについて指導した。勤務先の被用者保険に加入しており，有給を消化した後は傷病手当金の対象となること，限度額適用認定証の手続き，先のことであるが障害者の制度を利用できる可能性などを説明し，さまざまな手続きなどについてはSWが支援を行うことを伝え，継続的な支援を行うこ

X月Y日 +35日 （2回目の面接）

初療から，複数回の手術の経過中にSWは手続きのことなど，家族の面会時に短いコンタクトを繰り返した。手術，誤嚥性肺炎の治療が一段落し，今後のことを考えるため，35日目に，医師から本人，家族へのICが行われ，SWも同席した。この時点で患者の状況は，気管カニューレ，酸素投与はなし，経鼻経管栄養の状態であった。気管切開のため発語は不可であるが，意識レベルは清明である。筆談，読唇で簡易的コミュニケーションは可能である。四肢の不全麻痺は残存し，車椅子全介助レベルである。

ICの後にSWと家族で，療養先の選定を相談することとなった。家族は，積極的な機能訓練のために回復期リハビリテーション病棟への転院を希望した。自宅復帰については，身の回りのことが自身でできなければ，妻との2人暮らしは成り立たないとの展望をもたれていた。SWは，リハビリテーション機能をもつ病院を自宅近隣より探していくが，受け入れ可能な医療機関がみつからない場合は，エリアを広げていく必要があることを伝え，面接終了とした。

X月Y日 +38日 （面接）

転院調整の進捗について面接を行う。自宅近隣の回復期リハビリテーション病棟は，喀痰吸引が頻回であること，経鼻経管栄養であることから受け入れ不可の回答であり，エリアを広げて探していくことを伝えた。家族は，「必要なケアの状態が重度のため受け入れ先がない」ことに対して憤りを感じていた。

X月Y日 +42日 （電話面接）

「マンパワー不足」の理由により，エリアを広げても，受け入れ可能な医療機関はみつかっていない状況を報告する。また，重度の脊髄損傷の場合，残存機能や環境整備へのアプローチを行うことがリハビリテーションの大きな目的となることから，自宅退院が見通せないことに対して受け入れに難色を示す医療機関があることも伝えた。

家族は，日常生活動作の状況によっては，自宅退院が困難なことを懸念したため，自宅から少し距離の離れた療養病棟をもつリハビリテーション病院に打診することを提案した。距離にとらわれず，積極的な機能訓練が実施可能で，かつ日常生活動作の状況によって自宅退院もしくは療養病棟への入院の継続が選択できる医療機関を探索することとした。

X月Y日 +45日 （電話面接）

県外で受け入れ可能な医療機関が2カ所みつかったことを報告した。A病院は隣県になるが県境にあり，交通の便もよい。B病院は交通の便は悪いが，機能訓練の施設が充実している。両病院に申し込みを行い，病院のパンフレットを家族へ渡し，見学を提案した。

X月Y日 +47日 （電話面接）

申し込みを行った2つの医療機関から，受け入れ可能の回答がある。両医療機関ともに家族面談を行う必要がある旨を連絡する。

X月Y日 +50日 （面接）

本人と妻，長女は，隣県であってもより自宅に近いA病院を希望した。SWから，再度今後のリハビリテーションや手続きについての説明を行った。SWがA病院に転院調整の依頼を行い，転院日が確定した時点で家族に連絡を入れることとした。

X月Y日 +52日 （電話面接）

A病院より，X月Y日+57日の受け入れの連絡があり，長女に連絡する。家族の付き添いを確認し，転院搬送の手配などを行った。長距離の移動であり，気管切開のケアのため看護師の同乗が必要であった。

X月Y日 +57日 （面接）

SWより，今後利用可能な身体障害者手帳や障害年金などの制度の活用の可能性があるが，障害固定など申請の時期を検討する必要があることを伝えた。今後の療養について，リハビリテーション病院では，入院から早い機会に身体機能の予後予測が明確になり伝えられる。その結果を踏まえ，改めて家族と本人で，自宅復帰や自宅以外での療養の継続などの方向性を検討する必要性があることを確認した。リハビリテーション病院のスタッフは，専門的な見地から，障害を抱えながらの日常生活への移行についてさまざまな提案をしてくれるので，相談を継続するように助言する。家族・本人との相談経過について，転院先のSWへの引き継ぎを行う旨を伝え，了承を得た。本人が障害について認識をするのは，家族よりも遅れての段階になることが予測されるため，その心理的プロセスに寄り添うことの重要性を家族と確認した。

2. 終結理由

急性期において行うべき手続きなどの支援，家族の動揺状態に対する危機介入，今後の療養について，今後の課題と見通しをつける援助が提供された。本人・家族の希望である回復期リハビリテーション病棟への転院が決まり，次の段階への引き継ぎが完了したことをもって終結とした。切れ目のないシームレスな連携を構築することで，本人・家族の不安を軽減できた。しかし，重症度，医療的ケア，社会的予後（自宅復帰を方針とできるか）

などについて，受け入れる医療機関探しに難渋し，自宅近くという本人・家族の希望をかなえることはできなかった。

III 事例の解説

1. SWが取り組むべき課題

1）経済的な問題

稼働年齢にある者の突然の大きなけがは，経済的な問題に直結する。医療費の自己負担軽減，療養中の所得保障や障害年金など，今後の生活費に対する不安への対応が必要になる。

2）中途障害への心理的な受け入れへの対応

脊髄損傷などの中枢神経系の障害は，治療初期の段階から不可逆的な障害が残るかどうかの予測が可能である。急性期病院においても予後予測が行われ，医師による障害の告知が実施される。治療初期においては，機能回復への期待が高く，障害の告知による心理的混乱が生じる。突然の出来事に対する危機介入，中途障害への心理的受け入れのプロセスの初期段階に寄り添う支援が必要になる。

3）療養先の選定問題

頸髄損傷による四肢の麻痺が今後残存することが予測され，その予後予測に基づいて，今後の療養先が検討される。急性期の後は，機能訓練が提供可能な回復期のリハビリテーションが実施できる医療機関への転院が望ましいが，気管切開による医療的ケア，頻回な吸引，全介助の日常生活動作であることから転院受け入れ病院の選定に難渋することが予測される。入院リハビリテーション医療についての正しい理解を促すとともに，適切なリハビリテーションを受ける権利を保証する支援を行う必要がある。後遺障害の予測がある程度可能であれば，今後のリハビリテーションのプロセスや社会的予後（適切なリハビリテーションや社会サービスを活用することによって，どのような社会的生活が可能か）についてオリエンテーションを行う必要もある。そのためにはリハビリテーション専門スタッフとの連携が欠かせない。

2. 支援上の留意点

1）経済的な問題に対して速やかに対応する

働き盛りの大黒柱の突然のけが，そして先のみえない状態でのリハビリテーションが続くことが予想されることから，経済的な問題は避けて通れない。重症の外傷は手術や処置が入院初日から行われるため，医療費も高騰する。本事例のように搬送時から家族と接触し，経済状況や家族状況を速やかに把握することが望ましい。事故の発生で平静を保てない家族に対し，質問を投げかけ，経済状態などを確認する行為は，信頼関係の構築にも影響を与え得る。家族に対し，一人ではないこと，医療者全員が患者への治療に全力であたっていることを伝え，不安を傾聴し，サポートを確約するメッセージが重要になる。面会の際などの家族とのブリーフ・コンタクト（ちょっとした連絡や接触）も関係形成に有効である。

本事例では，患者が被用者保険に加入しており，傷病手当金の支給対象となることから，傷病手当金の手続き，限度額適用認定証などの手続きなどを家族と協働して進めた。

混乱状況にある家族に対して，経済的な問題の解消に必要な手続きを一つひとつ協働して進めることで，家族としてやるべきことが定まり，これを実行し，不安を乗り越えることで落ち着きを取り戻し，SWとの信頼関係も深まった。

2）中途障害への心理的な受け入れの課題に対応する

障害の告知に対する心理的な混乱に対しては，障害の受容についての段階説[1]などの仮説を援用して，その心理的反応を理解しながら対応する必要がある。急性期においては，受傷の出来事の衝撃から，本人，家族共に危機状況を経験し，治療開始後に医師からの説明などにより，不可逆的な障害を知ることになる。家族が先行して説明を受け，本人はその後，遅れて情報を理解することもあり，家族と本人とで，そのプロセスは必ずしも並行ではないことを理解しておくべきである。急性期においては，危機介入を意識し，傾聴しながら，繰り返しリハビリテーションのプロセスのオリエンテーションを行う。支持的なかかわりは重要であるが，励ましのために，裏づけのない機能回復への保証を行わないようにする。残存機能を活かしながら生活能力を身につける，環境調整を行い社会的サービスを活用することも重要なリハビリテーションとなることなどを指導する。

3）療養先の選定に難渋することがある

医療的ケアや介護の必要度が高い患者の場合，急性期病院に比して看護師の配置基準が低い回復期リハビリテーション病棟では，主にマンパワーの問題で患者の受け入れに対し，消極的になることが予測される。また，重度の不可逆的な障害が残ることが予測される高位頸髄損傷などの場合，機能訓練による機能回復には限界があり，リハビリテーション医療においては，残存機能を活かしてできる能力を広げること，つまり自助具や補装具

などを活用した能力障害へのアプローチ，電動車椅子，環境制御装置，住宅改修など環境調整へのアプローチを行うことが，その介入の柱になることも多い。生活への移行を意識したリハビリテーションを得意としている医療機関では，今後の生活の場，つまり入院リハビリテーションの後の退院先を，入院時から明確にさせておきたいことを本人や家族に要求する場合がある。後遺障害の予測がある程度可能であれば，今後のリハビリテーションのプロセスや社会的予後（適切なリハビリテーションや社会サービスを活用することによって，どのような社会的生活が可能か）についてオリエンテーションを行う必要もある。そのためにはリハビリテーション専門スタッフとの連携が欠かせない。

入院リハビリテーション医療を提供する機関は増加傾向にあるが，その配置は限られている。また，高位頸髄損傷のような重度の後遺障害を抱えるケースの場合，回復期リハビリテーション病棟の受け入れ体制を勘案すると，患者の生活圏に適切なリハビリテーション病院の確保が困難な場合がある。受け入れ先が少なく，選定に難渋する場合は，本人・家族に現状をきちんと伝える必要がある。本事例でも受け入れ先がみつからない場合は，エリアを広げていくことを伝えている。限られた援助期間のなか，検索プロセスも本人や家族と共有しながら進めていくことは，病状理解にもつながる。家族が見学相談に赴き，転院先のSWと事前相談を行うことは，急性期と異なる入院リハビリテーションの特性を理解することにもつながる。

3. 活用すべき社会資源

経済的な部分では，高額療養費制度，傷病手当金を活用し，入院費について対応した。所得の保証のない健康保険などに加入している場合は，その他の経済的支援制度を検討する。脊髄損傷の場合，けがの発生要因によって，労働災害や交通事故，教育活動中の事故，第三者行為などの保証対象になる場合があるので，受傷背景をとらえることも重要である。

残存する障害に対しては，将来的に身体障害者手帳の取得や障害年金，事故保証などの活用について，障害認定の時期について注意しながら，急性期においてすぐに活用できない場合でも，情報提供は欠かさないように心がける。ただしその際は，障害受容など心理的な状態に配慮しなければならない。

中途障害による本人や家族の人生の変化については，当事者団体などからのピアカウンセリングによる支援の活用も有効である。しかし，これらを紹介するタイミングについては心理面に配慮しつつ検討する必要がある。

引用文献

1) 上田敏：障害の受容；その本質と諸段階について．総合リハビリテーション 8：515-521，1980．

参考文献

二瓶隆一，陶山哲夫，飛松好子編著：頸髄損傷のリハビリテーション．改訂第3版，協同医書出版社，東京，2016．

（佐藤　圭介）

コラム

リハビリテーションスタッフとのチームアプローチ

　早期リハビリテーション実施の必要性が認知され，救急医療においても，リハビリテーション専門医や理学療法士，作業療法士，言語聴覚士などによるリハビリテーションチームが参画するようになっている。このことは，超急性期からの機能訓練の提供という治療医学的な利点だけではなく，身体機能，あるいは高次脳機能などの予後や社会的予後に関する予測をチームに示す効果をもたらしている。

　本書の事例 3 にある頸髄損傷などでは，完全損傷（損傷部位で，脊髄の機能が完全に遮断された状態）の場合，その損傷部位によって身体機能の予後はほぼ明確になる。その示された機能的予後に到達しない場合は，実施した医学的リハビリテーションプログラムに何らかの問題があると考えてもよいと揶揄されるほどである。不全損傷（損傷部を挟んで上下に何らかの神経伝導が存在する状態）の場合でも，その損傷部位や受傷後の経過からある程度の予測ができるようになっている。再生医療の機運もあるが，現実的には回復期以降の脊髄損傷のリハビリテーションは，残存機能にアプローチする側面が多くを占める。若年者の脊髄損傷のケースなどでは，医学的リハビリテーションに引き続き，職業的・社会的リハビリテーションなどを経験した後に就労などの社会復帰を果たし，ドラスティックな生活の変化を経験する例も少なくない。高位頸髄損傷の場合でも，残存機能を活かし，環境制御装置や電動車椅子などのデバイスを駆使し，社会的サービスの配置や当事者のインテリジェンスの高さに依存する面はあるが自立生活を送る例もある。

　今後提供されるべきリハビリテーションについての見通しを得ることは，今後の療養についてのオリエンテーションを行う救急医療でのソーシャルワークにとって重要なアセスメント項目である。これらの情報は医学的リハビリテーションスタッフとのチームアプローチによってのみかなえられる。

　しかし，高位頸髄損傷者に対して，医療的ケアが十分に提供され，かつ自助具，補装具作製や環境調整を含む社会復帰支援に取り組むことができる機能をもったリハビリテーション施設は資源として限られている。各都道府県に 1 カ所か 2 カ所といってもよいであろう。現状では，このような例を取り扱う救急医療機関のソーシャルワーカーは，広域でこのようなリハビリテーションを行うことができる医療機関との連携を従前から形成しておくことが望ましい。患者・家族に対しても生活圏を重視しつつ，実施されるべきリハビリテーションの内容についての評価を踏まえた情報提供を心がけるようにしたい。

（井上　健朗）

第5章 典型的な支援領域の事例

事例 4 熱傷（火災）

I 事例概要

1. 医療機関のプロフィール

医科系45診療科，歯科系26診療科，基礎診療29部門，診療管理8部門からなる，特定機能病院である。

SWは診療管理部門の医療連携支援センターに配置され，入院患者に対しては病棟担当制を導入している。退院調整看護師と互いの強みを活かしながら，療養支援に取り組んでいる。救命救急センターを担う救急病棟はESW 1名で対応している。

2. 患者基本情報（図5-4-1）

Dさん，女性，50代後半，会社員，独居。夫は数年前に他界している。長女家族が近所に住んでいる。長女には仕事があり，乳幼児の子どもがいる。

3. 現病歴，既往症

自宅で調理中，揚げ物の鍋より出火し，自身で出火地点を消火したところ，高温の煙を吸入し，髪の毛に引火した。周辺の住民が火事を発見し，消防・救急要請し，当院の救命救急センターへ搬送された。

既往症はとくになし。

4. 介入経緯

自宅を失ったことによる喪失感や自責の念を抱く患者の心理的なサポートが必要であること，また火災により自宅は使用できず，療養だけでなく住まい確保のための支援が必要と判断され，救急科医師よりSWの介入依頼があった。

5. 支援開始時の状況

搬送時は発語可能であるが嗄声あり，GCS（E4, V5, M6），体温36.9℃で意識清明であった。右側頭部から頸部右側部にかけてⅡ度およびⅢ度熱傷（とくに右耳介と右頸部）が混在し，鼻腔内・口唇・口腔内を中心にすすが付着していた。上気道閉塞が出現する可能性があり，

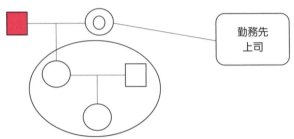

図5-4-1 ジェノグラム・エコマップ

高気圧酸素療法，植皮術の可能性を含め皮膚処置目的で入院となった。リザーバ付きフェイスマスクより酸素投与，burn indexより必要な輸液量を計算し点滴を開始した。自己抜去の可能性があったため，家族から同意を得て身体抑制を考慮し，今回の入院にて他科診療科（整形外科や形成外科，精神科）での診療を依頼した。

II 事例経過

1. 支援経過

X年Y日（入院日）

Dさんとの面接は呼吸苦の訴えが強いため難しく，キーパーソンである長女へ，医師より病状説明が行われた。その際，長女から同意を得てSWも同席した。近所に住む長女には乳幼児の子どもがおり，Dさんが世話を手伝っていた。突然の受傷で長女はショックを隠し切れない様子であった。傾聴しつつ，会社員として就労していたDさんに対して入院加療が必要となった場合の利用制度の整理や手続きについて，長女の協力が得られることを確認し，SWも共に支援を行うことを伝えた。また，Dさんから情報が得られる場合には，Dさんの意思を確認しながら支援することも共有し，病状説明の後，SWの面接を行った。

Dさん宅は今回の件で屋内は浸水状態で，現場検証のため消防と警察が対応中であった。直近の退院先として自宅は困難であるため，自宅の被害程度を消防署が証明する「罹災証明書」が発行できるかの問い合わせが必要

な旨を長女へ情報提供した。その証明書をもとに，見舞金や税金（所得税，住民税，固定資産税など）の減免，保険金の支払い請求など必要な手続きが進められることも長女へ説明した。

Dさんの経済状況，就労状況についても長女へ確認した。Dさんは生命保険会社に勤務し，営業の仕事に配属されている。最近は部署としての判断を委ねられており，指導する立場となっていた。長女からはすでに会社へ今回の入院を報告しており，まずは有給休暇扱いで対応してもらえそうだとの情報を得た。集中治療部門での入院加療となったため，長女から医療費に対する不安の表出があった。そのため，SWより高額療養費制度における限度額適用認定証について情報提供し，長女が手続きを行うこととなった。また，民間の医療保険に加入しているため，今回の入院に対して給付の対象となるかどうか，長女から保険会社へ問い合わせることとした。

Dさんは最近仕事が忙しく，注意深くかかわることができなかったと長女が後悔の念を抱き，涙を流した。SWはまず，これまでのDさんへのかかわりを長女としての立場でさまざまな方法で努力していたことをねぎらった。そして，退院に向けて長女ができることを示せるように，各職種のスタッフは長女とかかわりをもつことを共通認識とした。入院が長期化することも想定されるが，将来的には自宅以外の退院先を検討しなければならず，その点に関して長女に確認したところ，自宅での生活が可能となれば長女宅への退院を希望した。

X月Y日 +2日

Dさんと会話が可能となった。高気圧酸素療法は不要となり，点滴加療継続中は発熱もみられたが，感染なく経過した。しかし，熱傷部分は全体的に上皮化しているものの，右耳介は軟骨が突出しており，右頸部も上皮化が遅く，頸部の可動域も制限がかかった。形成外科からは上皮化までは時間がかかるため，保存的にみるよりは手術したほうが早期に治ることをDさんに説明したところ，Dさんより，「痛いことは避けたいが早く治して職場に復帰できるなら手術を希望したい」との発言があった。救急科と形成外科で協議の結果，X月Y日+6日に形成外科へ転科し，手術の方針となった。

同時期にSWからDさんへ，入院時に長女と面接した内容を共有した。自宅退院は困難な環境になることは理解できており，自宅の修復までは長女宅で過ごしたいとの意向は一致した。ただし，復職意思はありながらも，今回の事故により営業職の継続は難しいことを実感していた。また，看護師が熱傷部分の処置指導を行っているが，時折Dさんからは，「私に見えないように処置してほしい」との発言がみられ，実際の熱傷部分を見ることを避けている様子であった。SWの面接のなかでも，「火傷のところを見てしまうと，私の顔じゃなくなっていると思うから，まだ受け止められない」と語る場面があった。精神的な落ち込みにより睡眠障害が生じていたため，SWは精神科との連携やかかわりが必要と考え，主治医へ報告し，精神科受診へつないだ。

X月Y日 +15日

右耳介および右頸部の植皮術を行った。在宅復帰が目標であるものの，熱傷による症状の受容や精神的苦痛の軽減も必要であり，さらには退院にあたってDさん自身での皮膚処置が可能となるように指導を継続する必要があった。そして職場復帰に関しても，業務内容の変更が必要な場合には変更が可能かどうかなど，復職に向けてDさんとの話し合いが今後は必須であると判断した。植皮術後，DさんとSWとの面接を再度設定し，長女を含む家族を交え，自宅での療養イメージを確認した。Dさんからは，「鏡を見ながら自身で皮膚処置を行えるようにしたい」，長女からも，「母（Dさん）が見えない部分の皮膚処置を行えるように教えてほしい」と希望が表出されたため，医師や看護師と共有し，病棟ではDさんと家族への積極的な指導を依頼した。

前述の支援経過から，「私も前に進まないと」というポジティブな発言が増えはじめた。着替えや入浴時にはDさんの協力動作が増え，自身でできることも増えてきたと病棟看護師から情報が入った。精神科の診察では，急な不安感や焦燥感の訴えがあるため，退院後も精神科診察を継続する必要はあるとのことであった。また，退院に向けて皮膚処置の指導およびリハビリテーションを施行している。

X月Y日 +35日

Dさんと長女共に，看護師見守りの下で皮膚処置が可能かつ日常生活動作が自立となり，外来診療可能な状況となったため，長女宅への退院が決定した。長女から会社に経過報告をしていたが，会社の職員が来院し，Dさんと復職に向けた内容を確認していた。皮膚症状および精神症状が落ち着き次第，復職の時期を話し合う機会を設けたいとの方針で，会社側としても業務内容の変更や復職時期は治療方針に合わせて検討していきたいとの返答であった。復職までは傷病手当金の給付手続きを進めることとなった。また，精神科の通院継続も必要となったため，自立支援医療の申請手続きの案内とともに，安心した療養生活のためにも地域の相談窓口（保健師相談）とつながることが必要とアセスメントし，Dさんと長女共に希望したため，SWにて退院後の保健師面談の日程

調整を行った。

2. 終結理由

退院後，当院の形成外科受診を継続していたが，X月Y日＋90日後，皮膚処置が不要となり終診となった。これまでの間で長女宅の生活に不安がないか継続的にモニタリングを行った。当院での復職支援が必要かどうかを確認したが，本人が希望した部署に異動できたこと，精神科クリニックを定期受診することで落ち着いているとの報告が入り，SWの支援を終結とした。

Ⅲ 事例の解説

1. SWが取り組むべき課題

1）患者の治療状況に応じたタイムリーな介入・支援を行う

熱傷は，熱傷面積や熱傷深度によって予後評価が変わるため，その治療状況に応じてSWの支援内容や介入時期も変わる。入院直後は，緊急入院により経済面に対する不安の表出が考えられ，医療費の制度関係のサポートを行う必要がある。また，本人との意思疎通が困難であっても家族などから火災前の生活状況に関する情報収集を速やかに行い，必要な手続きをタイムリーに進められるようにかかわる。症状が改善傾向にある時期に入ると，患者自身も現状を受容するための時間が必要となり，SWは心理的サポートにも重要な役割を担っている。

2）多職種との連携を密に行い，その患者に特化した療養支援が必要である

熱傷は，重症度評価が高ければ集中治療の時間が長くなり，生命の危機および重度の障害が残る可能性がある。そのため，治療も複数の診療科にわたり，さまざまな医師がかかわる。治療方針を決定する場合にはさまざまな意見や情報が飛び交い，患者家族の病状理解や受容に弊害をきたす可能性が考えられる。SWは医学的側面の情報を家族と共に整理できるようなサポートが求められる。また，火災により社会的側面の支援だけでなく，心理的側面でも大きなダメージを受けることが予想され，複数の問題が重なることで患者自身が抑うつ状態に陥ることが考えられるため，精神科との連携が求められる。さらに熱傷は，治療期間が長期化すればするほど，廃用症候群による日常生活動作の低下が生じ，長期間のリハビリテーションが必要になることが予想される。SWはリハビリテーション医師やセラピストと回復の見立てを共有し，患者家族の意向を確認しながら，自宅以外の療養先（リハビリテーション目的の転院や施設入所）を検討しなければならない場合がある。

3）退院後も続く患者家族の不安に対してフォローする

退院後は元の住まいに退院できないことが多く，住み慣れない場所での療養となり，精神的落ち込みが長期化することが考えられる。患者家族共に安心した療養を継続するためにも，SWは地域相談窓口に対して入院中の情報提供やサポート体制構築に向けて調整する必要がある。地域との関係性構築には精神的苦痛の増強を防止する作用があるため，退院後も孤立しない支援体制を考えなければならない。

2. 支援上の留意点

1）長期的支援を視野に入れる

熱傷の程度によっては手術を何度も繰り返さなければならず，場合によっては手指や肢体の切断も考えられる。救急医療のなかでも長い経過をたどり，何度も生命の危機を乗り越えなければならない疾患である。また顔面に傷がある場合，容貌の著しい変化が考えられるため，患者だけではなく，家族の事態の受け止めへの支援を行う。そして医療費だけでなく，今後の生活費に関する経済不安や生活基盤の再構築に向けて長期的な支援計画を立てる。

2）受傷契機を確認し，必要時に関係機関と連携を図る

熱傷事例では，虐待や事件・自殺の可能性があるため，初療の時点でどのような経緯で熱傷を受けたのか各方面から情報を集め，熱傷契機を入院直後に確認する必要がある。本事例では調理中の出火による火災のため虐待は否定され，第三者行為による事件性も否定されたが，虐待や第三者・自殺行為によって生じた熱傷であれば，直ちに院内スタッフと協議し，警察や関係機関との連携が必要となる場合もある。

3）的確な心理社会的サポートを行う

熱傷性瘢痕などによる容貌変化は，患者や家族にとって心理的課題となる。コスメティックな問題に対する感受性には個人差があるが，熱傷患者が長期的に取り組む課題になり得ることを意識しなければならない。熱傷事例は，受傷の経緯により特有な生活上の課題を抱えることを理解し，また熱傷治療や療養経過の特異性について十分に理解したうえで，ソーシャルワークの基本でもある個々のケースにどのような生活上の支援ニーズが発生しているかを見落とさずにとらえていくことが重要である。

3. 活用すべき社会資源

- 高額療養費制度
- 傷病手当金
- 自立支援医療（精神通院医療）
- 災害対策基本法第90条の2（罹災証明書）
- 『熱傷診療ガイドライン改訂第3版』[1]

引用文献

1) 日本熱傷学会編：熱傷診療ガイドライン．改訂第3版，熱傷 47：S1-S108, 2021.
 https://www.jsbi-burn.org/members/guideline/pdf/guideline3.pdf

参考文献

日本小児科学会こどもの生活環境改善委員会：子ども虐待診療手引き．第3版, 2022.
 https://www.jpeds.or.jp/uploads/files/20220328_g_tebiki_3.pdf

厚生労働省：市町村・都道府県における高齢者虐待への対応と養護者支援について．2023.
 https://www.mhlw.go.jp/content/12300000/001148565.pdf

東京都福祉局：障害者虐待発見チェックリスト．
 https://www.fukushi.metro.tokyo.lg.jp/tokyoheart/gyakutai/gyakutai_04.html

東京都生活文化局：配偶者暴力被害者支援ハンドブック．2020.
 https://www.seikatubunka.metro.tokyo.lg.jp/danjo/dv/files/0000000646/dvhandbook2020.pdf

（阿部　靖子）

第5章 典型的な支援領域の事例

事例 5 自殺企図

I 事例概要

1. 医療機関のプロフィール

第三次救急医療機関で、県全域から重症患者を受け入れている。自損患者の救急搬送については、県全体の約半数を受け入れている。

精神科医師は常勤しているが精神科病床はなく、身体科への精神科リエゾンコンサルテーションが中心となっている。

SWは、医療連携・福祉支援部門に所属し、院内の各部門との多職種連携、在宅支援の調整、地域関係機関の窓口を担っている。

2. 患者基本情報（図5-5-1）

Eさん、女性、30代前半、無職。夫（30代後半、会社員）との2人暮らし。

3. 現病歴、既往症

うつ病の既往があり、かかりつけの精神科クリニックに通院していた。これまでにも複数回の自殺企図歴があり、頻回に救急医療機関に搬送されている。

搬送当日の15時半ごろ、Eさんから夫に「死にたい」とろれつの回らない状態で電話があり、心配した夫が帰宅すると、居室で左前腕から血を流した状態で倒れているEさんを発見し、救急要請をした。周囲には刃渡り30cmの包丁と空になった薬のPTP包装シートが散乱していた。

来院時には傾眠傾向であったが、呼吸および循環は落ち着いており、左前腕は縫合処置を行った。内服した薬物摂取量は不明も、救急隊が自宅から持参した空のPTP包装シートは向精神薬が最大100錠であった。胃管挿入し、活性炭とソルビトールが投与され、急性薬物中毒の診断で救急科入院での経過観察となった。

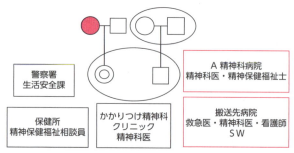

図5-5-1 ジェノグラム・エコマップ

4. 介入経過

入院当日、救急科医師よりSWに介入依頼の連絡がある。自殺企図を頻回に繰り返している患者で、今後は精神科病院への転院の可能性も考えられる。かかりつけの精神科クリニックや地域関係機関などに関する情報収集と、かかりつけ医や院内精神科との連携、今後の方向性について相談をしたいとのことであった。また、救急外来の看護師からは、夫が疲弊した様子で来院しているため、SWからも家族介入をしてほしいと連絡があった。

5. 支援開始時の状況

救急科医師から夫に身体的状態、SWの介入および精神科診察の説明が行われ、同意を得た。夫は救急科医師に、「この1年間で救急搬送は5回目。1週間前にも薬を多く飲んだ。自分にも仕事があり、両方の実家も遠方で常に見守ることはできない。今後、どうしたらよいかわからない」と語り、困惑、疲弊した様子であった。

救急科入院では今後、意識の覚醒を確認し、その他の合併症の問題がなければ身体的には退院可能であること、身体的に安定したところで救急科医師が院内精神科の診察につなげていくこと、その前にSWが夫およびEさんとの面接を行い、地域関係機関とは社会背景を確認することを共有した。

II 事例経過

1. 支援経過（支援期間：入院5日）

X月Y日

夫と面接し，困惑を受け止め，疲弊をねぎらい，SWの役割を説明する。これまでの経過，精神科受診歴，生活歴，家族歴，夫の思いや今後の意向，夫の直近1週間程度の都合を確認し，各関係機関と連携する同意を得た。Eさんの母親は10年前に自殺により他界し，同胞はいない。7年前に結婚し，5年前に夫の転勤で来県となる。Eさんは来県後に事務職に就いたが，3年前に人間関係を理由に辞職した。同時期に流産を経験し，そのころから不眠，不安，落ち込みが続き，かかりつけの精神科クリニックを初診した。半年ほど通院したが，妊娠の希望から通院を自己中断した。1年前から再び不眠や落ち込みが強まり，夫の勧めで再びかかりつけの精神科クリニックに通院する。夫は仕事が多忙で家を不在にすることが多く，受診に同行していないため，詳細は不明である。先月，Eさんから，「薬を多く飲んだ」との連絡が夫にあり，県外の出張先から救急要請し，警察介入で他院に救急搬送された。その際に警察から保健所に情報提供され，保健所から電話連絡があった。1週間前にも過量内服し，その際はかかりつけの精神科クリニックに相談し，自宅で様子をみた。夫は今回の搬送を機に，精神科病院への入院を考えたいと希望していた。

X月Y日 +1日

Eさんと面接し，体調や意思の疎通，表情に配慮しながら，今回の経過，自殺企図であったのかどうかを確認し，死にたいほどつらかった思いの傾聴と受け止めをした。その後，企図理由や生活歴，精神科受診歴，普段の生活における相談の有無，現在の自殺念慮，その他の不安などを確認した。Eさんは，「3年前から仕事や不妊に悩んでいた。体調を崩して仕事も家事もできず夫に迷惑ばかりかけている。夫が家事もしてくれて，申し訳なくて相談はできない。かかりつけの精神科クリニックは，診察代や薬代が気になり，調子がよいときは通院を控えていた。自分には生きる価値がない。死ぬことばかり考えていた」と涙を流しながら表出した。関係機関と情報共有をする旨の同意を得て，面接内容を救急科医師，看護師，精神科医師と共有した。

かかりつけの精神科クリニックに情報提供を依頼する。うつ病の診断で薬物調整中であったが，通院が不定期であり，繰り返す自殺企図についてEさんに精神科入院を勧めたが拒否が強かった。夫は多忙で来院できず，対応に難渋していたとの情報を得た。かかりつけ医としては，精神科病院への転院が望ましいとの意向があった。

保健所地域保健課の精神保健福祉相談員に経過を確認する。先月，警察署生活安全課から情報を受けて，Eさんと夫に電話連絡し，近日中に自宅訪問の予定であった。かかりつけの精神科クリニックと，A精神科病院への受診援助を検討していたとの情報を得た。

X月Y日 +2日

うつ病の再燃があり，再企図の危険性が高く，精神科病院への転院が必要であると精神科医師が判断したことを夫とEさんに説明する。SWは夫に，A精神科病院に転院調整を開始する確認と予想される医療保護入院に関する法的説明を行った。

X月Y日 +3日

Eさんに転院の受け止めを確認したところ，「精神科入院と言われショックだったが，仕方がないとも思う。精神科がどんなところか不安」と語った。SWは，A精神科病院の情報提供と，同院にもSW（退院後生活環境相談員）がおり，退院後の生活が安心して送れるように入院中から相談ができること，SW間でEさんの思いを共有し，引き続き支援が受けられるように調整することを説明した。

A精神科病院に，身体科と精神科の診療情報および心理社会的背景，Eさんと夫の受け止めを伝達しながら転院調整を依頼し，翌々日の転院が決定した。

A精神科病院の精神保健福祉士に，アセスメントと今後必要と思われる支援（薬物調整と心理教育，夫以外の支援体制の構築，不妊や復職などの相談支援，経済的不安軽減などの社会資源の活用，家族支援，かかりつけの精神科クリニックや保健所との連携など）を引き継いだ。かかりつけの精神科クリニックおよび保健所に，A精神科病院への転院決定と，A精神科病院の精神保健福祉士を窓口とした今後の連携を依頼した。

X月Y日 +4日

A精神科病院に転院となる。

2. 終結理由

X月Y日+9日，前腕創部の抜糸のために夫と救急科外来を再診し，身体的治療は終診となった。その後，SWと面接を行う。Eさんは，「だいぶ眠れるようになった。病棟では音楽を聴いたり，病気の勉強をしている。まだ死にたい気持ちは少しあるが，主治医から焦らずにゆっくり過ごすように言われている。A精神科病院の精神保健福祉士に，これまでの生活や思いを話し，これから一緒に相談していきましょうと言ってくれたので安心し

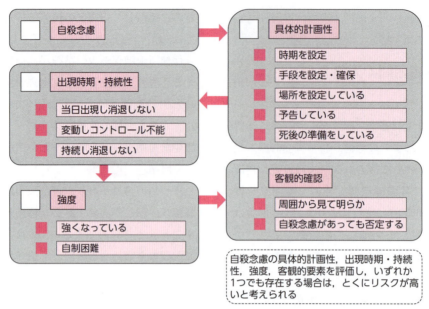

図 5-5-2　自殺念慮のリスク評価
〔文献 1) より引用〕

た」と語った。夫は,「表情が穏やかになった。うつ病の回復にどのくらい時間がかかるのか,帰宅後の生活などを主治医などと相談していきたい。来週,家族教室に参加する」と語った。面接の様子からEさんと夫ともに,A精神科病院での治療の受け入れと,主治医やA精神科病院の精神保健福祉士への相談行動があり,関係の構築ができていることを確認した。診察結果をA精神科病院の精神保健福祉士に伝達し,今後の地域との連携の継続を依頼し,支援終結とした。

III　事例の解説

1．SW が取り組むべき課題

1）初期介入により地域につなげる

自殺企図者の搬送は,救急医療での身体的入院は短期間であることが多い一方,精神的治療継続の必要性や社会的課題が残存し,そのまま帰宅すれば再び生活が破綻する可能性が高いため,自宅への退院が困難となることが多い。この相反する状況のなかで,SW は葛藤,苦慮する。大前提として,救急医療の現場で自殺未遂者支援を完結することは不可能である。そのため,もっとも重要なソーシャルワークの課題は,救急医療の場を初期介入の機会として,患者とその心理社会背景をきちんとアセスメントし,確実に地域につなげることである。

2）信頼関係の構築と丁寧なかかわり

救急医療の場における SW の重要な役割は,自殺未遂者と信頼関係を構築することである。ここで求められる援助は,課題提起でも問題解決の助言でもなく,本人の抱えてきた苦しさやつらさにきちんと寄り添い,受け止める過程である。この過程を決して軽視せずに,その後の具体的な援助を行い,地域に引き継いでいくことになる。その大切な支援介入の入口に私たちは立っている。このかかわりにおいて自殺未遂者には,「死ぬことでしかこの苦しい状況から抜け出すことができない」といった柔軟性のない考え方や,「もうどうすることもできない」という諦め,「死にたい気持ち」と「生きたい気持ち」が揺れ動く両価性などの心理状態にあることを理解しながら丁寧にかかわることが大切である。

3）自殺念慮の確認と危険因子に基づく適切なアセスメント

自殺企図と自殺念慮をきちんと確認することは,その後の対応の起点となり,自殺未遂者支援においてもっとも大切なことである。経験の浅い SW の場合,自殺念慮について尋ねることに不安を感じるかもしれない。しかし,本人に自殺念慮を聞くことで,むしろ本人は一人で抱えてきた苦しさを共有できたという安心感を抱くことが多い。自殺念慮の確認は,あるかないかだけではなく,今後の具体的な計画性,出現時期や持続性,強度の変化,客観的な確認によってリスク（図 5-5-2)[1]を評価していく。本人が自殺念慮を否定している場合でも,自殺の危険因子（表 5-5-1)[1]に基づいて根拠をもってアセスメントすることで,再び自殺を繰り返さないための危険因子を考慮した適切な支援を検討することができる。

表5-5-1　危険因子の確認

- 過去の自殺企図・自傷行為歴
- 喪失体験（身近な者との死別体験など）
- 苦痛な体験（いじめ，家庭問題など）
- 職業問題・経済問題・生活問題（失業，リストラ，多重債務，生活苦，生活への困難感，不安定な日常生活）
- 精神疾患・身体疾患の罹患およびそれらに対する悩み（うつ病，身体疾患での病苦など）
- ソーシャルサポートの欠如（支援者の不在，喪失など）
- 企図手段への容易なアクセス（「農薬，硫化水素などを保持している」，「薬をため込んでいる」など）
- 自殺につながりやすい心理状態（絶望感，衝動性，自殺念慮・希死念慮，孤立感，易怒性，悲嘆，不安など）
- 家族歴
- その他（診療や本人・家族・周囲から得られる危険性）

〔文献1）より引用〕

2. 支援上の留意点

1）地域の支援につなぐ・SW自身がつながる

　各地域で活用できる社会資源を日ごろから備えておく。その際は関係機関の一覧だけでなく，SW自身が地域の各担当者とのつながりを増やし，各圏域の強みや地域課題などの理解を深め，目の前の自殺未遂者を確実に地域につなぐソーシャルワークを実践してほしい。時にソーシャルワークに難渋する場合には，多くの自殺未遂者支援を実践しているほかの救急医療機関のSWに知識や助言を得る。SW自身が支え合いながら互いの援助技術を高め合っていく取り組みやSW自身が孤立・疲弊しないセルフケアは，日々搬送される自殺未遂者支援を継続していくうえで非常に重要となる。

2）精神保健福祉法に基づくソーシャルワーク

　精神科医療につなぐにあたり，精神保健福祉法の理解が不可欠である。とくに救急医療の現場では，精神科入院が必要と判断されても，病状などにより本人の同意が得られずに，「医療保護入院」が想定される場面が多い。その際，本人に代わって同意者となる「家族等」の対象範囲の法律的理解と所在確認，意向確認が必須となる。これらの確認が事前になされていることが，精神科医療（精神科病院，精神科救急情報センター，行政など）へのソーシャルワークを円滑に進めるために重要である。その他，精神科入院形態や緊急時の警察や行政と連携した処遇についても，知識や理解を深めたい（第3章第4節を参照のこと）。

3. 活用すべき社会資源

- 夜間休日精神科救急医療機関案内窓口
- 全国の精神保健福祉センター，保健所，保健センター
- 生活困窮者自立支援制度に基づく自立相談支援機関窓口
- 日本司法支援センター（法テラス）
- こころの健康相談統一ダイヤル
- よりそいホットライン（一般社団法人社会的包摂サポートセンター）
- いのちの電話（一般社団法人日本いのちの電話連盟）
- 全国自死遺族総合支援センター

引用文献

1) 日本臨床救急医学会：自殺未遂患者への対応；救急外来（ER）・救急科・救命救急センターのスタッフのための手引き．2009．
https://www.mhlw.go.jp/file/06-Seisakujouhou-12200000-Shakaiengokyokushougaihokenfukushibu/07_2.pdf

参考文献

精神保健及び精神障害者福祉に関する法律．
内閣府：ゲートキーパー養成研修用テキスト．2013．
https://www.mhlw.go.jp/stf/seisakunitsuite/bunya/hukushi_kaigo/seikatsuhogo/jisatsu/gatekeeper_text.html
日本臨床救急医学会総監修，日本臨床救急医学会「自殺企図者のケアに関する検討委員会」監，PEECガイドブック改訂第2版編集委員会編：救急現場における精神科的問題の初期対応PEECガイドブック；多職種で切れ目のない標準的ケアを目指して．改訂第2版，へるす出版，東京，2018．
日本自殺予防学会監，日本医療研究開発機構障害者対策総合研究開発事業（精神障害分野）「精神疾患に起因した自殺の予防法に関する研究」研究班編：救急医療から地域へとつなげる自殺未遂者支援のエッセンス；HOPEガイドブック．へるす出版，東京，2018．
自殺対策基本法．
自殺総合対策大綱：誰も自殺に追い込まれることのない社会の実現を目指して．2022．
https://www.mhlw.go.jp/content/001000844.pdf

（佐々木由里香）

第5章 典型的な支援領域の事例

事例 6

ホームレス状態

I 事例概要

1. 医療機関のプロフィール

地域の中核病院を担う第三次救急指定医療機関である。標榜科目は35診療科となっている。

SWは13名所属している。SWは救急外来（ER）をはじめ，各病棟・診療科に配置している。SW 13名のうち，5名がESWの資格を有している。

2. 患者基本情報（図5-6-1）

Fさん，男性，60代後半。他県にきょうだいがいるが，関係が悪く連絡を取ることはできない。仕事を求めて現在地へ来訪した。警備会社に就職したが，会社側から突然解雇を言い渡された。同時に，会社の寮から即時退去を求められ，現在は駅の喫煙所を中心に生活の場としている。厚生年金を受給しており，生活保護の対象となる収入状況ではない。ER搬送時，Fさんの身体，衣類ともに衛生的な状態ではなかった。

3. 現病歴，既往症

市街地を移動中，歩行時にふらついて倒れるところを地域住民が目撃し，警察に通報した。警察官が駆けつけたところ，Fさんは意識がもうろうとしており，呼吸の苦しさを確認し，救急要請をした。当院ERへの救急搬送となった。既往症は慢性心不全，肺気腫，高血圧，糖尿病などである。

4. 介入経緯

搬送後，Fさんの状態は医学的に入院管理が望ましい状態である一方で，身元不明，住所不定，経済状況不明，家族・協力者不明，身なりも不衛生という状態であるため，ERよりESWに対して社会的ハイリスク状況に対する社会福祉支援の要請がなされた。

ESWは，医師，看護師およびESW自身の状態確認により，ホームレス状態である可能性が高いと評価した。同時に，健康状態が悪く，いま現在ソーシャルサポートを受けることができていないであろう状況を社会的に危機的状況と評価し，危機的状況の回避の初期対応を目的として介入を開始した。

5. 支援開始時の状況

救急搬送された当初，Fさんは ER初療室で意識がもうろうとしている状態であったが，しばらくしてコミュ

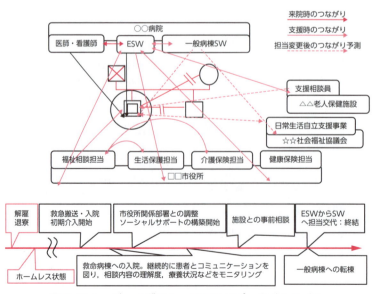

図5-6-1　ジェノグラム・エコマップ・タイムライン

ニケーションが可能な状態となった。脳性ナトリウム利尿ペプチド高値であったが、胸水貯留はそれほどでもなく、肺気腫が伴って酸素化が悪い状態であった。

搬送元も路上であり、身元不明の状態である。日常生活動作は支えがあれば立位が可能な状態ではあるがふらつきが強く、ひとりでの歩行は不安定であり、介助が必要な状態であった。

身なりが著しく汚れており、失禁した衣類をそのまま着用しているため、衛生面を保っているとはいえない状態であった。

Fさんの話によると、現在地に親族はおらず、友人や頼れる知人もいない。遠方に母親やきょうだいはいるが、過去の家族内でのトラブルにより絶縁状態となっており、連絡を取ることもできない。現在地に来てからは就職先を転々とし、最後に勤めていた会社からは突然解雇されて寮を追い出された。その後は頼る人も場所もなくホームレス状態となり、駅の喫煙所で暮らすようになったとのことであった。社会的に孤立している状態であることがわかった。

II 事例経過

1. 支援経過

X月Y日（ER搬送＋初回面接）

ER初療室にて、Fさんと面接を行う。「歩いていたら呼吸苦が強くなった。気がついたら救急車に乗せられていた」と語られた。この先についてFさんより、「治療してほしい、どこか落ち着ける場所があればお願いしたい」と申し出があった。

Fさんの所持品を確認したところ、有効期限の切れた国民健康保険証と免許証、通帳、印鑑が入った財布、現金数千円を所持していた。運転免許証から身元を確認することができた。その後、Fさんと実家へ連絡したが、弟からは、連絡されても困ると言われ電話を切られた。

市役所へ相談のため、市役所国民健康保険窓口に確認する。健康保険の資格はあることが判明した。医事課と協力し、限度額適用認定証の申請手続きを進めることにした。

倒れていた住所地の生活保護窓口へ確認したところ、現状の年金収入であれば生活保護は適用外であることがわかる。

同市役所福祉相談窓口（以下、市担当者）へ連絡する。ホームレス状態であること、身体の回復状況によっては療養の場、または就労を含めた生活支援への協力が必要であること、万が一死亡した場合は身寄りがない状態であるため、市役所による引き取り、親族への連絡といった対応が必要であることを話し合う。

X月Y日 +2〜4日（救命病棟入院中）

Fさん、市担当者、ESWで話し合いを行う。Fさんは今後もケアの継続が必要な状態となる可能性が高く、介護保険申請ならびに介護保険施設などの利用も検討が必要であることを協議する。

老人保健施設へ相談する。ホームレスであっても、本人の同意があれば受け入れの検討は可能であった。本人に意思確認ができるため、必要に応じて市担当者の協力を仰ぎ、公に金銭管理が可能であれば保証人は必要ないことを話し合う。Fさんは、「施設に入れるのであればありがたいので、手続きをしてほしい」と話された。

X月Y日 +5〜7日

市担当者と電話で話し合う。施設でのリハビリテーションの経過をみて、先々の相談を行っていく方針を確認する。市担当者が介護保険サービス費の減額について介護保険課へ確認し、介護保険のサービス費減額について区分は第2段階であることがわかる。

金銭管理については社会福祉協議会に今後相談する必要があることをFさんに説明する。

Fさんの社会的な危機に対する支援方針が定まったところで、ESWの介入を終了とした。同時に、転棟が決定したため、ESWから一般病棟担当SWへ支援の引き継ぎを行った。

2. 終結理由

本事例は、ホームレス状態にあるFさんが、医療が必要な状況にもかかわらず、社会的に孤立していたため、ハイリスク状態が継続していた。SWは本人とのかかわりのなかで意思確認、身元確認を行い、同時に受療ならびに療養のための制度的な課題解消の糸口作りに取り組んだ。本人のアセスメントを一般病棟担当のSWに引き継ぎ、地域の支援者とのつながり（ソーシャルサポート）を新たに構築すること、それをFさん本人も希望していること、以降のモニタリングを引き継ぎ、SWの支援は終結とした。

III 事例の解説

1. SWが取り組むべき課題

本事例はホームレス状態であり、身元のわからない状態で救急搬送されている。そのため、以下に示すような

予測される問題点を常に念頭に置く必要がある。
- 傷病により意思疎通がとれない場合（身元不明，コミュニケーション困難）
- 収入がない場合
- 介護保険適用とならない日常生活動作の場合の住居など
- 患者が死亡した場合の行政との連携方法

2. 支援上の留意点

1）医療を受ける権利を保障する

救急外来やICUなどの救急病棟での入院という状況下では，きわめて短期的な介入となる。そのため，患者家族が抱える課題を解消するというよりは，安心して治療を受けられることを保障し，身体・心理・社会的苦痛を少しずつ緩和しながらかかわることが求められる。優先度の高いものから，時には複数の事柄に対して同時進行で介入していくことが求められる。

2）本人への説明と同意のプロセスを踏む

「ホームレス状態」であると，情報がつかめず，関係者からの情報が少ないことで病院関係者は焦るかもしれない。救急搬送をきっかけに，患者自身が身体の不調や生活，人生と向きあう最初のタイミングに介入することをSWは留意する。患者への説明と同意のプロセスを踏み，所持品の確認や関係者への連絡，身元の確認などを進め，今後の制度利用などに活かす。

3）本人の危機の状態を評価する

救急搬送は，患者自身が誰かに相談したくても社会的に孤立していたり，相談する機会がなかったことで放置されてきた生活上の混乱や課題を発見する好機である。SWは顕在化したニーズを評価するとともに，本人の危機的状況，危機回避能力，環境，ストレスなどを的確に評価し，本人のペースに合わせた支援介入の可能性を検討し，回復をイメージする必要がある。

3. 活用すべき社会資源

- 生活保護法
- 行旅病人及行旅死亡人取扱法
- ホームレスの自立の支援等に関する特別措置法
- 日常生活自立支援事業
- 無料低額宿泊所
- 生活困窮者自立支援制度

本事例は，所得が地域における生活保護の基準に合致するかどうかの確認が必要であり，市役所生活保護担当者との協議が必須である。「生活保護法」による扶助を受けるためには，法に定められる要保護者であるかの判断が求められる。搬送された同日に直ちに生活保護担当者との連絡・相談が必須となる。

意思疎通が可能な場合，身元が明らかな場合は，「生活保護法」での要保護者に該当するか否かの相談が必要となる。意思疎通困難であり，住所不定などであれば，「行旅病人及行旅死亡人取扱法」に関連した相談が必要となる場合がある。まずはどの制度に該当するか，市町村との相談が必須である。

介護施設に入所を必要とする場合は，「介護保険法」を活用し，介護申請を最寄りの市町村，または地域包括支援センターにて行う必要がある。施設利用には金銭管理などの相談事項が発生するため，社会福祉協議会による「日常生活自立支援事業」の利用を検討する必要がある。

身元保証に関する課題は明確な解決方法があるわけではない。多くの施設は，生活保護で扶助を受ける要保護者であれば生活保護担当者，意思決定の難しい状態の患者であれば「成年後見制度」の活用のため社会福祉協議会などの成年後見センター，地域包括支援センター，市町村高齢者担当部署などへの相談が必要となる。そうでなければ，「ホームレスの自立の支援等に関する特別措置法」を根拠とするホームレス支援を担当する，福祉相談担当部署と施設担当者の協議が必要になることが考えられる。

患者の日常生活動作が自立状態である場合は，介護保険制度の利用対象に該当しないため，施設入所ではなく，「無料低額宿泊所」などへの入居手続きが必要となる。その場合は，生活保護窓口の担当者などに相談が必要となる。就労や当面の生活資金などを含めた相談を行っていく場合には，社会福祉協議会などとも連携し，「生活困窮者自立支援事業」を活用していく必要がある。

もしも患者が死亡し，埋葬に携わる身内がいないときは，「墓地，埋葬等に関する法律」により市町村長がこれを行うこととなるため，窓口となる市町村福祉相談窓口との協議が事前に必要となる。

参考文献

平成30年度厚生労働行政推進調査事業費補助金（地域医療基盤開発推進研究事業）「医療現場における成年後見制度への理解及び病院が身元保証人に求める役割等の実態把握に関する研究」班，山縣然太朗研究代表者：身寄りがない人の入院及び医療に係る意思決定が困難な人への支援に関するガイドライン．2019．

愛知県医療ソーシャルワーカー協会：医療ソーシャルワーカーのための保証人不在者対応マニュアル．2021．

（浅野正友輝）

第5章 典型的な支援領域の事例

事例 7 交通外傷

I 事例概要

1. 医療機関のプロフィール

特定機能病院の救命救急センターでの事例である。SWは専任で配置され、回診やカンファレンスにルーティンで参加している。

2. 患者基本情報（図5-7-1）

Gさん、男性、40代後半、未婚。母親（70代後半）と同居している。父親は3年前に死去しており、きょうだいはいない。Gさんは大学卒業後、一般企業に営業職として就職した。2年目に仕事のストレスからうつ病を発症し、半年ほど休職した後に退職した。その後は定職に就くことができず、体調に合わせアルバイトをする程度である。また、他者とのコミュニケーションを取ることが苦手なため、あまり周囲と積極的に話ができない状態であった。

世帯の収入は、父親の遺族年金と母親の老齢年金、Gさんのアルバイトの収入である。Gさんの年金加入状況は、大学時代の学生納付特例制度の利用および、正職員として勤めた期間の厚生年金加入のみである。母親は軽度認知症の診断を受けており、自宅での日常生活は可能であるが、役所や病院などの手続きは困難で、Gさんのサポートを受けての生活である。介護保険サービスは利用していない。

3. 現病歴、既往症

自宅で多量の飲酒後、酒を買いに行く途中で横断歩道を信号無視で横断している最中に走行してきた車に跳ね飛ばされ受傷した。事故車両の運転手が救急要請、多発外傷および意識障害が認められたため救命救急センターに搬送となった。

現病歴は頭部裂傷、外傷性くも膜下出血、右肋骨骨折、右骨盤骨折、右橈尺骨遠位端骨折である。

既往症にうつ病、その他、日常的にアルコールを多飲している。

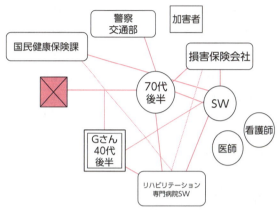

図5-7-1 ジェノグラム・エコマップ

4. 介入経緯

病院に搬送後、救急隊から連絡を受けた母親が病院に来院した。到着後、医師から病状について説明が行われたが、母親はショックと混乱のため、説明と質問の繰り返しになっていた。

本人の意識障害および家族の動揺状態から、SWによる家族支援が必要と判断され、医師からの連絡で、同日に介入を開始した。医師からSWへの依頼内容は、母親以外の親族の有無など家族状況の確認、認知症が疑われる母親への社会的サポート状況の把握、交通事故時における社会福祉制度や各種制度の説明と手続き支援であった。

5. 支援開始時の状況

母親は、医師からの病状説明をきちんと聞いている様子はみられるが、時間が経つとすでに説明のあった内容について繰り返し尋ねる場面が見受けられた。SWは、医師から聞いた病状についてのメモを取るように声かけし、母親から質問が出た際は、書き留めたメモを一緒に見ながら理解できているかを確認するなどのサポートを行った。

家族背景についても聞き取りを行った。父親は他界し、親戚やきょうだいもおらず、母子2人で生活していたこと、Gさんはうつ病で家にいることが多いが、困っ

たときは助けてくれる，母親にとって頼れる存在だったこと，地域の福祉機関が時折訪ねて来るが，短時間話をするだけだったこと，などが語られた。

この事故によって母親は強い不安を訴え，とくに，今後の療養と入院にかかる費用について心配していることが確認できた。入院費については，交通事故の損害保険からの補償制度，医療保険制度などが利用できる可能性があることを簡単に説明した。今後，手続きや相手の損害保険会社とのやり取りについて，SWがサポートして一緒に進めていくことが可能な旨を伝え，援助関係の形成を図った。事故相手の車両は，自賠責，任意保険に加入しており，損害保険会社の担当者が事故補償の交渉の窓口となる連絡が入っていることを確認した。

Ⅱ 事例経過

1. 支援経過

X月Y日（初回面接）

面会に来ていた母親と面接を行う。今後の入院費について非常に心配していた。事故の補償については，相手の損害保険会社に連絡を取るように促す。車対人の事故であるが，Gさんの過失の判断によって，損害保険から支払われる補償内容が変わる可能性があること，また状態が安定した際は，リハビリテーション病棟をもつ医療機関に転院する必要があることを説明した。混乱がみられたため，SWと経過を共有し，一緒に進めていくことを提案した。

X月Y日 +4日（2回目面接）

母親と面接を行う。「相手の損害保険会社からよくわからないことを言われ困っている」との発言があった。同意を得て，損害保険会社の担当者に連絡をした。損害保険会社の担当者は，「医療費について補償は可能と考えているが，事故補償全体としては，過失割合のこともあるので，まずは手続きに必要な書類を自宅に郵送した」とのことであった。損害保険会社と話した内容について説明し，書類については届き次第SWと共に確認することを母親に提案した。

X月Y日 +8日（本人と面接）

ICUから整形外科病棟に転棟した。意識障害も落ち着き，Gさんと面接を行う。自宅での生活状況などを聴取する。金銭面においては余裕がないので，補償をしてもらえるようにしてほしい，また母親一人では手続きが難しいので，SWに支援してほしいと要望があった。

X月Y日 +11日（3回目面接）

橈尺骨遠位端骨折の術前インフォームドコンセントに同席し，その後にGさんと母親と面接を行う。「損害保険会社から，健康保険証を利用するように勧められている。事故の相手が悪いのにどうしてか，損害保険会社がすべて責任をもつべき」と発言あり。事故の過失割合について，事故調査が終了し，事故処理機関の判断が出るまで，確定的なことは言えないこと，SWは事故の補償内容，過失割合などについては判断ができる立場にないことを伝えたうえで，健康保険の「第三者行為による傷病届」に基づく保険医療の利用の意義について説明を行った。

X月Y日 +14日

病状が安定し，医師より転院調整依頼があった。損害保険会社に連絡を入れると，第三者行為による傷病届について，家族よりまだ連絡がないとのことであった。母親に連絡すると，「手続きをどうしたらよいか悩んでいる」とのことであった。そのため，面接を提案する。

X月Y日 +18日（4回目面接）

交通事故状況の証明書など第三者行為による傷病届を提出するための書類作りが困難な様子であった。SWが協力し，書類の作成を行った。回復期リハビリテーション病棟をもつ病院への転院についても説明し，自宅近隣のB病院へ打診を進めることとなった。

X月Y日 +20日

B病院に打診を開始する。第三者行為による傷病届を行い，健康保険と損害保険会社からの給付を併用しての医療費の支払いになること，母親へのサポートの必要性について伝達した。

X月Y日 +25日

B病院より受け入れ可能の連絡と，保険関係についての進捗を確認する。損害保険会社に問い合わせ，第三者行為による健康保険証の利用は可能となったが，支払い関係の同意書が母親から返送されていないと回答があった。母親に連絡をしたが，「書類が多くわからないので，会って話をしたい」と面接の希望があった。

X月Y日 +26日（5回目面接）

面接にて，B病院の受け入れ許可が出たことを伝え，事前に家族面接が必要なため本日中に電話するようにと連絡先を書いたメモを渡した。また，母親が持参した書類を確認し，同意書の説明を行いながら署名を見守る。

X月Y日 +30日（母親とB病院の面接日）

面接前にB病院のSWへ連絡し，損害保険関係の進捗について情報共有する。その後，母親との面接は問題なく終了したとB病院より報告があった。

X月Y日 +34日

B病院より転院日の連絡とともに，損害保険会社から連絡を入れてほしいとの依頼があった。損害保険会社と情報を共有し，医療費補償関係の手続きもすべて終了していると確認した。その後，母親に連絡したところ，医療費について心配していたので，問題ないことを改めて伝えると，安心した様子であった。

X月Y日 +40日

入院中にGさんは車椅子自立，リハビリテーションで歩行器歩行が可能な状態までに改善した。母親の付き添いのもと，介護タクシーにてB病院に転院した。

2．終結理由

入院当初より，本人の意識障害，母親の認知機能の問題があり，母親への危機介入，損害保険会社との補償手続き，健康保険の第三者行為による傷病届などについての支援を実施した。この一連の手続きについては，母親との協働で実施することができた。今後も，過失割合についての判断，後遺症認定など事故についての手続き処理は引き続き生じるが，これらについてはB病院のSWに引き継ぎを行った。

III 事例の解説

1．SWが取り組むべき課題

1）危機介入および家族サポートの必要性

Gさんの母親は認知症を患っていることから，事故についての精神的なショックや事故処理のための手続きなどで混乱が増強されることが想定できた。そのため，必要に応じて心理的，具体的サポートが行えるように環境を整える必要があった。本事例のように，母親とのブリーフ・コンタクト（ちょとした連絡や接触）で対処能力や進捗をこまめに確認し，社会的コンパニオンの支援を提供することも重要と考えた。また，母親と本人での生活がかろうじて成り立っていた状況を踏まえ，病院でのSWの支援だけでなく，地域包括支援センターや社会福祉協議会など地域機関に協力を仰ぐことも検討する必要があった。

2）事故補償および損害保険会社との接触と交渉

患者は歩行者としての交通事故の被害者ではあるが，酔って信号無視をして事故に遭ったことなどから，本人に一定の過失割合が存在することが推定される。一定の過失割合が認定された場合，相手損害保険会社からの補償は応分に相殺（減額）されることになる。事故の処理や補償内容の提示には一定の時間を要するため，事故直後から一定期間は，確かな結論をもって対処することができない状態が続くことになる。これらの補償交渉は，本人や家族にとって大きなストレスとなる。

3）健康保険の活用および第三者行為による傷病届

前述のように，一定の過失割合が生じ，患者に責任負担の可能性がある場合は，自費診療ではなく，「第三者行為による傷病届」をすることで，健康保険を使った診療を行うように手続きすることができる。しかし，本人の飲酒後や信号無視などの不作為による事故やけがでは，健康保険法第117条により保険給付の全部または一部を制限されることがある。

4）交渉の当事者性の問題

頭部外傷や全身状態から意識障害が遷延した場合や高次脳機能障害が残った場合，事故の交渉の当事者としての能力に欠ける場合がある。また，本事例のように家族についても認知症などの状態にあり，補償交渉に問題がある場合には，弁護士の活用などの検討が必要である。

2．支援上の留意点

1）危機介入および家族サポート

事故直後，病院に駆けつけた家族は混乱状態にあり，普段に比して適切な対処行動ができなくなっている可能性は高い。また本事例のように，認知症やうつ病などの病理を抱える人々にとって耐え難いストレスになっている可能性がある。混乱や抑うつ，悲嘆，怒りなどの感情にも注意を払いながら，戸惑いや混乱の状態はある意味，当然の状態であるなどの心理教育的サポートを行うことも重要である。さらに，事故処理や保険関係のやり取りなど，行わなければならない手続きについても，普段は問題なく処理できる人でも，十分に対処できない状態に陥ってしまうことも予測しておく必要がある。こうした危機状況において支援者は，半歩前に位置取りをして，「一緒に進めていく人」としての指示的，伴走的な支援も重要になる。初期対応が終結し，事態が落ちついた段階で，当事者自身でできることを増やしていく。支援者は当事者の対処能力を見極めながら，サポートする内容を徐々に減らし，最終的にはサポートのない状態で当事者が対処できるようにする。役所や損害保険会社とのやり取りや手続きなど具体的な作業を一緒に進めていき，「一緒にいてくれている」という安心感を伝えるサポートは社会的コンパニオン・サービスといわれ，危機状況においては有効な支援である。とくに交通事故事例においては，通常のけがの療養の経過に加えて，複雑な利害関係者，加害者，警察，損害保険会社，健康保険な

第5章 典型的な支援領域の事例

どとの交渉や手続きが長期間において行われる。身体的な危機に加えて，社会的な交渉がクライエントに負荷されていることを理解しておきたい。

2) 交通事故の補償手続きへの取り組み

今回の事故は信号無視が指摘されていることから，本人の事故に対する過失割合による責任の存在が予想される。しかしSWは，事故の過失割合などについて，安易な判断をすることは避けるべきである。事故の処理が終わり，事故の過失割合の確定や後遺障害の等級認定などについての一次的な結論が出るまでには，一定の時間がかかる。重症例の場合，急性期の医療機関に入院しているうちにこれらの結論が出ることは少ないことを想定しておくべきである。事故の補償は，「故意又は過失によって他人の権利又は法律上保護される利益を侵害した者は，これによって生じた損害を賠償する責任を負う」（民法第709条）規定に沿って行われる。損害賠償の内訳は，治療費，物的損害，後遺症障害，休業損害，慰謝料など多岐にわたる。被害者は，示談の成立あるいは裁判の終了までの道のりを治療や療養の進行と並行して行うストレスにさらされる。また，先ほどの民法の規定により，加害者に賠償請求できるのは被害者だけであり，医療機関が直接加害者に費用の請求をすることはできない。そのため，本人や家族の手続きの進捗が，医療費の支払いにも大きな影響をもつことになる。こういったことから，急性期のSWだけでケースを抱えるのではなく，次の医療機関のSW，状況によっては，法テラスや弁護士などの司法関係者，交通事故被害者ネットワークなどの交通事故被害者団体などと連携することも必要となってくる。交通事故補償手続きの流れの全体像を踏まえ，支援のリレーを組む必要がある。

3) 健康保険の活用および第三者行為による傷病届

健康保険の第三者行為による傷病届は，医療行為が必要な状態が起きた理由に，「第三者」つまり加害責任を有する者が存在することを健康保険側に告げたうえで，いったん健康保険を使った医療を提供することで被保険者（患者・被害者）の負担を軽減し，加害責任が明確になった段階で，保険者が負担した分について，保険者側が当事者に代わって加害者に請求する権利をもつ手続きをいう。民法の規定により，加害者に対して損害賠償を請求できるのは被害者のみであり，この権利の一部について健康保険を利用する代わりに，保険者に請求する権利を渡す手続きである。被害意識が強い場合，この手続きに抵抗を感じる例がある。第三者行為による傷病届にすることは，加害者側や損害保険会社を有利にする手続きではなく，健康保険に，いったん支払い者になってもらい，応分の負担割合が明確になった時点で加害者に対して「求償」を行うことができるようにする手続きであることの理解を促す必要がある。生活保護の医療給付についても同様の手続きを取ることができる。

3. 活用すべき社会資源

- 各種健康保険の第三者行為による傷病の届出制度
- 自動車損害賠償保障法
- 民法
- 法テラス
- 交通事故被害者家族ネットワーク
- 社会福祉協議会

参考文献

日本医療社会福祉協会編：交通事故被害者の生活支援；医療ソーシャルワーカーのための基礎知識．改訂版，晃洋書房，京都，2017．

（駒山　裕耕）

第5章 典型的な支援領域の事例

事例 8 外国人

I 事例概要

1. 医療機関のプロフィール

34診療科，救命救急センターを有する特定機能病院である。SWは医療福祉相談部門として，メディカルサポートセンターに所属している。救命救急センターにはESWを配置している。

2. 患者基本情報（図5-8-1）

Hさん，男性，50代後半，東南アジアA国出身。20年前に短期滞在の在留資格で入国し，在留期間の更新を受けずに日本に残留している。住所不定であり，医療保険の加入はない。A国にて婚姻歴があるが離婚しており，実子5人はA国に在住している。入院直前は知人の紹介で日雇い就労（建築現場）をしながら生計を立てていた。就労先の寮で生活をしていた期間もあった。直近1年半は交際相手（40代前半，女性）宅で同居していた。交際相手はHさんと同じA国出身である。過去に日本人男性との婚姻歴や挙児があったため定住者の在留資格があり，日本で清掃の仕事をしている。

3. 現病歴，既往症

糖尿病ケトアシドーシス，未治療の糖尿病である。

数年前から喉の渇き，全身の倦怠感を自覚していたが，医療保険に加入していないため受診することができなかった。X月Y日に激しい頭痛，嘔吐があり，意識がもうろうとしているところを通行人が発見し救急搬送となった。

4. 介入経緯

救命救急センター医師より，「片言の日本語で治療を拒否している，英語も通じない様子。お金が払えないというようなことを言っている」とSWに連絡あり。病状としては，未治療の糖尿病で意識障害もあるため，2週間程度の入院加療が必要である。今後インスリン注射が必要になる可能性が高いとのことであった。

5. 支援開始時の状況

外国人の救急搬送患者は，言語，保険，家族状況，在留資格などの課題がある場合があり，SWに早期の連絡・介入依頼が入る体制が整えられていた。SWは依頼の連絡が入った時点で初期アセスメントを行い，即時の

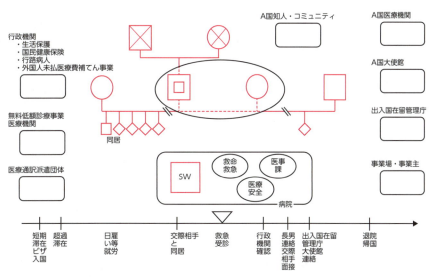

図5-8-1 ジェノグラム・エコマップ・タイムライン

対応が必要と判断した。アセスメント項目として，①コミュニケーション（母国語の確認，どの程度の日本語であれば理解できるのか），②在留資格・種類，滞在期間・滞在目的，③在留カード（外国人登録証明書）の有無，④家族，同居者，友人・知人の状況，⑤医療保険加入の有無，⑥就労状況，⑦経済状況，支払い能力，生活保護申請の可能性，⑧治療計画，⑨予後予測と継続医療，⑩関係機関・他機関との連携，ネットワーク，を念頭に置いていた。

II 事例経過

1. 支援経過（支援期間：入院16日）

X月Y日（入院日）

医師から連絡を受け救急外来へ向かった。

Hさんとの面接を実施する。片言の日本語で，お金が払えないから早く帰してほしいとの訴えがあった。医療通訳派遣団体へ依頼するも希少言語のため当日派遣はできず，オンラインの通訳機器を用い，医療通訳の役割，費用は病院が負担することを説明したところ，通訳を希望した。短時間のやり取りではあったが，無保険，不法残留であることを開示してくれた。医師と共に，現状での退院は命の危険があり許可できないこと，後日通訳者を交えて治療継続できる環境を共に検討していきたいことを伝え，入院継続に同意した。

SWから，個人情報を伏せ，行旅病人及行旅死亡人取扱法の適用について，救急搬送現場の住所地の自治体に相談をしたが，これまでの生活状況から該当しないと判断された。

救命救急センター医師，病棟師長，事務職員と経過を共有した。

X月Y日 +1日

医療通訳を交えて，救命救急センター医師から病状説明を実施，Hさんと面接する。「20年前に短期滞在の在留資格で入国したが，在留期間の更新を受けずに日本にいる。強制送還されると思い，これまで偽名を使い日雇いの仕事をしてきた。家族はいない。帰国の意思はない」と語られた。

無料低額診療事業を行っている医療機関への転院を検討し，相談したが，病状が急性期のため受け入れが難しいとの回答であった。

X月Y日 +2日

Hさんのベッドサイドにて，体調はどうかなど声かけを行った。

X月Y日 +3日

病棟より，HさんがSWと話したいと言っていると連絡があり，病室に訪問する。Hさんは，「実は日本語が少し話せる」と，これまでと異なり流暢な日本語で話をしてくれた。実はA国で結婚したことがあり離婚したが，長男の連絡先はわかる。電話連絡を拒否されたら不安なので電話をするときに隣にいてほしいとのことであった。その後，無事長男と連絡が取れ，また一緒に暮らそうと言ってもらえた。Hさんも安堵した様子で帰国の意思を示し，帰国の準備を進めることとなった。

一方で，出入国在留管理庁に連絡すると，すぐに治療ができなくなり，収容，強制送還になるのではないかと強い不安を抱えていた。また，同居する交際相手に迷惑をかけたくないとの思いを表出した。

病院としては交際相手の存在を行政機関に公にするものではないことを伝え，交際相手に連絡を取った。交際相手もHさんの安否を心配しており，連絡がつかないことは初めてだったため不安で，警察に届け出ようかとも思ったが不法残留であることから躊躇し悩んでいたとのことであった。入院に必要な物品を依頼し，すぐに面会に来てくれることになった。

帰国へ向けての準備，治療の見通しを病院組織，支援チームとして共有する必要性を考え，救命救急センター長，救命救急センター担当医師，病棟師長，医事課，医療安全担当部署と協議の場をもち，病院長の決済を得て，組織としての合意を得たうえで，出入国在留管理庁へ連絡することとなった。

出入国在留管理庁へ連絡し，出国命令制度の適用を含めて相談を行った。

X月Y日 +5日

出入国在留管理庁より，20年という歳月が悪質であるとみなされ適用にはならないが，本人が帰国の意思を示していること，医学的に搭乗できる身体状態にする必要があるため，病状が安定し必要書類がそろえば，収容，強制送還はせずに帰国させるとの回答が得られた。

A国大使館とも連絡を取りながら必要書類を準備し，現地での受け入れ病院の確認などを進めた。帰国費用については，A国の長男と日本にいる知人，A国のコミュニティの協力を得ることができた。

医療費については，自治体に外国人未払医療費補てん事業の対象にならないか交渉するも現時点では応じられないとの回答であり，分割払い（1点20円）の対応をすることとなった。

X月Y日 +9日

内科的コントロールも落ち着き，インスリン自己注射

の手技指導も進んでいった。必要に応じて適宜医療通訳の手配を行い，意思決定支援を行った。

X月Y日 +11日

医学的に飛行機に搭乗可能な見通しが立ち，A国大使館，交際相手の協力の下，搭乗券の手配が行われた。

X月Y日 +16日

交際相手の付き添いの下退院となり，同日A国に帰国となった。

2. 終結理由

医療費の支払いは，組織として分割払いで対応することが決定した。今後，分割払いが滞るようであれば，再度，外国人未払医療費補てん事業による自治体への請求を検討することになった。A国への帰国と現地での受け入れ病院の確認を行い，SWの支援は終結となった。

III 事例の解説

1. SWが取り組むべき課題

1）コミュニケーションと受診・受療，意思決定

言葉の違い，不十分な理解による意思疎通の課題が発生し，適切な受診・受療，病状説明，意思決定ができなくなる可能性があり，さまざまなトラブルの発生要因にもなる。コミュニケーションの保障は重要な支援となるが，救急受診，言語の種類，地域・組織の医療通訳資源の状況により，コミュニケーション体制の確保は困難な場合がある。

2）在留資格と社会保障，医療費負担

外国人は在留資格により活用できる社会保障・資源に違いがあり，不法残留の場合は住民という定義には当てはまらず，在留資格をもたないため，社会保障制度の活用は制限されることが予測される。医療保険，所得保障の制度利用ができないことにより医療費負担が大きな課題となる。

3）退院後の生活・受療環境

退院後の生活の場，医療継続のための受療環境調整が課題となる。救急医療機関として，初期の診療，治療計画から予後予測，医療の継続性を考慮した支援を行う必要がある。不法残留の場合は出国・帰国の可能性があり，出身国での受療環境調整を行うことも課題となる。

2. 支援上の留意点

外国人への支援には言語，文化，慣習，宗教，社会システムの異なる国で救急受診となったことへの個別化した対応が求められる。「ソーシャルワーク専門職のグローバル定義」をもとに，人種，言語などから外国人，不法残留として排除の理論が無意識に発生していないか注意し，以下の点に留意した支援の展開を考える。

1）在留資格

在留資格は活動内容（留学，技能実習など）と身分（永住者，日本人の配偶者など）に分類され，在留資格によって活動範囲や在留期間が異なる。短期滞在の在留期間は90日もしくは30日または15日と限定されているため，治療が長期化し，在留期間を超える場合には，在留期間の更新手続きが必要となる。SWは，外国人の在留資格や在留期間などを的確に把握する必要がある。

一方，不法残留をしている外国人は収容のうえ，退去強制手続きが取られ，日本から強制送還される。ただし，日本から速やかに出国する意思をもち，自ら出入国在留管理庁に出頭するなどの要件を満たす場合，収容されることなく出国することができる出国命令制度がある。また，個別の事案ごとに，在留を希望する理由や家族状況などから例外的に在留を認める在留特別許可がある。SWは，これらの知識を念頭に，帰国支援や受療環境調整を行う必要がある。

2）医療通訳

医療を受けることと合わせて，適切な情報を得られたなかでの医療・ケアの意思決定は，外国人，不法残留などを問わず，権利として擁護し，環境を整える必要がある。母国語の通訳者は患者に心理的なサポートを与え，医療機関には適切な診療・ケアの提供と医療安全管理に寄与する。

SWは，医療通訳派遣システム事業，NPO団体，国際交流活動団体，ボランティア団体などとの日ごろからの連携や，電話医療通訳，遠隔医療通訳システム，通訳アプリツールなどを含めた通訳手段・体制の構築を行っておくことも必要になる。

3）社会保障・資源と医療費負担

社会保障・社会福祉制度が利用できなくても，その他の制度，資源の活用による支援を考える。外国人に対する社会資源の知識・ネットワークを考慮する必要がある。実際には自治体によって差が大きく，交渉・相談が必要になる。

SWは下記の医療費を含めた社会保障の活用について，フォーマル・インフォーマルのさまざまな面で手続きを支援する。また支援は，支援者が一方的に行うものではなく，患者自身が意思決定し，できるかぎり自身で手続きを行うようにすることで，手続きの継続性を見通せるように考える。

(1) 健康保険

国民健康保険の加入は，在留期間が3カ月を超える者などが対象であり，短期滞在（在留期間が3カ月以下）の場合には対象とならない。不法残留の場合は強制送還の対象となるものであり，住所を有する者とは認められず，適用されない。

健康保険については，事業所の義務として外国人も加入できる。不法残留の場合は法的には不法就労となり，常用的雇用関係は成立しないため適用されていないが，実際には事業主の判断による部分もある。ただし，仕事中の業務災害では，在留資格にかかわらず労災保険が適用となる。

(2) 無料低額診療事業

社会福祉法上の「無料低額診療事業」実施の医療機関において，生活困窮者が経済的な理由により必要な医療を受ける機会を制限されることのないように無料または低額な料金で診療を行うものである。国籍を問わず，出入国管理及び難民認定法上の適法・不法の区別なく適用される。認可を受けた医療機関が存在しない自治体もあるなど，地域差がある。

(3) 行旅病人及行旅死亡人取扱法

いわゆる行き倒れの人が傷病で医療を要するときや死亡した場合，自治体が調査のうえで適用するものである。定住所がある人には法解釈上，適用できないため，相談・交渉が必要となる。取り扱いに要する費用は，生活保護法により規定される基準の範囲内とする。在留資格のない不法残留の外国人も対象となり，相談・交渉は，救急搬送現場の住所地の自治体に行う。

(4) 外国人未払医療費補てん事業

外国人が救急医療を受け，やむを得ない事情で医療費を支払えない場合に，その未収の一部を自治体が補填する制度である。これらの補填費は本人ではなく，医療機関が自治体に請求することになっている。行っている自治体は限られる。

4) 組織対応

法的な側面，機関の経済的損失，多部門多職種の連携が必要となり，所属機関としての判断，総意を得る必要がある。本事例では，部門の責任者を交えたカンファレンスを行い，所属機関長への報告，承認を得ての決定がなされた。

所属機関内外のネットワークをSWが構築しておくことが必要であり，支援の質を担保し，一定化させるためには，外国人対応のマニュアルなどの整備を組織内で行うことが望ましい。

5) 多機関連携

外国人支援には特有の関係機関が多数あり，複雑多様な調整が必要になる。関係機関の全体像把握を要する。今回の事例でも，次の機関との相談がなされている。

出入国在留管理庁，駐日外国公館（大使館・領事館），行政機関（各種制度担当窓口），医療通訳派遣団体，外国人コミュニティ団体，ボランティア団体である。

3. 活用すべき社会資源

- 出入国管理及び難民認定法（入管法）
- 行旅病人及行旅死亡人取扱法

参考文献

移住者と連帯する全国ネットワーク編：外国人の医療・福祉・社会保障；相談ハンドブック. 明石書店, 東京, 2019.

令和元年度厚生労働省政策科学推進研究事業「外国人患者の受入環境整備に関する研究」研究班：外国人患者の受入れのための医療機関向けマニュアル（第4.0版）.
https://www.mhlw.go.jp/content/10800000/000795505.pdf

出入国在留管理庁ホームページ
https://www.moj.go.jp/isa/

（桑島　規夫）

第5章 典型的な支援領域の事例

事例 9

児童虐待

I 事例概要

1. 医療機関のプロフィール

　一般病床・精神科病床を有し，総合周産期母子医療センターおよび小児救命救急センターの指定を受けた地域医療支援病院である。周産期・成育部門においては近隣県からも受け入れるなど，成育医療の中心的役割を果たしている。

　SWは地域医療連携室に配属され，成育・成人部門で担当制を導入している。成育病棟では，院内の虐待対応チーム（child protection team；CPT）において院内連携および院外連携の中心的な役割を担っている。

2. 患者基本情報（図5-9-1）

　Iくん，男児，生後10カ月。周産期に問題なし。母子健康手帳より一部予防接種未接種，直近2カ月の体重増加が緩慢である。Iくんと両親の3人家族。父親（20代後半）は，交代勤務のある会社員。母親（20代前半）は，育休中であるが現在第二子妊娠中であり，半年後に出産予定である。

3. 現病歴，既往症

　嘔吐と哺乳減少，「元気がない」を主訴に診療所（夜間休日診療所）を受診する。採血の結果，肝機能の悪化を認め，腹部および両下腿に皮下出血あり。診療所より救急車にて救急搬送となる。

　入院時の検査で肝損傷，肋骨骨折，仮骨形成のある上肢骨折などの受傷時期の異なる骨折を認めた。全身骨の撮影を行い，小児集中治療室（pediatric intensive care unit；PICU）に入室となった。Iくんのみの入院とし，両親は翌朝の来院を説明し，帰宅する。受傷に関して両親からは，「寝返りをするようになり，勢いよくおもちゃに当たる」「ベビーベッドに挟まる」というエピソードが聞かれる程度であった。

4. 介入経緯

　入院翌日，小児科・整形外科医師より，「多発骨折，肝損傷の乳児が入院。至急，今後の方針について相談したい」と連絡があった。病棟看護師からも，「入院時の聞き取りの際，両親の様子が気になった（経過についてはっきりと話ができない状況）。SWからも再度聞き取りをし

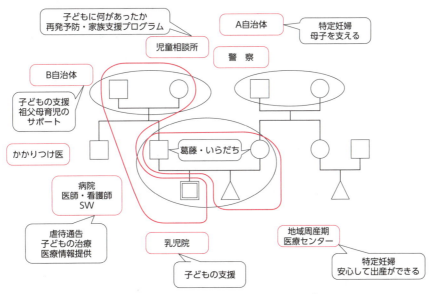

図5-9-1　ジェノグラム・エコマップ

てほしい」と連絡があった。また，ミルク代の心配をしている様子があったとの情報提供もあった。

5. 支援開始時の状況

乳児の新旧の混在する多発骨折，肝損傷を伴っているため，CPTへ報告する。臨時カンファレンスを行い，重症事例と判断し，児童相談所への通告および警察への通報を決定した。また，親子支援と虐待対応の窓口は別々のSWが担当し，役割を分担して対応していくことを決定した。

親子支援のSWは，両親より，ミルク代の相談があったため，入院時の面接により家庭状況の確認を行い，医療費についての説明，育児不安や困り感の聞き取りを行った。父親は，「育児を手伝っているが，母親の気に入るようにはできない。頑張っても言われたら腹が立つ」と話していた。母親は，「つわりでしんどいのに，どっちもタイミングが悪い。実家は遠いし，妹も出産するから里帰りができない。妊娠はうれしかったけど，仕事もまた産休だし。予定外というか…」と話をしていた。現在，父方実家近くのアパートで生活しており，第二子出産前後で，父方実家の敷地内で同居する予定であることを聞き取った。

虐待対応のSWは，児童相談所および警察への連絡を行い，CPTの医師と小児看護専門看護師から両親へ通告したとの説明を行った。

II 事例経過

1. 支援経過（支援期間：入院22日）

X月Y日
診療所より救急搬送となる。

X月Y日 +1日
A自治体へケースの確認を行い，「赤ちゃん訪問，健診ともに問題なし」との回答があった。CPTにて協議を行い，児童相談所への通告および警察への通報が決定し，虐待対応のSWより児童相談所への通告，警察への通報を行う。同日に院内調整し，午後より，児童相談所，A自治体，警察が来院し，事前カンファレンスを開催する。児童相談所，警察が控えた状態で，両親へ，「乳児の多発骨折であり，肝臓の損傷もある。今回のけがの原因が不明であることを含め，第三者による虐待の可能性が否定できない場合は，病院は通告義務があるため通告を行っている」と告知する。また，「児童相談所，警察が来ているため，話を聞いてもらうようになる」ことを説明する。両親からは質問はなく，「あ…，はい」と，互いの顔を見合わせ答えただけであった。

児童相談所との面談の際は，「知らない」「よくぶつける」「知らない間にベッド柵に挟まっている」という話があったようだが，最終的にIくんは同意による一時保護となる。

X月Y日 +2日
今後の面会などの対応について協議する。両親の面会は，調査などのため不可である。両親の話では，育児協力者として父方の祖父母がいるため，協力が得られるようであれば祖父母の面会については協議のうえで考慮することになる。児童相談所より，改めて父方の祖父母への病状説明の依頼があった。病状説明の調整および祖父母への対応について確認し，祖父母の窓口は虐待対応のSWとなる。

X月Y日 +5日
児童相談所より，両親からの聞き取り内容について，両親間の不満のはけ口にIくんがなっていたようだとの連絡があった。再度，関係機関でのカンファレンスを実施し，関係機関より聞き取った内容と医学的所見の確認を行う。

X月Y日 +6日
祖父母の初回面会時に病状説明を実施し，SWの紹介，今後の支援について説明する。面会は週2回20分程度とし，看護師もしくはSWの付き添いとする。祖父母は，「治りますか。こんな小さい子にかわいそうに」と涙ぐむ。

X月Y日 +13日
全身骨の再撮影を行う。新たに骨折が数カ所みつかるが，すべて保存的加療であり，肝機能も落ち着いてきたため，退院先の調整ができれば退院可能となる。

X月Y日 +16日
要保護児童対策地域協議会を開催する。母親の第二子の出産を控えていることも含め，Iくんは乳児院へ退院し，段階的に調整していくことになる。

X月Y日 +22日
乳児院へ退院となる。

2. 終結理由

Iくんが乳児院へ退院となり，今後は児童相談所を中心に家庭引き取りに向けてのプログラムを進めていくことになった。主治医より乳児院の嘱託医へ診療情報提供書を作成する。

本事例では，医療的に手術などの外科的治療や内服治療などは要さなかったが，「虐待」として考えると重症例

であるとCPTでは判断した。また，将来的に父方の祖父母と同居し，養育を行う方針であり，まずはB自治体にある父方の祖父母宅へ家庭引き取りが決定したとの連絡があったため，祖父母宅近くのかかりつけ医の紹介を行った。

今回の両親からIくんへの虐待行為は，夫婦間のいらだちを互いがIくんにぶつけていたことがわかった（手やクッションで身体を抑えたり，両手でギュッと握ったりなどの不適切な行為）。母親は第二子の出産を控えているため，A自治体の特定妊婦として妊娠中からの支援が受けられるように調整を行い，IくんはB自治体の要保護児童対策地域協議会での管理となった。A自治体とB自治体との協議のうえ，要保護児童対策地域協議会で定期的にケース会議を開催し，近況報告や今後の支援方針の確認を行っている。母親の分娩管理病院は，地域周産期医療センターに変更となり，SW間で情報提供を行い，支援の引き継ぎを行った。

III 事例の解説

1. SWが取り組むべき課題

1）正確な情報の確認とアセスメントを行う

本事例では，SWが医療費の相談，家庭状況と育児の困り感に関して聞き取りを行った。子どものケースでは，子ども自身の課題だけに焦点化することなく，家族の状況や両親それぞれの育児参加や価値観などを確認することが重要である。

2）児童虐待の視点をもつ

本事例は，肝損傷や肋骨骨折の診断であったが，外科的介入を要する状況ではなく，集中治療が必要な状況でもなかった。しかし，「虐待」という観点では非常に重症度が高い事例である。新旧の混在する皮下出血や骨折，体重増加不良など，子どもの成長・発達にとって家庭内の緊張感が高い状況がみてとれ，不適切な養育が示唆される。また，虐待を疑い全身骨の撮影を行った場合は，2週間後に再撮影を行い，評価する必要がある。

3）医療・司法・福祉と連携する

近年の虐待事件を受け，児童相談所内に警察官を配置したり，児童相談所への通告について，警察との全件共有などを行う自治体が増えている。医療機関においても警察との連携については課題となる。本事例では，重症度を考慮し，医療機関より警察へ通報を行っている。また，両親への告知前のカンファレンスでは，現状の整理，医療機関の見解などを説明したうえで，関係機関と今後の方針や予定などを共有している。とくに，乳児の虐待疑いの事例では，医療機関の情報や医学的所見が重要であることから，関係機関が一堂に会した状況で行うことが望ましい（医療スタッフの拘束時間の負担軽減の意味もある）。また，一堂に会することにより，それぞれの役割を理解することができ，今後のよりよい連携にもつながる。

【カンファレンスの議題例】
- 受傷に関する両親の説明と医学的所見の整合性
- 地域での情報確認
- 両親への告知とその後の関係機関の介入と今後の予定の確認
- 告知時などにおける不測の事態（両親の興奮，過剰反応など）の対応の確認など

4）再発予防の視点をもつ

家族再統合プログラムは，児童相談所が中心となり作成するが，医療機関が「どこを担う」のかを確認する必要がある。本事例においては，母親が第二子妊娠中ということもあり，Iくんに関してだけでなく，妊婦健診の状況，出産後の支援などを考えていく必要がある。その際には，医療機関だけでなく，母子保健，児童相談所を含めたチームでアセスメントを行い，支援していく必要がある。

2. 支援上の留意点

1）小児期における重篤な鑑別疾患

児童虐待は特別なことではなく，どこの家庭でも起こり得る可能性がある。多くの親はけがをしたわが子を心配して医療機関に連れてくるのである。だからこそ，児童虐待は「小児期における重篤な鑑別疾患」の一つとなる。

2）医療的重症度と虐待としての重症度は一致しない

虐待対応では感情に流されることなく，起こった事実を客観的にみる視点が大切である。それは，故意かどうかということではなく，「子どもにとってどうか」「子どもが安心・安全に生活できるのか」を考える必要がある。とくに，救急患者の受け入れを担う医療機関においては，われわれが「子どもを守る最後のとりで」になることがある。

また，虐待の判断においては医学的所見が重要となるが，必ずしも医療的重症度と虐待としての重症度は一致しない。医療機関が虐待かどうかを判断する必要はなく，子どもの安全が守られていなければ，通告の義務があるということである。

3）虐待の早期発見に向けた院内システムの構築

児童虐待は多様な要因が絡まって起こるといわれている[1]。言い換えれば，その要因の何か一つでも取り除くことができれば，虐待を予防できるかもしれないということでもある。虐待は，家庭という閉ざされた空間で起こる。医療機関における虐待の早期発見は，子どもだけでなく，親もまた守ることになるのである。そのためには，自院に合った虐待のスクリーニングシートなどの活用を行い，院内での合議形成を含めた院内システムの構築が必要となる。

3. 活用すべき社会資源

- 児童福祉法
- 児童虐待の防止等に関する法律
- 母子保健法
- 厚生労働省「子ども虐待対応の手引き」[2]
- 厚生労働省「児童虐待防止対策の強化に向けた緊急総合対策」
- 日本小児科学会「子ども虐待診療の手引き（改訂第3版）」[3]
- 日本子ども虐待医学会による，医療機関向け虐待対応啓発プログラム BEAMS

文 献

1) 市川光太郎編著：児童虐待へのアプローチ．中外医学社，東京，2007．
2) 厚生労働省雇用均等・児童家庭局総務課：子ども虐待対応の手引き（平成25年8月改正版）．2013．
https://www.mhlw.go.jp/seisakunitsuite/bunya/kodomo/kodomo_kosodate/dv/dl/120502_11.pdf
3) 日本小児科学会こどもの生活環境改善委員会：子ども虐待診療の手引き．改訂第3版，2022．
https://www.jpeds.or.jp/uploads/files/20220328_g_tebiki_3.pdf

（福田　育美）

第5章　典型的な支援領域の事例

事例 10　DV

I　事例概要

1. 医療機関のプロフィール

県内唯一の第三次救急医療機関であり，高度救命救急センターの指定を受けた病院である。ドクターカー・ドクターヘリの運用があり，急性心筋梗塞や脳卒中，多発外傷などの重傷および複数の診療科領域にわたる重篤な救急患者から，広範囲熱傷，指肢切断，急性中毒など特殊疾患の患者を24時間体制で受け入れ，県内の最後のとりでとして基幹病院の役割を果たしている。

SWは，医療連携・福祉支援部門に配属され，外来在宅支援・退院支援部門で担当制を導入している。

2. 患者基本情報（図5-10-1）

Jさん，女性，30代前半，離婚歴あり。長女（3歳，保育園通園中），母親（60代前半，清掃業のパート勤務，20年前に離婚），兄（30代後半，トラック運転手，独身）との4人暮らし。パートナーは30代後半，Jさんのアルバイト先の飲食店店長で2年前から交際している。

3. 現病歴，既往歴

搬送当日の22時ごろ，パートナー宅で飲酒後に口論となり，パートナーから体中を殴る，蹴る，踏まれるなどの暴力を受けた。23時ごろにパートナーが外出したところで，自ら救急要請した。複数の医療機関で搬送の受け入れを断られ，当院に搬送された。CT検査の結果，左気胸，肋骨骨折，全身打撲の診断であった。陳旧性の皮下血腫が全身に複数あり，日常的なDVが予測された。

4. 介入経緯

救急科医師がJさんに事情を聴くと，「彼とじゃれ合っていた」と話すのみで，それ以上は硬い表情で押し黙っていた。翌朝，救急科医師が再びJさんに事情を聴くと，「パートナーから暴力を受けた。家族には言わないでほしい」との表出があった。救急科医師から，病院スタッフと共有すること，今後の生活を考えるためにSWを紹

図5-10-1　ジェノグラム・エコマップ

介したいことを話すと，小刻みに震えて涙を流しながら，「わかりました」と同意があった。

救急科医師から，SWに介入の依頼がある。本人の表出は乏しいが，SWとの面接は同意しているため，本人と面接し，社会背景の確認をしてほしい。今後のDV対応について多職種による対応を検討したいとの依頼内容であった。SWがJさんや家族と面接を行い，可能な範囲で経過や心理社会的背景について情報収集および思いを確認し，救急科医師は院内DV対応チームへ報告することになった。

5. 支援開始時の状況

臨時カンファレンスを開催し，組織として警察への通報や各関係機関への連携について検討する方針となった。Jさんには幼児期の子どもがおり，今回の暴力の現場にはいなかったが，養育環境について必要な配慮を検討していくこと，入院中にJさんの精神状態も確認しながら，必要に応じて院内の精神科リエゾンや精神科診察の依頼を検討していくことを共有した。

II　事例経過

1. 支援経過（支援期間：入院6日）

X月Y日　+1日

Jさんと面接し，生活歴や家族歴，現在の思いを確認する。地元の高校を卒業後，アルバイトを転々とした。27歳で結婚し，数年後に長女が誕生した。その後に夫の

DVのため離婚し，長女を連れて実家に戻った。その際に児童相談所の介入があった。2年前からアルバイト先（飲食店）で知り合った店長と交際を始め，現在は週3〜4日をパートナー宅で過ごし，実家で母親が長女を養育している。パートナー宅に長女を連れて行ったことはない。DVは交際当初からあり，飲酒後の暴力が多い。以前に比べてDVが減り，暴力がなくなることを期待していたが，「今回は死ぬかもしれないと思った」と暴力に強い恐怖を感じている。SWからDV関連の相談窓口のパンフレットを提示したが，Jさんは，「パートナーにみつかったら怖い」と受け取らず，「最近パートナーは仕事のストレスを抱えてイライラしていた」「飲み過ぎて今回のようになった。普段は優しい。少し考えたい」と話した。

X月Y日 +2日

母親と面接し，生活歴や家族の思いを確認する。実家では，Jさん，母親，長女，兄の4人暮らし。Jさんはパートナーの都合を優先してパートナー宅に行くことが多い。母親が長女を毎朝保育園に預け，日中は清掃業をしている。DVは今回初めて知った。家族は，パートナーと別れて実家での子育ての時間を大切にしてほしいと考えている。すでに兄からパートナーに連絡し，病院とのやり取りは家族が行うこと，退院後は実家で生活をさせることを伝えた。危険があれば警察に相談することも考えている。

X月Y日 +3日

DV対応チームを召集して，臨時カンファレンスを開催する。チームでは，経過，生活歴，現在のJさんや家族の思いを共有し，今後の警察への通報の要否，処遇を検討した。その結果，生命にかかわる重症事例と判断し，病院組織として警察に通報すること，配偶者暴力相談支援センターを紹介すること，長女の養育について児童相談所とA市子育て担当課につなぐ方針となった。

X月Y日 +4日

救急科医師とSWから，警察署生活安全課に通報し，翌日，女性警察官が来院することになった。救急科医師はJさんと母親に，病院組織の判断により警察に通報したこと，安心して退院できる準備のため各関係機関につなぎたいことを説明した。SWはJさんと面接し，通報の受け止め，退院後の生活への思いを確認した。Jさんは，「警察への通報にショックを受けたが，暴力から解放された安心感もある。まだ恐怖と不安がある。長女が心配で早く退院したい」など，涙を流しながら語った。SWは思いを傾聴し，表出してくれたことへの感謝を伝えた。その後，各関係機関の手助けとなる具体的支援を紹介し，関係機関との連携について同意を得た。

X月Y日 +5日

女性警察官が来院し，DV相談の担当となることを説明し，「110番通報登録制度」（後述）の説明・登録を行った。配偶者暴力相談支援センターは，Jさんの電話相談ですぐに相談可能な状態となるように相談台帳を作成した。児童相談所は，過去の支援記録を振り返り，市と連携することを決めた。また，A市の保健師が退院後に自宅訪問する予定となった。合わせて，長女は保育園に登園できていることを確認した。

X月Y日 +6日

Jさんと面接し，退院に向けた思いと今後の相談先について再度共有を行った。Jさんから，「運ばれたときはとても不安だった。これからも相談をしたい。女性警察官と直接会って具体的に手続きができて安心した。困ったら配偶者暴力相談支援センターにも相談をする。A市の保健師には帰宅してからの子育ての不安を相談したい」と話した。同日，母親，兄と共に自宅退院となった。

2. 終結理由

退院1週間後，救急科外来にJさんが母親と再診し，身体的悪化はなく有事再診となった。診察後にJさんと面接し，生活状況を確認した。実家では，家族関係は良好で，家事を手伝いながら子育てを主体的に行っている。アルバイトは，兄が仲介して辞職の手続きをしている。パートナーとは連絡を取り合っていない。退院後，女性警察官から電話があり，生活の確認とパートナーとの距離の置き方などの助言があった。また，自動通話録音機の無償貸出を受けることになった。A市の保健師による自宅訪問があり，子育てについて長女の様子確認や予防接種や健診の助言，養育上のアドバイスがあった。昨日は，Jさん自身からA市の保健師に電話をかけ，離職後の保育園利用の可否を相談した。保健師が保育園と連携を図ることになった。配偶者暴力相談支援センターにはまだ電話をしていないが，困ることがあれば相談するとのことであった。面接の様子から，Jさん自身が周囲を頼り，援助を求める気持ちが芽生え始め，各関係機関の担当者に対して相談行動がとれ，継続的で具体的な支援につながっていることが確認できたため，A市の保健師に救急科の再診結果を伝達し，終結とした。

III 事例の解説

1. SW が取り組むべき課題

1) DV 被害者の心理を理解したうえで，被害者の意思を尊重し，葛藤に寄り添う

DV 被害者の心理は，強い恐怖や諦め，無気力感，自責の念，被害者としての否認，別れることで失うものへの不安（経済困窮，子どもの養育，地域社会での人間関係）など複雑な心理状態にある。時に PTSD（post-traumatic stress disorder：心的外傷後ストレス障害）に陥るなど，精神科医療につなぐ調整が必要な場合もある。SW は，被害者がさまざまな心理状態や社会的問題を抱えているなかで葛藤しながら意思決定を行う過程に寄り添い，最終的に本人自身が問題解決に向けた行動を決定できるように援助する。

2) DV の暴力形態を考慮しながら，生活全体を丁寧にアセスメントする

DV は身体的暴力のほか，目には見えない精神的暴力（大声での威嚇，殴る素振り，交友関係を監視，人格の否定など）や，性的暴力（性行為を強要する，中絶を強要するなど），経済的暴力（生活費を渡さない，貢がせる，借金をさせるなど）が含まれる。SW はさまざまな暴力形態があることを理解しながら，丁寧にアセスメントする必要がある。

3) 早期発見と積極的な通報と支援導入

救急医療の現場は，被害者や被害が疑われる人を発見しやすい立場にあり，早期の支援につなげていくことが重要となる。医療者は，被害者本人の意思を尊重のうえ，配偶者暴力相談支援センターまたは警察に通報することができ，この通報は守秘義務違反にはあたらない（配偶者からの暴力の防止及び被害者の保護等に関する法律第6条）。

4) 組織として判断，対応する

実際の通報場面では，被害者や加害者などとの対立，場合によって訴訟に発展することも想定され，現場の担当者は被害者に寄り添う立場と，病院として通報すべき立場の間でジレンマを生じることがある。このような場面では，迅速に組織として通報や処遇を判断し，必要に応じて被害者や加害者への説明などを担う DV 対応チームが対応する。子ども虐待対応組織（child protection team；CPT）や児童虐待防止組織（child abuse prevention system；CAPS）同様に，DV や高齢者虐待，障害者虐待においても，緊急時に迅速な判断や処遇を検討できるための院内の仕組み作りが重要となる。また，多職種での正確な情報共有や円滑な連携，訴訟時の対応，援助過程の振り返りなどのために，適切なカルテ記載が不可欠である。

2. 支援上の留意点

1) 児童虐待の視点をもつ

DV は，犯罪となる行為を含む重大な人権侵害である。配偶者から暴力の被害を受けたことがある家庭の約3割は，子どもの被害もみられるとの報告[1]もある。2004（平成16）年10月の児童虐待防止法の改正では，子ども（18歳未満）の目の前で配偶者や家族に対して暴力を振るうこと（面前 DV）が子どもの心理的虐待に含まれることが明確化された。DV 被害を発見した場合には，SW は子どもを含む被害状況をアセスメントし，警察などへの通報や利用できる相談窓口などの積極的な情報提供や調整を行い，世帯全体を支援につなぐことが重要となる。

2) 安全確保の優先と支援者支援

搬送時から入院中はもちろんのこと，退院後の相談（電話相談を含む）でも同様に，常に安全かどうかを最初に確認する視点が大切となる。時に加害者が支援者に逆恨みをして，支援者に危険性が生じる場合がある。被害者を支援することは，支援者の安全性，精神面にも大きな負担がかかるため，支援者を支援する組織としてのバックアップ体制，セルフケアが重要となる。

3. 活用すべき社会資源

- 配偶者からの暴力の防止及び被害者の保護等に関する法律
- 配偶者からの暴力の防止及び被害者の保護等に関する法律の一部を改正する法律
- 内閣府男女共同参画局ホームページ[2]
- 『配偶者からの暴力 相談の手引；配偶者からの暴力の特性の理解と被害者への適切な対応のために』[3]
- 110番緊急通報登録システム（110番通報登録制度）

家庭内などの閉鎖空間で被害に遭っているときに外部に助けを求めようとしても，発声を伴う通報や相談は，相手に気づかれる可能性が考えられる。あらかじめ警察署（生活安全課など）と相談し，申し出ることで，氏名，住所，年齢，電話番号，被害内容などを，警察署のシステムに登録できる。登録した電話番号から110番通報すると，警察の通信司令室に登録情報が表示され，発信が携帯電話の場合は，GPS（全地球測位システム）で現在地も特定される。そのため，登録済みの人が「110番」に電話をかけると，居場所や状況を伝えられない状態であっても，警察官が状況を理解して駆けつけてくれる。

文献

1) 内閣府男女共同参画局：男女間における暴力に関する調査報告書．2021．
https://www.gender.go.jp/policy/no_violence/e-vaw/chousa/r02_boryoku_cyousa.html
2) 内閣府男女共同参画局
http://www.gender.go.jp
3) 内閣府男女共同参画局編：配偶者からの暴力 相談の手引；配偶者からの暴力の特性の理解と被害者への適切な対応のために．改訂版，国立印刷局，東京，2005．

（佐々木由里香）

コラム

虐待・DV対応における通告・通報

救急医療現場のSWが院内外の関係機関と連携した支援を行うためには，関連する法律を理解したうえで，事前にマニュアルやフローチャートを作成するなどの支援体制を整備しておく必要がある．ここでは，各法律で異なる通告・通報の規定について示す．

児童虐待防止法（児童虐待の防止等に関する法律）

児童虐待を受けたと思われる児童を発見した者は，速やかに，これを市町村，都道府県の設置する福祉事務所若しくは児童相談所又は児童委員を介して市町村，都道府県の設置する福祉事務所若しくは児童相談所に通告しなければならない．（第6条第1項）

高齢者虐待防止法（高齢者虐待の防止，高齢者の養護者に対する支援等に関する法律）

養護者による高齢者虐待を受けたと思われる高齢者を発見した者は，当該高齢者の生命又は身体に重大な危険が生じている場合は，速やかに，これを市町村に通報しなければならない．（第7条第1項）

養護者による高齢者虐待を受けたと思われる高齢者を発見した者は，速やかに，これを市町村に通報するよう努めなければならない．（第7条第2項）

養介護施設従事者等は，当該養介護施設従事者等がその業務に従事している養介護施設又は養介護事業において業務に従事する養介護施設従事者等による高齢者虐待を受けたと思われる高齢者を発見した場合は，速やかに，これを市町村に通報しなければならない．（第21条第1項）

障害者虐待防止法（障害者虐待の防止，障害者の養護者に対する支援等に関する法律）

養護者による障害者虐待を受けたと思われる障害者を発見した者は，速やかに，これを市町村に通報しなければならない．（第7条第1項）

障害者福祉施設従事者等による障害者虐待を受けたと思われる障害者を発見した者は，速やかに，これを市町村に通報しなければならない．（第16条第1項）

使用者による障害者虐待を受けたと思われる障害者を発見した者は，速やかに，これを市町村又は都道府県に通報しなければならない．（第22条第1項）

DV防止法（配偶者からの暴力の防止及び被害者の保護等に関する法律）

配偶者からの暴力を受けている者を発見した者は，その旨を配偶者暴力相談支援センター又は警察官に通報するよう努めなければならない．（第6条第1項）

医師その他の医療関係者は，その業務を行うに当たり，配偶者からの暴力によって負傷し又は疾病にかかったと認められる者を発見したときは，その旨を配偶者暴力相談支援センター又は警察官に通報することができる．この場合において，その者の意思を尊重するよう努めるものとする．（第6条第2項）

（篠原 純史）

第5章 典型的な支援領域の事例

事例 11

特定妊婦（未受診妊婦）

I 事例概要

1. 医療機関のプロフィール

　一般病床・精神科病床を有し，総合周産期母子医療センターおよび小児救命救急センターの指定を受けた地域医療支援病院である。周産期・成育部門においては近隣県からも受け入れるなど，成育医療の中心的役割を果たしている。

　SW は地域医療連携室に配属され，周産期部門では，医学的ハイリスクだけでなく，社会的ハイリスク，特定妊婦への支援も積極的に行い，院内の虐待対応チーム（child protection team；CPT）において院内連携および院外連携の中心的な役割を担っている。

2. 患者基本情報（図5-11-1）

　K さん，女性，30代前半，幼少期に母親と死別。親族は母方祖父母。無保険であり，本人名義のアパートにパートナーと同居（未入籍）している。不定期アルバイト（性風俗業）で生計を維持し，3年前に債務整理を行っている。妊娠37週（推定），未受診飛び込み出産，胎児の父親は不明である。

3. 現病歴，既往症

　K さんは，妊娠には気づいていたが経済的理由などで受診できなかった。

　朝7時過ぎに自宅で出血があり，近くの産婦人科を受診しようと自家用車運転中に急激な腹痛があり，ドラッグストアへ駆け込むも，出血が多く動けなくなり，9時半ごろ救急要請となる。未受診，週数不明のため，受け入れ先の調整に難航し，救急隊接触から70分かけて当院搬送となった。到着から40分後，母体適応にて緊急帝王切開となり，2,360gの女児を出産となった。

4. 介入経緯

　産婦人科医より，未受診妊婦の救急搬送があると連絡があった。詳細は不明であるが，無保険で，妊娠は誰にも伝えていない。最終月経不明で，早産の可能性も否定できない。本人は，「養育の不安」を救急隊に話しているとのことで介入の依頼があった。

5. 支援開始時の状況

　救急搬送時において，未受診妊婦であり，特定妊婦対応が必要であること，出産となった際には，要保護児童

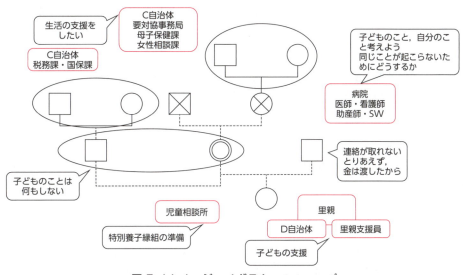

図5-11-1　ジェノグラム・エコマップ
要対協：要保護児童対策地域協議会

第5章　典型的な支援領域の事例

または要支援家庭として関係機関との早急な調整が必要であった。Kさんの生活状況の確認のみならず，養育意思の確認が必要な状況であり，女児に対しても週数不明であることや呼吸状態が不安定なため，入院治療が必要な状況であった。

また，パートナーは来院したが，「Kさんの身の回りのことはするが，女児は自分の子どもではないため，何もするつもりはない」とはっきり意思を示した。Kさんは，唯一の親族である祖父母へも「連絡を取らないでほしい」と言い，理由を聞くも「心配をかけたくない」との一点張りであり，手続きなどの代行者がいない状況であった。

Ⅱ 事例経過

1. 支援経過（周産期の支援期間：Kさん入院6日，女児入院12日，母子入院3日）

X月Y日

Kさんと分娩後に面接を行う。今日に至った経緯，生活状況を確認し，女児に対する「いまの思い」を確認する。生活基盤は，Kさんの不定期アルバイトですべての生活費を賄っていた。祖父母には，仕事は派遣業と説明しており，連絡はかたくなに拒否している。女児に対しては，申し訳ないという思いや父親ははっきりしない（SNS以外の連絡手段はない）ということを話した。養育については，Kさんより，「里子とかって…」と質問があった。なぜかと聞くと，「誰かに幸せにしてもらえるなら，それもいいかなって思って」という。現時点では，女児の親権者として治療の同意を行う必要があることを説明し，承諾を得る。また，女児の治療について質問などはないことを確認する。C自治体に連絡し，母子健康手帳および国民健康保険の手続きの確認，特別養子縁組，児童相談所への連絡について説明し，明日再度説明することを伝える。

SWよりC自治体へ，要保護児童対策地域協議会（以下，要対協）での管理について依頼する。

X月Y日 +1日

C自治体要対協管理になったことを確認する。C自治体の職員が来院し，妊娠届を提出し，母子健康手帳を発行してもらう。国民健康保険は，保険料納付について税務課と相談できる体制を調整する。また，C自治体女性相談課もKさんの生活支援を行っていくという説明を受ける。

再度，特別養子縁組について説明し，Kさんの意思確認を行う。Kさんは，「親としてしなければいけないことはする」という気持ちはある反面，面会については退院時でよいと，積極的には望まなかった。

X月Y日 +2日

児童相談所の職員が来院し，Kさんと面談を行う。児童相談所より改めて，特別養子縁組について説明を受け，特別養子縁組を希望する。女児の手続きなどは，退院後にC自治体で行うことになる。

X月Y日 +3日

Kさんと再度意思確認の面接を行う。今後の手続きの確認，Kさんの権利や撤回について説明する。Kさんより特別養子縁組の意思は変わらないとのことであった。児童相談所より里親決定の連絡がある。

X月Y日 +6日

Kさんが退院となる。退院時の面会は窓越しのみであり，女児との触れ合いや名づけも行わないと意思決定があった。里親が女児との面会を開始する。

X月Y日 +9日

Kさんが来院し，女児の里親委託の書類を記入する。里親の母子入院を開始する。

X月Y日 +12日

里親応援会議を実施し，里親，児童相談所，D自治体，里親支援員が参加する。

女児が里親と共に退院となる。

X月Y日 +14日

Kさんの2週間健診時にSWと面接し，国民健康保険証，限度額適用認定証，生活状況などを確認し，支援を継続する。

X月Y日 +29日

Kさんの1カ月健診時に，SWと面接を行う。Kさんより，一時的ではあるが生活基盤の整理ができたこと，C自治体から就労支援の提案があるが不安を感じているとの話がある。Kさんの気持ちをC自治体に伝えるようアドバイスする。改めて，女児の特別養子縁組が決まるまでは，女児の親権者として必要な手続きや関係機関との連絡を行う必要があること，相談できる環境を残しておくことを説明する。

2. 終結理由

Kさんの1カ月健診時の面接，女児の里親応援会議の開催後の退院をもって，周産期の支援を終結とした。女児の特別養子縁組が決定するまでの短期間であったが，C自治体にはKさんと定期的に電話および対面での面談を依頼し，支援を引き継いだ。

Kさんには，新たに婦人科での定期診察が必要な疾患がみつかったため，引き続き受診支援を行った。その後，

自宅近くの病院へ紹介となり，Kさんの同意を得てSWサマリーを作成し，引き継ぎを行った。また，女児は，特別養子縁組を見越したうえで，里親に委託され，新生児内科にて定期受診となり，院内での呼称統一など，里親の意向を踏まえ里親支援を行っている。

III 事例の解説

1. SWが取り組むべき課題

1）各種制度の利用と母子保健への橋渡し

医療機関では未収金の問題が喫緊の課題となる。とくに，分娩費用は自費となるため，適切な手続きが必要となる。場合によっては，保険料未納による短期被保険者証や資格証明書となっていることもある。18歳未満の子どもの場合は，子育て支援の観点から保険証が発行される。

妊娠届の提出，母子健康手帳の交付などは原則，自治体窓口での申請と，保健師との面談が必須となるが，本事例では医療機関から自治体に事情を説明し，病院での対応について相談している。母子保健との連携は，妊産婦だけでなく，乳幼児期を支える支援の一つである。

2）児童虐待防止の視点

本事例では，Kさんより特別養子縁組の申し出があったが，Kさんが家庭での養育を希望した場合はどうであろうか。おそらく，すぐに家庭引き取りにはならず，乳児院を利用したうえで，家庭引き取りを目指すことになるであろう。その場合には，自分の困り感や助けてもらいたいことを他者に伝えられるかなど，地域のなかで親子が孤立しない支援体制を考えなければならない。児童虐待防止の視点からも，地域のなかで子どもの安全が担保されているかどうかの確認が必要であり，それには地域関係機関との良好な関係が基盤となる。

3）女性の自立支援・DVの視点

本事例では，10年来のパートナーとの関係において，経済的暴力などのDVの有無を確認する必要がある。また，要対協管理となったことにより，子育て支援だけでなく，女性相談へもつながり，地域における支援について知る機会となった。

4）当事者と一緒に考える

飛び込み出産となった生活背景について，子どもの安全に寄りすぎることなく，母親の考えや意思決定のプロセスを共有する必要がある。本事例では，特別養子縁組への意思決定のプロセスにおいて，「撤回」ができることを説明している。女児への面会に関しても病院でできることを提案し，具体的に確認することで，Kさんが考えるきっかけとなり，現時点での意思決定を補完する支援となっている。また，女児の親権者としての必要な手続きにおいて，Kさんが適切に親権を行使できるように，医療機関では児童相談所の側面的支援を行っている。

2. 支援上の留意点

1）正確な情報の確認とアセスメント

限られた時間のなかで支援につなげるためには，正確な情報が不可欠であり，その情報を関係機関へ情報提供することが第一段階となる。周産期では，女性の根幹になる部分や，「人に知られたくないであろう」「恥ずかしいであろう」と聞き取りを躊躇してしまい，大枠のみを確認し，情報をあいまいにしてしまうことで，今後の支援に結びつかないことがある。本人の心情に十分配慮したうえで，本人の語りから得られることだけでなく，意図的に問題の本質を確認することが必要となる。

2）援助希求能力を伸ばす

未受診や飛び込み出産の場合は，どのようなかたちであっても，かろうじて母子の命をつなげられたことに注目し，支援をスタートさせることが必要である。妊産婦の支援では，自身がいま置かれている状況や責められても仕方がない立場であることを理解していることが多い。しかし，責めるのではなく，同じことを繰り返さないために，何が必要なのかをしっかりと考えるための支援が必要となる。周産期では，妊娠や出産を通して社会とつながり，生活基盤を再構築し，援助希求能力を伸ばす支援となる。

3）特別養子縁組への支援

特別養子縁組は，すべての子どもが健やかに安心して育つための「子どもの福祉」の一つである。さまざまな事情により子どもを養育できない場合，児童相談所や指定を受けたあっせん事業所などに相談することができる。特別養子縁組は，相談時期や母子の生活および健康状態，また自治体や事業所，地域などにより支援体制に違いがある。社会資源および周産期における選択肢の一つとして提示できるように，地域の実情を確認しておくことが必要である。

4）子どもの安全と権利を守る

母子共に緊急性が高いケースは医療機関が最初にかかわることが多い。飛び込み出産の背景や理由はさまざまであるが，支援が必要な妊産婦として児童福祉法に規定され，児童相談所との連携が不可欠となる。そのため，院内だけで終結せずに，必ず社会（地域）とつながることが必要となる。周産期の支援では，短期間で支援対象

者が1人から子どもを含めた2人に変わり，生活課題が複数になることもあるため，ソーシャルワークの視点を適宜，見直す必要がある。そのなかで，妊産婦だけでなく，生まれてきた子どもの安全と権利を守らなければならない。子どもの安全が担保できないと感じたとき，守るべきは「子ども」であることを忘れてはならない。

3. 活用すべき社会資源

- 児童福祉法
- 母子保健法
- 国民健康保険法
- 配偶者からの暴力の防止及び被害者の保護等に関する法律（配偶者暴力防止法）
- 児童虐待の防止等に関する法律（児童虐待防止法）
- 民法

参考文献

厚生労働省雇用均等・児童家庭局総務課：子ども虐待対応の手引き（平成25年8月改正版）．2013.
　https://www.mhlw.go.jp/seisakunitsuite/bunya/kodomo/kodomo_kosodate/dv/dl/120502_11.pdf
厚生労働省：児童虐待防止対策の強化に向けた緊急総合対策．
こども家庭庁：健やか親子21．
　https://sukoyaka21.cfa.go.jp/
厚生労働省　平成28年度子ども・子育て支援推進調査研究事業　産前・産後の支援のあり方に関する調査研究：妊産婦メンタルヘルスケアマニュアル；産後ケアへの切れ目のない支援に向けて．日本産婦人科医会，東京，2017.
　https://www.jaog.or.jp/wp/wp-content/uploads/2017/11/jaogmental_L.pdf

（福田　育美）

第5章 典型的な支援領域の事例

事例12

アルコール多飲（アルコール依存症）

I 事例概要

1. 医療機関のプロフィール

一般病床を有し、三次救急を担う病院として救命救急センターの指定を受けた地域医療支援病院である。精神科病床はなく、精神科は、非常勤医師が週1回、入院患者のみ診察を行っている。

SWは、地域連携・医療相談センターに配属され、病棟担当制、また救急外来、外来からの依頼や窓口はSW全員で輪番にて対応している。院内連携および院外連携の中心的な役割を果たしている。

2. 患者基本情報（図5-12-1）

Lさん、男性、30代後半、一人暮らし。母親（60代後半）は他院入院中、父親（70代前半）は近くに在住している。きょうだいは姉、弟がいるが、血縁関係のない弟とは疎遠である。結婚歴・離婚歴はそれぞれ2回あり、元妻、子どもともに疎遠となっている。現在は働けていないため生活保護を受給中である。

3. 現病歴、既往症

Lさんの飲酒歴は、16歳ごろから酒を飲み始め、落ち込むことがあると朝から晩まで1日中飲酒し、量は1日1L程度である。30代前半に、アルコール性膵炎にて近隣の病院で治療後、他市のアルコール依存症の専門医療機関に入院した。入院時の印象が悪く、退院後は通院を中断した。かかりつけの診療所の医師からは、酒をやめるように指導されていた。

酒を飲み、酔っぱらった状態で、入院させてほしいとLさんが救急要請した。要請時の症状の訴えは、頭痛や悪心であった。救急外来では、アルコール多飲による肝機能悪化と診断された。

既往症には、糖尿病（インスリン注射が必要）があり、診療所に通院している。

4. 介入経緯

救急医より、「アルコールを多飲し、救急外来に3日間連続で受診している。このまま帰しても繰り返すであろう。アルコール依存症の治療が必要そうである。本人は

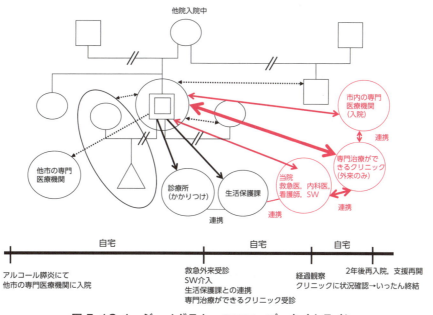

図5-12-1 ジェノグラム・エコマップ・タイムライン

"入院させてほしい"と訴えているが，当院の入院適応にはならない。帰る手段などもないようなので，介入してほしい。付き添いの家族もおらず，救急外来で本人と話してほしい。救急搬送から時間が経っているため，いまは普通に話ができる」と依頼があった。

5. 支援開始時の状況

救急医からLさんに，アルコール依存症の治療が必要なことを説明している。また，救急外来を受診してから時間が経過しており，酔いは醒めている。

救急医からの依頼を受け，SWはカルテから受診の頻度や主訴などの状況を確認した。今回は3日連続の救急外来受診であったが，数カ月前にも飲酒し，外傷や転倒により何度か受診していること，その際に多量飲酒に関する治療への介入はなく，症状が改善後に帰宅していたこと，SWへの依頼は今回が初めてであることを確認した。

II 事例経過

1. 支援経過

X月Y日（当院）

Lさんとの面談では，アルコール依存症のスクリーニングツール（CAGE, ICD-10）を活用した。スクリーニングを行いながら，飲酒にまつわるエピソードを尋ね，これまでの生活歴や家族歴なども語ってもらった。スクリーニングの結果から，Lさんにアルコールに対する問題がありそうなことを共有し，動機づけ面接を取り入れながら，アルコール依存症という病気があること，救急要請のきっかけとなっている外傷や転倒による打撲，肝障害や膵炎などの症状は飲酒が引き起こす身体の病気であることなどを説明した。現在，救急医の示した専門治療が必要であることの理解を深め，動機づけを行った。

治療に対するLさんの意向を確認すると，「お酒はやめようと思えば10日くらいはやめることができる。家にいると飲んでしまうから，お酒をやめるために2, 3日だけでも入院したい。でも前に入院した病院は，勉強会ばっかりでいやだった。ほかの所であれば行ってもいい」と話した。否認はあるものの，酒をやめなければならないという認識はある様子であった。当院ではアルコール依存症の治療はできないため，入院する場合は他院となるがすぐには入院できないこと，ただし，このまま救急外来を繰り返し受診してもよくならないこと，"いま"やめたいと思っている気持ちを大切にしていきたいことなどを伝えた。入院の適応があるかを含めアルコール依存症の専門治療ができるクリニックへの受診を提案し，「それなら行ってみる」と同意を得た。

面談後に，救急医にクリニック宛ての診療情報提供書の作成を依頼する。また父親に事情を説明し，迎えとクリニック受診の同行を依頼した。同時に，本人に了解を得て，生活保護担当者に救急外来への頻回受診の状況などを伝え，アルコール依存症の専門治療が必要なことの理解を促し，受診の了承を得た。さらに，今回受診してもスリップする可能性が高く，生活保護担当者からの指導や経過観察を依頼した。その後，クリニックのSWへ連絡し，これまでの経過や，"いま"であれば受診できる体制が整っていることなどを伝え，何とか当日の受診を予約し，その日の受診となった。

X月Y日 +1日

翌日，クリニックのSWより電話があった。父親もアルコール依存症であることがわかり，Lさんと父親共にクリニックに通院することになったことがわかった。SWには，Lさんや父親の了解を得て，その後の回復の経過に関する情報共有を依頼した。

X月Y日 +730日（2年）

Lさんは，クリニックの医師らのサポートの下，スリップしながらも，クリニックに通院を継続した。時には市内の専門医療機関に入退院することもあった。その間（SWの初回介入から2年間）は，当院の救急外来への受診はなかった。しかし，市内の専門医療機関では，入院中に他患者とのトラブルがあったため，それ以来，入院することができなくなってしまっていた。

それ以降はスリップしながらも，クリニックへの通院は継続し，市外の専門医療機関へ入退院を繰り返していた。また，デイサービスも利用していた。

2年後，再び当院の救急外来を頻回に受診するようになった。SWのことを覚えていたLさんは，SWに対してもたびたびの電話相談などを繰り返すようになった。電話相談時は，酔っ払いながらの連絡がほとんどであった。「誰かと話がしたい」「寂しい」などの発言も多く，孤独と闘いながら，その孤独感の解消を酒に頼り，過ごしている様子であった。Lさんは当院に受診していなかった2年の間とそれ以降も，何人もの医療・福祉関係者とコミュニケーションを取っていた。頻回の電話や時に怒りの感情をぶつけてくるLさんであったが，SWをはじめとする関係者は，アルコール依存症の回復のプロセスを踏まえ，ネットワークを活用して粘り強くかかわりを維持した。

その後もスリップは続き，SWの初回介入から7年後，

意識障害にて救急搬送され，死亡した。

2. 終結理由

本事例では，Lさんの同意の下，クリニックに当日受診ができた。紹介先クリニックに今後継続的に受診できそうかなどを確認し，継続的な情報共有を依頼して，モニタリングを継続した。また，生活保護担当者へ受診の指導や適宜の確認を依頼し，地域での見守り体制の構築に努めた。救急医には，SWからその後の経過を報告し，再び救急外来を受診した場合は，すぐにSWに連絡してもらうように依頼して，いったん終結とした。2年後の再受診時には救急医からすぐに介入の依頼が入り，支援の再開となった。

III 事例の解説

1. SWが取り組むべき課題

1) 依存症の正しい知識を習得する

救急医はアルコール依存症の治療が必要と判断していた。再飲酒や受診の中断などを理由に，支援する側がクライエントや家族との関係を断つことなく，アルコール多飲が身体や精神に及ぼす影響や病気に対する正しい知識を習得する必要がある。SWは外傷や臓器障害が悪化した背景に目を向け，潜在する依存症に早期に介入する必要がある。

2) 気になる経緯について事前に情報を得ておく

救急医からの事前情報に，「連続受診」などの気がかりな表記をみつけた場合，医師らに直接連絡し，さらに詳細な経緯を聞き取ることで，潜在している課題の早期発見につながる。事前に主訴や要因，他職種の対応などについての情報収集を行いクライエントと面談することで，クライエント自身が感じてきた酒にまつわる困りごとにより的確に焦点を当てて聞き取ることができ，アセスメントに活かすことができる。

3) クライエント自身が依存症であることに気づき，向き合うプロセスを支える

救急外来受診は動機づけの好機ととらえ，簡易スクリーニング（CAGE, ICD-10, AUDITなど）を面接に取り入れることも必要である。診断するのは医師であるが，動機づけ面接を取り入れながら介入し，本人が自分のことに気づいていくプロセスを支えることを意味する。ただし，その場で本人に簡易介入できない場合は，家族から飲酒の状況を聞き取ったり，関係機関と連携しながら，自宅でのスクリーニングの実施などを依頼することがある。本人にはリーフレットのみを渡し，外来時に面談の予約を取ることもある。

4) アルコール依存症の早期発見・早期介入に取り組みやすい組織作りを行う

救急外来などの患者スクリーニングシステムやSWへの紹介システムの構築など，早期発見・早期介入の意義や，SWが支援に寄与できることを日ごろからアピールしておく必要がある。また，救急医療の現場にアルコール多飲により再度あるいは頻回に受診することがあった折には，すぐにSWに依頼が来るように院内スタッフに働きかける必要がある。さらに，情報共有・方針協議・アルコール多飲およびアルコール依存症事例の検証に取り組み，チームアプローチの体制を作っておくことが望ましい。

加えて，患者や家族が直接社会資源にアクセスできるよう，相談先一覧や簡易スクリーニングツール，自助グループなどの案内を掲示することや，リーフレットを作成して配置しておくことも必要である。

5) ネットワークの構築を視野に入れて支援する

SWは専門病院やクリニックにつなぐだけで終結するのではなく，再飲酒や受診の中断などを早期に発見することを心がける。そのためには日ごろから専門医療機関や生活保護担当者などの医療・保健・福祉にかかわる関係者と地域での暮らしを見守るネットワークを構築し，いつでも再介入できる準備を整えておく必要がある。

2. 支援上の留意点

1) 介入のタイミングを逃さない

救急外来では，重症でなければ医学的介入により症状が治まるため，アルコール依存症に対する専門治療や支援の介入を逃してしまうことがある。しかし，アルコール多飲の背景にアルコール依存症が潜在化している場合，内科，外科，整形外科などへの継続的な治療の必要はないが，精神科などといった専門治療のニーズや，夫婦関係・家族関係の課題，職場でのトラブルなどといった社会生活のニーズを依然として抱えていることが多い。また，救急外来受診時はアルコールに伴う外傷や臓器障害の悪化により，疼痛や不安，死への恐怖を伴うことが多いため，本人が飲酒行動を変化させる絶好の機会といえる。

2) しらふの状態の際に介入する

酩酊時は会話が成立せず，暴言・暴力などにより，医療スタッフにとって時間も労力も必要となる。そのため，しらふの状態でいるときに介入できるよう，SWの体制も踏まえ，救急外来と事前に相談しておくとよい。

また支援するうえで，地域によりアルコール専門医療機関の体制や治療プログラムの内容，自助グループの有無，保健所や精神保健センターの相談体制などが異なるため，事前に情報収集しておくとよい。

3）回復する病気であると信じ，支援を諦めない

一般医療機関のスタッフの多くは，アルコール依存症から回復した事例を経験したことがないため，"介入しても意味がない""どうせまた来るだろう"と認識していることが多い。しかし，救急外来への受診が続いても，自業自得である，自己責任であるなどと患者を非難せず，介入し続けることが大切である。そのためには医療者が日ごろから依存症回復者からリカバリーを学び，依存症の知識とスキルを身につけておく必要がある。

3. 活用すべき社会資源

- アルコール健康障害対策基本法
- アルコール健康障害対策推進基本計画
- 依存症対策全国拠点機関
- 依存症専門医療機関・治療拠点機関
- 依存症相談拠点機関
- 精神保健福祉センター
- 保健所
- 自助グループ（全日本断酒連盟，アルコホーリクス・アノニマスなど）
- 精神障害者保健福祉手帳
- 自立支援医療（精神通院医療）

参考文献

三重県健康福祉部：アルコール救急多機関連携マニュアル．三重県健康福祉部障がい福祉課，三重，2015．
四日市アルコールと健康を考えるネットワーク事務局：四日市アルコールと健康を考えるネットワーク．
https://www.yokkaichi-alcohol.net/tools

（兵倉　香織）

コラム

アルコール依存症を発見する簡易スクリーニングテスト

救急外来をはじめ，整形外科，消化器内科，検診センターなどは，アルコール多飲が背景にあるアルコール依存症をみつける絶好の機会である。SW は，患者と出会った際の状況に適した簡易スクリーニングを用い，危険な飲酒習慣を早期に発見し，患者が早期に治療へとつながるように支援することができる。救急外来における 5～10 分程度の短時間の介入でも，患者自身がアルコール依存症であることに気づけるように促し，患者教育の機会として有効であるといわれている[1]。SW は患者の動機づけのプロセスを側面から粘り強く支援する。

CAGE（アルコール依存症スクリーニングテスト）は，短時間で飲酒問題の有無を判定できるものである。アルコール乱用やアルコール依存症を発見するのに適しているとされている[1]。AUDIT（Alcohol Use Disorders Identification Test）は，危険な飲酒をみつけるのに適しているとされている[1]。10 の質問への回答は 5 分ほどかかる。10 項目の設問からなり，各項目の合計点（最大 40 点）で飲酒問題の程度を評価する。近年では飲酒量にかかわる最初の 3 つの質問を用いる AUDIT-C（Consumption）も注目されている。

このような簡易スクリーニングを活用し，SBIRTS（迅速にスクリーニングし，簡易介入により飲酒の課題に取り組む動機を高め，専門医療機関や自助グループにつなげる）により回復支援にかかわることが SW に求められる。支援で役立つ各種ツールは，四日市アルコールと健康を考えるネットワーク（https://www.yokkaichi-alcohol.net/），久里浜医療センター（https://kurihama.hosp.go.jp/）などのホームページを参照し，参考にしてほしい。例として，新生会病院作成の冊子「泉州スマイル・SBIRTS　あなたの飲酒大丈夫ですか？（令和 4 年 2 月版）」[2]から，「お酒の適量はどれくらい？」（厚生労働省：健康に配慮した飲酒に関するガイドライン 2024 の内容に対応）と「お酒の飲み方チェック」「結果判定」のページを次頁に示す。

コラム　アルコール依存症を発見する簡易スクリーニングテスト

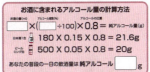

〔文献2）より引用〕

引用文献

1) 林寛之：早期発見，早期介入！ アルコール問題のスクリーニング：アルコール救急のpitfall Part Ⅲ. レジデントノート19：2182-2190，2017.
2) 新生会病院：泉州スマイル・SBIRTS あなたの飲酒大丈夫ですか？〜意外と知らないお酒の事〜. 厚生労働省モデル事業地域連携等による依存症早期発見・早期対応・継続支援モデル事業（大阪府委託事業），2024.

参考文献

成瀬暢也編著：内科医・かかりつけ医のためのアルコール使用障害治療ハンドブック．新興医学出版社，東京，2023.

（野村　裕美）

第5章 典型的な支援領域の事例

事例 13 精神科救急

I 事例概要

1. 医療機関プロフィール

　精神科病床・一般病床を有する総合病院であり，精神科は精神科救急病棟，精神科急性期治療病棟，精神科療養病棟，一般精神科病棟（合併症病棟を含む），地域移行機能強化病棟，老人性認知症疾患治療病棟に機能分化されている。

　SWは各病棟に配置され，精神科救急病棟・精神科急性期治療病棟では，入院時に本人や家族と面接を行い，経済的問題や生活上の問題などを把握し，本人を生活者の視点に置いてアセスメントを行い，退院後の生活に向けた支援を展開している。

2. 患者基本情報（図5-13-1）

　Mさん，男性，20代前半，IT関係の専門学校在学中。Mさん，両親，弟の4人家族。父親（50代後半），母親（50代前半）ともに教師。弟（20代前半）は大学生である。

3. 現病歴

　統合失調症でメンタルクリニックに通院していた。通行人に対して支離滅裂な言動を繰り返し，暴力を振るったため，その場で110番通報となり，警察官に保護されたのち，精神保健及び精神障害者福祉に関する法律第23条の警察官の通報にて措置入院となる。

4. 介入経緯

　両親に対し，インテーク面接を実施する。そのなかでMさんの両親はともに教師であり，親族にも教師が多い家系であること，教育熱心な両親の下でMさんは勉強中心の児童・青年期を送ってきたことを聞き取る。中学校は両親の希望する学校に進学した。学校以外のプライベートな時間は塾や習い事が中心で，家に帰っても夜遅くまで勉強していた。中学生のときにバスケットボールに出合い，部活を熱心に頑張っていた時期もあったが，

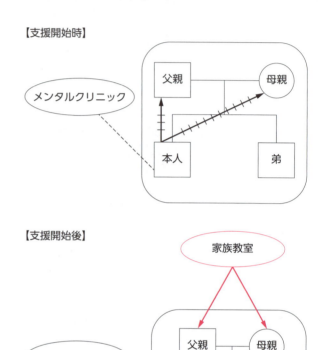

図5-13-1　ジェノグラム・エコマップ

成績が低迷したことを理由に退部した。このころより何事にも熱中できず，物事が継続しなくなっていた。クラスでは周りと協調することができず，いじめの対象になった。高校に進学すると，授業中に突然大声や奇声を発し，自宅では両親を避けて1人自室で独語を話しながら過ごすようになった。心配した両親に連れられてメンタルクリニックの精神科を受診したところ，統合失調症の診断にて治療開始となる。治療を継続することで症状は安定し，高校は休学・留年しながらも無事に卒業した。高校卒業後は，IT関係の専門学校に進学したが，間もなくして治療を中断し，自宅に引きこもった。そして，治療中断後に精神症状が悪化し，自宅内で暴れ，そのまま飛び出して起こした事件により今回の措置入院に至ってしまった。

このインテーク面接の際，やや高圧的に淡々と話す両親の話しぶりから，Mさんは両親の理想の子どもになるために生きてきたことや，抑圧された学生生活を送ってきた可能性が推測できた。病棟の多職種チームで情報共有後，SWはMさんへのかかわりと同時に家族支援を視野に介入を開始した。

5. 支援開始時の状況

Mさんは幻覚妄想を認め，興奮が強く，他害の可能性が高いため，保護室で隔離・拘束されていた。SWがMさんにあいさつを行うが会話にならず，非常に攻撃的な口調であった。しかし，その攻撃的な口調のなかにも，現在の隔離・拘束という処遇に対してMさんの納得できない気持ちがうかがえた。Mさんとのコミュニケーションの糸口として，その気持ちに寄り添いたいこと，これから定期的に面接させてもらい，気持ちを聞かせてほしいと伝えた。

II 事例経過

1. 支援経過（支援期間：入院90日）

X月Y日

両親とインテーク面接を実施する。
通院中であるメンタルクリニックへ情報提供を依頼する。

X月Y日 +1日

Mさんにあいさつを行い，定期的に面接することを伝えた。

X月Y日 +2日

Mさんと病室で面接を実施する。投薬にて，入院時より状態は落ち着いていたが，焦燥感は強く，やや興奮状態を認めた。SWに対しても不信感が強いようで，あまり話をしてくれなかった。そのなかでもMさんは隔離・拘束という処遇に対して強い不満を訴えた。Mさんの気持ちを否定せずに傾聴・受容の姿勢に徹し，Mさんの権利として退院請求や処遇改善請求があることを説明する。加えて，処遇が適切なものであるか，病棟カンファレンスで話し合うことをMさんと約束した。

X月Y日 +3日

病棟カンファレンスでMさんの思いを代弁する。他害性の低下に伴い，徐々に拘束を解除し，隔離の解除に向けて評価していく方針が話し合われた。

X月Y日 +6日

拘束を解除する。父親が同意者となり，措置入院から医療保護入院へ変更する。その際の話し合いの場で，両親はMさんのこれまでの生活史を淡々と話し，「Mの病気を治してあげてください」と語った。以後のMさんとの面接からは，Mさんはこれまで両親の言われるがままに，抑圧された生活を送ってきたと感じているようだが，両親にその認識はないと思われた。

X月Y日 +14日

隔離を解除する。症状に波があり，焦燥感は認めつつも思考や感情は落ち着きをみせており，SWと穏やかに話ができるようになってきた。SWとの面接のなかで，「自分がこうなったのは両親の責任だ」と両親に対する陰性感情を強く表出したため，Mさんと両親の家族関係の再構築を目的に面接を行うこととした。以後の面接のなかではMさんの気持ちを受容しつつ，両親は何を思ってMさんを育ててきたのか，両親がいなければどのようになっているかを考える時間を過ごした。

X月Y日 +21日

隔離エリアから総室エリアへ移動する。病棟カンファレンスの後，両親に対して多職種チームにより治療経過および今後の治療方針を説明する。Mさん了承のうえ，Mさんの想いを両親に伝えると，両親はショックを受け，落ち込んだ表情となった。SWは両親がMさんの今後を考え，頑張ってMさんを育ててきたことをねぎらいつつ，Mさんの病気の特性から，今後どのようにMさんとかかわればよいかの説明を行った。さらに基本的な病気の理解を深めてもらうため，病院内で開催している「初発の統合失調症患者をもつ家族に対する勉強会（家族会）」や「家族懇談会」への参加を促し，統合失調症患者をもつ家族の本人へのかかわり方を学ぶ場の情報を提供した。

X月Y日 +29日～

計4回の心理教育を実施する。公認心理師がリーダーとなり，看護師による病気の説明，薬剤師による薬の説明，SWからは社会資源の説明を行った。同じ疾患をもつ患者数名が参加し，話し合い，グループの力を活用しながらMさんの病気に対する理解や服薬の必要性を深めるかかわりを実施した。

X月Y日 +43日

Mさんより入院治療に一定の理解が得られたとの判断で，医療保護入院から任意入院へ変更する。退院に向けて準備することになり，SWの面接はMさんの今後の生活を考える場に変化した。

X月Y日 +57日

これまでの入院治療に対するMさんの思い，心理教育で学んだことなどを振り返り，今後のMさんの生活・生

き方を一緒に考えた。Мさんは，「治療の必要性が理解できた」と話し，今後の目標として，「いま在籍している専門学校をきちんと卒業したい」「卒業して仕事をしたい」という希望が語られた。両親に対する感情について，「両親も自分のために頑張ってくれていたんだ」と話し，「いまも思うところはいろいろある。つらいことを両親の責任にしてきたけれど，両親の助けを受けていままで自分は生きてこられたと思う」と振り返ることができた。同時にいままでの生活を考えると，再び同じようにストレスを抱え，病気が再発するのではないかという不安（健康的な反応）も語った。この不安に対し，訪問看護を導入することで精神的につらいときに相談ができ，自分自身では気づかない症状悪化に気づいてもらえると提案し，本人も希望した。

X月Y日 +62日

Мさんと訪問看護師との初回顔合わせ。多職種チームより訪問看護師に対し，病状やこれまでの経過について情報を提供する。SWのアセスメントも説明のうえ，支援導入の目的と今後の支援計画を共有する。

X月Y日 +68日

両親への病状説明後，退院に向けた外泊評価を行うことが決定する。

X月Y日 +84日

外泊の様子をМさん，両親，新しい支援者，多職種チームで評価・共有する。

X月Y日 +90日

Мさんは，「もう少しゆっくりしてから復学したい」と話し，自宅へ退院する。

2．終結理由

退院に伴い，入院前に通院していたメンタルクリニックを受診することになった。Мさんは内服治療での症状改善と並行し，入院中の心理教育にて服薬アドヒアランスの向上や病識に関して一定の理解が深まったと多職種チームで評価した。Мさんが家族以外に相談できる支援者として，訪問看護を導入した。訪問看護師には家族内で生じる関係性の変化に注意を払ってもらい，危機的な問題が生じた際に対応する役割も担ってもらえるように依頼した。両親に対しては家族会を紹介し，病気に対する知識の向上，両親自身も孤立せず，悩みを抱え込まない支援体制を整えた。退院前に，これまでの経過や支援体制について受診予定のメンタルクリニックに情報共有を行い，支援を終結とした。

Ⅲ 事例の解説

1．SWが取り組むべき課題

1）入院時期における支援課題を理解する

本事例では，警察官の通報から措置入院となり，その後に医療保護入院，任意入院へと入院形態が変化している。措置入院の入院初期では，本人とのコミュニケーションや関係構築に向けたかかわりが重視され，医療保護入院となった入院中期には，本人の自己省察を含め，治療やリハビリテーションへの意欲を高めるソーシャルワークが重視され，任意入院となった入院後期には，今後の本人の生活や生き方を考えることが重視されている。SWは入院時期における支援課題を理解する必要がある。

2）退院後の支援に向けた地域関係機関との連携

本事例では，治療による症状の改善，病識の獲得と並行して，SWは相談者・病状の見守り役としての訪問看護の調整，Мさんと両親の家族関係の再構築を行った。しかし，Мさんが希望している「復学」「就職」の支援までは時期尚早であり，今回の入院では支援することができなかった。慢性疾患である統合失調症を抱えながら生きていくことは，ライフステージごとにさまざまな課題が生じる可能性がある。それが症状の再燃につながり，治療中断の可能性を生じさせてしまうため，本人の状況の変化に応じて，退院後の支援に向けた地域関係機関との円滑な連携を行う必要がある。

2．支援上の留意点

精神科救急状態とは，精神疾患によって自他への不利益が差し迫っている状況をいう。その入院加療は，任意入院の形態だけでなく，医療保護入院，措置入院，緊急措置入院，応急入院など患者の人権の一部を制限して実施される場合も多い。また，急性期では，症状によって，患者とコミュニケーションが図れない状況も生じる。このようななかでも，病状悪化の背景にある心理社会的要素について，SWは素早くアセスメントを実施する必要がある。加えて，患者の精神症状へ対処してきた家族や地域関係機関などのこれまでの疲弊状態に配慮しつつ，症状安定後の早期退院を見据えた支援調整が求められる。

SWは，そのアセスメントに基づき，本人の居住する地域での支援体制や生活環境への働きかけなどの取り組みに急性期から着手する。そのため家族や地域関係機関へのサポートも，SWにとって重要な役割となる。またこれに限らず，SWが患者のソーシャルサポートシステ

ムとその関係性を的確にとらえておくことは，今後の介入の方向性に重要な示唆を与える。急性期におけるソーシャルワーカーの初動が患者の今後の療養や生活に大きな影響を与えることを意識すべきである。

しかし，精神科救急病棟・精神科急性期治療病棟のSWは迅速にサービス調整をして，期限までに退院することを期待されているため，退院支援＝サービス調整と発想してしまいがちで，本人や家族の困りごとにサービスを当てはめ，問題を解決しようとしてしまうことがある。SWは本人の話を聴き，本人がどういった暮らしを望むのか，どういった生き方を選択するのかを，本人自身で決定できるように支援する存在でなければならない。

そして，そのサービスの利用は本人のもつ力を奪う可能性を考えて調整する必要がある。支援を提供する側が本人よりもサービスに依存していないか，「エンパワメント」「ストレングス」「リカバリー」「パートナーシップ」の視点を念頭に置いて実践を展開することが重要となる。また，ミクロレベルやメゾレベルの支援だけでなく，SWの支援が今後どのようなことにつながるのか，マクロレベルの視点をもった支援を展開することが必要となる。

3. 活用すべき社会資源

- 障害者の日常生活及び社会生活を総合的に支援するための法律（障害者総合支援法）
- 家族会
- 訪問看護
- 障害年金
- 精神障害者保健福祉手帳
- 精神医療審査会
- 措置入院者退院後支援体制整備事業

（駒野　敬行）

> **コラム**

精神科入院形態

「任意入院」「医療保護入院」「応急入院」「措置入院（都道府県知事による入院措置）」「緊急措置入院」について，「精神保健及び精神障害者福祉に関する法律」を基に解説する。

任意入院（第20条，第21条）

精神科病院の管理者は，精神障害者を入院させる場合においては，本人の同意に基づいて入院が行われるように努めなければならない。精神障害者が自ら入院する場合においては，精神科病院の管理者は，その入院に際し，当該精神障害者に対して退院等の請求に関することその他厚生労働省令で定める事項を書面で知らせ，当該精神障害者から自ら入院する旨を記載した書面を受けなければならない。精神科病院の管理者は，自ら入院した精神障害者（以下「任意入院者」）から退院の申出があつた場合においては，その者を退院させなければならない。精神科病院の管理者は，精神保健指定医による診察の結果，当該任意入院者の医療及び保護のため入院を継続する必要があると認めたときは，72時間を限り，その者を退院させないことができる。

医療保護入院（第33条～第33条の6）

精神科病院の管理者は，精神保健指定医による診察の結果，精神障害者であり，かつ，医療及び保護のため入院の必要がある者であつて当該精神障害のために任意入院が行われる状態にないと判定された者について，その家族等[注1]のうちいずれかの者の同意があるときは，本人の同意がなくてもその者を入院させることができる。また緊急その他やむを得ない理由があるときは，精神保健指定医に代えて特定医師に診察を行わせることができる。この場合において，診察の結果，同様の場合は12時間を限り，その者を入院させることができる。

応急入院（第33条の7）

都道府県知事が指定する精神科病院の管理者は，医療及び保護の依頼があつた者について，急速を要し，その家族等の同意を得ることができない場合において，その者が精神保健指定医の診察の結果，精神障害者であり，かつ，直ちに入院させなければその者の医療及び保護を図る上で著しく支障がある者であつて任意入院が行われる状態にないと判定された者に対しては，本人の同意がなくても，72時間を限り，その者を入院させることができる。また緊急その他やむを得ない理由があるときは，精神保健指定医に代えて特定医師に診察を行わせることができる。この場合において，診察の結果，同様の場合は12時間を限り，その者を入院させることができる。

措置入院（都道府県知事による入院措置）（第29条）

都道府県知事は，精神障害者であり，かつ，医療及び保護のために入院させなければその精神障害のために自身を傷つけ又は他人に害を及ぼすおそれがあると認めたときは，その者を国等の設置した精神科病院又は指定病院に入院させることができる。その場合において都道府県知事がその者を入院させるには，その指定する2人以上の指定医の診察を経て，その者が精神障害者であり，かつ，医療及び保護のために入院させなければその精神障害のために自身を傷つけ又は他人に害を及ぼすおそれがあると認めることについて，各指定医の診察の結果が一致した場合でなければならない。

緊急措置入院（第29条の2）

都道府県知事は，入院措置に該当すると認められる精神障害者又はその疑いのある者について，急速を要する場合，1名の精神保健指定医の判断で72時間に限り緊急入院措置の措置をとることができる。

（駒野　敬行）

注1）当該精神障害者の配偶者，親権者，扶養義務者，後見人または保佐人をいう。扶養義務者とは民法の規定により，直系血族と兄弟姉妹，家庭裁判所に選任された三親等以内の親族とされている。直系血族には父母・祖父母・曾祖父母・子ども・孫・ひ孫などが該当（未成年は不可）する。上記の者がない場合は当該精神障害者の居住地を管轄する市町村長が同意者となることができる。なお法改正により，2023（令和5）年4月から医療保護入院の際に同意が必要な家族等から，虐待を行った者が除かれ，虐待を行った者以外の家族・その家族がいない場合は市町村長同意を求めることができる。また，2024（令和6）年4月からは家族等が同意・不同意の意思表示を行わない場合にも，市町村長同意の申請ができるようになる。

第5章　典型的な支援領域の事例

事例 14　帰宅困難者

I　事例概要

1. 医療機関のプロフィール

都市近郊部にある急性期病院であり，第二次救急医療機関として地域医療に貢献している。

SWは「医療福祉相談室」に所属し，3名体制で業務を行っている。人員が乏しいこともあり，救急搬送された患者の支援は専任の担当者を配置せず，介入の依頼があった際に対応可能なSWが支援を行っている。

2. 患者基本情報（図5-14-1）

Nさん，男性，80代前半。妻（80代前半）との2人暮らし。長男（60代前半）はここ数年は実家に帰っておらず，年に数回，母親に電話連絡をする程度である。

3. 現病歴，既往症

Nさんには脳梗塞の既往があるが，大きな麻痺などの後遺障害はない。最近では，物忘れや日常生活動作の低下による歩行のふらつきがみられていたが，「他人に迷惑をかけず，自分のことは自分でする」と自立心が高く，杖を使い散歩することを心がけていた。

ある日，Nさんが道路でうずくまっているところを近所の住民が発見した。「大丈夫，調子が悪いの」と声をかけるも反応が鈍く，ぐったりしていることから，救急要請した。搬送時の状態やバイタルなどから，頭蓋内病変の可能性は低いと判断される。点滴を行い，血液検査や心電図などの検査を実施し，脱水症と診断された。

4. 介入経緯

点滴を継続するなかで，しだいにコミュニケーションが取れる状態になってきたため，救急担当の看護師が家族について確認した。しかし，Nさんからはっきりした回答が返ってこなかった。そこで，看護師より，「救急隊からの情報では，住所地はわかっているが，自宅の連絡先や家族のことがわからず困っている。介入してほしい」とSWへ連絡があった。SWは救急外来へ向かい，

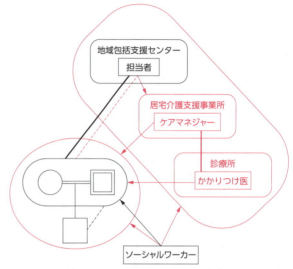

図5-14-1　ジェノグラム・エコマップ

Nさんと面接することになった。

5. 支援開始時の状況

SWはNさんとの面接のなかで，地域包括支援センターの職員とかかわりがあることを確認した。Nさんに住所地を管轄する地域包括支援センターに連絡をすること，自宅の連絡先を確認することなどの了承を得たうえで，連絡を入れることにした。地域包括支援センターでは，3年前に脳梗塞を患った際に，妻からの相談で介入したが，Nさんから「いまは大丈夫」と言われ，具体的なサービス利用はなく，時折の電話や訪問のみの関係が続いていた。最近では，歩行のふらつきがあり心配していたところであったとのことである。連絡先を確認したSWは妻に連絡し，来院の依頼をした。

妻の到着後，医師から病状説明があり，「点滴終了後は帰宅が可能である」ことが伝えられたが，妻からは，「夫の世話はもう限界。いまの状況で連れて帰るのは不安です」と，自宅への退院に消極的な反応であった。SWは，高齢者世帯で介護力が乏しいこと，支援体制が不十分なことから，在宅生活の見直しの必要性について提案した。その結果，医師より，「念のため，1日だけ精査入院は可能」との話があり，妻も「ぜひ，お願いしたい」と

133

希望した。しかし、医師からSWに、継続的な入院加療を要しないことから、「明日、退院ができるように検討してほしい」との話があった。

II 事例経過

1. 支援経過

X月Y日

入院決定後、SWはNさんおよび妻と面接を行った。面接では、妻がNさんのトイレや入浴の際の移動、トイレの見守り、入浴時の洗体などの介助を担っていることが明らかになった。しかし最近では、妻自身も足の痛みを感じており、夫の介助が困難になってきたことに加え、買い物や調理にも苦労しており、食事を弁当などですますなど、食事の配慮も難しくなってきている。過去には、介護保険のサービスを検討したが、Nさんが難色を示したことで、利用には至っていない状況が続いていた。別居する長男がいるが、交流が減っている状況である。しかし、関係性が悪いわけではなく、「迷惑はかけたくない」という思いから、頼ることを避けてきた状況があった。

Nさんと妻は、いまの生活に課題があることに気づいているが、住み慣れた自宅での生活の継続を強く望んだ。Nさんは結婚後の約50年間、いまの住まいで生活している。家屋は、2階建ての戸建てで、屋内外に段差なども多くある状態であるが、Nさんにとって住み慣れた場所である。SWは、Nさんと妻の希望や不安な気持ちを受け止めつつ、今後の生活について共に考えていくことを伝え、長男や地域包括支援センターを含め、退院前にカンファレンスを行うことを提案した。

また、経済面においては、年金と貯蓄があるため大きな問題はないが、今回の入院費用については不安を表出した。SWは健康保険証の確認を行い、後期高齢者医療保険に加入していること、負担割合が1割であることを確認したうえで、オンライン資格確認を行い、高額療養費制度の活用を行った。

X月Y+1日

入院翌日、Nさんの病室を訪れると、昨日とは違い意識もはっきりしていた。Nさんに改めて、いまの状況の受け止めと、今後の生活展望について確認した。Nさんは、今回のことで自宅生活の課題を感じていたが、自宅はNさんにとって「50年間生活してきた人生が詰まった場所」と話し、自宅での生活が、Nさんらしい生活につながると考えられた。しかし、「できることは自分でしたい」「息子には迷惑をかけたくない」という考えに変わりはなかった。

Nさんの意思を確認した後、退院前のカンファレンスが実施された。カンファレンスには、主治医、病棟看護師、Nさん、妻、長男、地域包括支援センターの職員、SWが参加し、退院後の生活について話し合われた。主治医からは身体状態について、SWからは自宅生活の状況や課題、そして自宅生活に対するNさんの思いが共有された。

長男は、「大変だったとは知らなかった。時折、実家に顔を出す」という言葉があり、今後のかかわりについての話があった。また、Nさんにできることは継続しつつ、安心、安全に暮らすために、介護保険制度を利用し、リハビリテーションを兼ねたデイサービスの利用、妻の負担軽減のための家事援助、福祉用具などを活用した住環境の整備、そして、かかりつけ医による医療の提供などが話し合われ、Nさんや家族も同意し、退院となった。

2. 終結理由

SWの介入により、Nさんと家族自身が、生活の状況に向き合い、課題解決に向けての検討ができた。そして、Nさんのできることを大切にしつつも、社会資源などを活用し、生活が維持できる体制に見通しがつき、Nさんらしい生活が実現する場としての自宅生活が実現した。

ただし、支援体制が整ったとしても、生活のなかで新たな課題が生じることが予測されるため、課題の早期発見や、課題の発見時の迅速な対応ができる体制を検討する必要がある。そのため、退院前のカンファレンスでは、ケアマネジャー、ヘルパー、デイサービスによる生活状況の確認体制、長男との新たな関係性が構築できたことも重要であった。また、身体的な課題においては、かかりつけ医への受診、体調悪化時の対応方法（再度の救急搬送の防止）の確認ができたため、SWの支援を終結とした。

III 事例の解説

1. SWが取り組むべき課題

1）家族の存在や関係性の確認と構築

救急搬送された状況によっては、搬送された患者の家族や協力者の存在、またその関係性について把握できないことがある。処置や治療、今後の方針の検討や決定など、患者を支える家族の存在は大きい。早急に家族などの存在や関係性の確認を行うとともに、患者を支える家

族の支援体制構築を行うことが課題となる。

2）顕在化した生活問題の把握とその背景にある生活全体の理解

救急搬送によって，これまで顕在化していなかった生活課題が明らかになることが多い。本事例においても，高齢者世帯であることからも，日常生活の維持を阻む多くの課題を抱えていた。救急に関連する課題を解消するためには，顕在化した生活問題の把握や，その背景にある生活全体の状況を理解することが重要となる。

3）自分らしい治療や療養生活につながる意思決定

救急搬送される状況においては，迅速な意思決定が求められる。そこでは，本人がその意思決定プロセスにかかわれるように取り組む必要がある。救急の場面においては，本人の意思決定が困難な状況も想定されるが，可能なかぎり意思や意向を確認していくことが大切である。

2．支援上の留意点

1）日常的な院内外の連携の構築

救急搬送される患者の支援は，迅速な介入とアセスメント，短時間で効果的な支援を行うことが求められる。それを実現するためには，日常的に院内外の関係者，部門，機関との連携強化に取り組むことが効果的である。例えば，救急外来における迅速な介入は，日ごろから救急部門との症例の共有，課題の確認，SWへの依頼方法の検討などを行い，そこで話し合われた内容に基づいた実践の積み重ねが重要であり，それらが業務の定着化につながる。また，救急搬送の場面では，住所地，家族の存在，健康保険などの情報不足が生じることが多い。そういった情報を収集するには，地域の関係者の協力を得て，確認していくことが有効である。協力を得るためには，日常的に密なコミュニケーションを取ることや事例検討などの学習の機会，地域で開催される会議への参加などを通じて連携を深め，信頼関係を構築することが重要となる。

2）心理・情緒的な支援

救急搬送される患者やその家族は，突然の体調変化やそれに伴う生活変化により不安や心理的な苦痛が生じる。その危機的状況を意識し，常に，情緒面，心理面を支えながら，支援を展開していくことが必要となる。

3）家族システムの視点

患者のみならず，患者を支える家族も支援の対象である。高齢者世帯では，「家族システム」における構造的な課題があることも考慮し，家族システムを変容させるアプローチの検討が必要となる。

4）問題に向き合うことを支える

身体面の急激な悪化は，いままでの生活を一変させる。そのため，新たな生活のかたちやその方法の検討に迫られることになる。新たな療養生活の決定においては，本人やその家族自らが，現在の生活状況や課題と向き合い検討することが重要であり，そのプロセスが結果的にその人らしい生活の実現につながっていく。SWは，そのプロセスに患者・家族が参加し，検討していけるように側面的に支える。ただし，意識レベルの低下や精神的に混乱している状況などにより，課題と向き合うことや決定が困難な場合は，患者・家族などに関する状況の理解，意思決定能力の評価，患者の推定意思や代理意思決定者の確認などが支援のポイントとなる。

3．活用すべき社会資源

- 高額療養費制度
- オンライン資格確認
- 介護保険制度
- 地域包括支援センター
- 居宅介護支援事業所
- 診療所
- 人生の最終段階における医療・ケアの決定プロセスに関するガイドライン[1]

文献

1) 厚生労働省：人生の最終段階における医療・ケアの決定プロセスに関するガイドライン．2018．
https://www.mhlw.go.jp/file/04-Houdouhappyou-10802000-Iseikyoku-Shidouka/0000197701.pdf

（萬谷　和広）

コラム

帰宅困難者のフロー

下記のフローは，帰宅困難者の困難要因と支援に関するフローである。

救急隊から医療機関へ「①搬送」された患者は，医療スタッフによる「②治療」を受ける。そのなかで，ソーシャルワーカーの介入が求められる場合においては，「③相談・依頼」されることになる。

「相談・依頼」を受けたソーシャルワーカーは，患者や家族に「④介入，アセスメント」を実施する。アセスメントにおいては，生活や生活問題の評価に加えて，「帰宅困難に関連する要因例」についても確認し，円滑な帰宅が可能かどうかについての判断も行う。その後，アセスメントに基づいた適切な関係者・関係機関との「⑥連携・情報共有」を実施する。とくに，帰宅困難者の場合は，関係者・関係機関との協働が，その人を支える有効な手段となり得る。「⑦プランの策定，方向性の検討・支援」では，患者，家族，医療スタッフ，関係機関と共に，今後の生活や解決すべき課題について検討を重ね，支援を行う。そして，その人らしく生活ができる療養の場の決定や，そのための体制が整備されることによって「⑧退院」となる。退院後は，必要に応じて「⑨モニタリング」「⑩再アセスメント」を行い，「終結」に至る。

なお，「⓪連携活動」として，日ごろから医療機関のスタッフや関係者・関係機関でコミュニケーションを取り，また，医療スタッフとソーシャルワーカーの間でもコミュニケーションを取ることで，連携や体制を構築しておくことが，迅速で効果的な支援につながる。

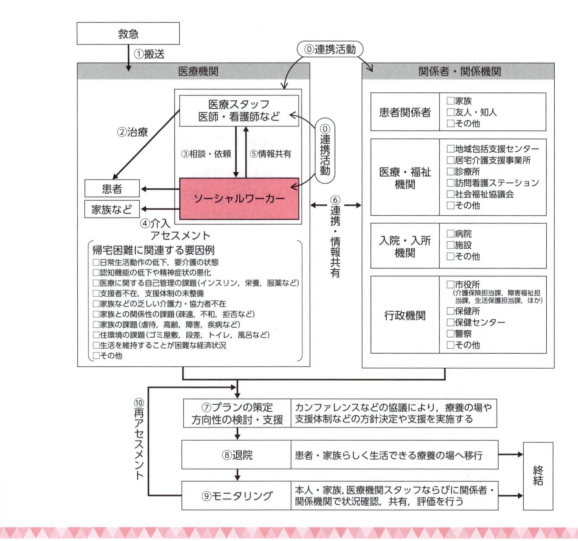

（萬谷　和広）

第5章 典型的な支援領域の事例

事例 15 熱中症

I 事例概要

1. 医療機関のプロフィール

25診療科を有する地域医療支援病院である。救命救急センター，周産期センターを併設している。

SW は診療協力部門にある患者支援センターに所属している。救命救急センターは三次救急を担い，ESW を配置している。

2. 患者基本情報（図 5-15-1）

Oさん，女性，80代前半，B市に独居，後期高齢者医療により医療費の自己負担は1割，介護保険要支援2（初回申請で認定されたばかりであるが，その間の状態変化があり，区分変更申請手続きを2週間前に行っている）。エレベーターのある団地の6階に居住している。夫は5年前に他界している。長女（50代後半）はB市に隣接するC市に在住し，就労なしで，夫は単身赴任で他県に在住しており，娘との2人暮らしである。長女は隔日にOさん宅へ車で20分ほどかけて訪問し，食事の持参，買い物などを行っていた。これまで，介護保険サービスの利用はなく，利用の検討をしていたところでの入院となった。遺族年金と老齢年金の収入と夫の遺産の貯蓄がある。

3. 現病歴，既往症

救急搬送の前日に悪心と脱力を主訴に D 病院を救急受診している。検査の結果に異常はなく，長女と帰宅した。食事をしていなかったため長女が食事を促し，その後，長女は自宅へ帰った。

翌日，脱力，歩行困難を主訴に本人が救急要請する。

既往症は脳梗塞，心房細動（D病院），乳がん（E病院にて手術）である。

4. 介入経緯

緊急搬送の翌日，救命救急センター医師より電話があった。状態は落ち着き，早めの退院ができそうであることを医師から長女に説明したところ，転院を含めて考えたいとのことであった。入院前に認知症状があったため，精神科病院の受診・入院や施設の入所も考えている。SW との相談を希望しているとのことであり，介入の依頼となった。

5. 支援開始時の状況

Oさんの意識状態は改善し，意思の疎通にも問題はな

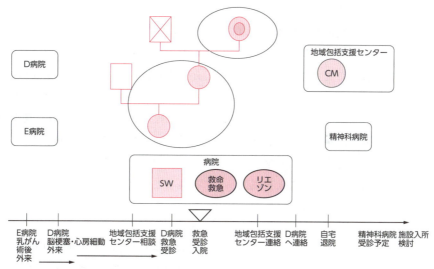

図 5-15-1 ジェノグラム・エコマップ・タイムライン
CM：ケアマネジャー

い。長女とSWが面接を予定していることを把握しており，長女に迷惑をかけているとの発言がある。自宅退院を希望しているが，施設の利用も今後検討する意向がある。

長女はSWとの面談に応じ，相談の意向がある。今回の入院前にOさんから長女へ頻回に連絡をしてくる，つじつまの合わない言動などがあった。食事や飲水，エアコンの管理などに関しても，独居では不安があり，入院の継続，または転院を希望している。これまでに何度か地域包括支援センターのケアマネジャーとの相談が行われている。最近ではD病院は外来受診のみでSWとの相談などは行っていない。

当院は救命救急センター対応となっており，全身状態が落ち着いていることから，早期の退院を予定している。認知症状の訴えに精神科リエゾンの依頼を検討している。自宅退院もしくは転院・施設入所を検討するかどうかは明確になっていない。

ESWが医師からの連絡を受け対応する。病院の機能上，早期の退院調整を求められる背景がある一方，ソーシャルワークの専門性を発揮することを考えている。熱中症による身体面の評価だけでなく，療養環境の調整と再発予防の必要性を初期アセスメントし，支援を開始した。

II 事例経過

1. 支援経過（支援期間：入院4日間）

X月Y日

脱力，歩行困難を主訴に本人が救急要請する。救急隊現着時に玄関と窓は施錠されており，長女の到着を待って入室すると，布団上で仰臥位の状態であった。意識障害があり，自発呼吸はみられるが，高体温，発熱ありの状況であった。エアコンはついておらず，部屋がとても暑い状態であった。D病院は応需不可であり，当院へ救急搬送となり入院した。

X月Y日 +1日

救命救急センター医師より支援介入依頼があった。SWと本人，家族との面接により，退院先として，在宅，施設，病院（精神科病院）の方向性を評価することを説明し，精神科リエゾン班による認知症状の評価について確認する。精神科リエゾン班へ診療依頼をすることとなる。

X月Y日 +2日

Oさんの病室を訪問し，面接を実施する。「今日娘と会うこと知っています。娘にはいろいろと迷惑をかけてすまないと思っています。夜眠れず睡眠薬をもらっていますが，寝ぼけたようになって何かおかしなことをしてしまわないか心配です。前に入院したときにそのようなことがあったので。病院で寝泊まりすることは心配ですが，1人になるのも心配。家で生活できるとは思っています」と，端坐位で姿勢正しく話をする。意思の疎通についても面接時は問題なく，自宅退院の希望がある。将来的な施設入所についても検討するなど，生活イメージがあることをSWは確認した。

長女との面接では，「今回の入院前に突然隣人を呼び出したり，電話を私（長女）に頻回にしてきたり，食事をしなかったりすることがありました。地域包括支援センターに相談し，介護保険を申請し，老人保健施設の入所を考えましたが，要支援2の認定だったので，区分変更申請の手続きをしています。施設はすぐには難しいので，認知症状もあると思い精神科の病院の入院も考えました。本人は自宅に帰りたいようなので，介護サービスを使っての家での介護も考えています。もともと家族で毎日のようにサポートしていたので，同じようにすることはできます」と話される。

X月Y日 +3日

リハビリテーション部，理学療法士，作業療法士と協議を行い，リハビリテーションの評価を確認する。昨日のリハビリテーションでは歩行できており，本日は階段昇降を予定している。疎通に問題はなく，これまでの経緯などもリハビリテーション中に話していることを確認した。

精神科リエゾン班医師へ電話をかけ，精神科の診断，評価を確認する。本日診察し，レビー小体型認知症の可能性があるが，精神科への入院適応はないと判断し，外来受診については診療情報提供書を記載するとのことであった。

地域包括支援センターのケアマネジャーへ電話し，入院前の生活状況と現状について情報を共有する。認知症かどうかは不明であるが，家族への頻回な電話連絡があり，1人になると食事が進まないといった状況があった。介護保険は区分変更しており，要介護1となる見込みで，デイサービスを週に2回利用できる手配が行われ，来週から利用可能である。老人保健施設入所の具体的な候補を長女と相談しており，正式に介護認定が下りたところで手続きを進める予定であると確認できた。現在の病院での治療，リハビリテーション，ケアの状況を説明し，自宅退院となる際の連携・引き継ぎを協議した。

救命病棟看護師より電話連絡がある。SWと話をすることになっているとOさんが言っているとのことであ

り，急遽，病室への訪問を予定する。

　長女より電話連絡が入る。Oさんから何回も電話があり，施設へ入る，自宅へ帰る，長女と同居したいなどさまざまな考えを話すが，自宅退院して介護サービスを利用しながら，長女も自宅訪問を予定する意向とのことであった。精神科の診療情報提供書の準備を進めること，地域包括支援センターのケアマネジャーとサービス利用の相談ができること，再度OさんとSWとで話をすることを説明した。

　Oさんの病室を訪問し，面接を実施する。「これからのことを考えると落ち着かなくなり，娘に迷惑をかけていると思うが電話をしてしまう。自分の言うことはコロコロ変わるというのもわかるが，先のことが決まらないと不安になり，いろいろ考えて心配になってしまう。退院できるのかなど決めてもらい，安心したい」と話される。自宅に帰るための介護保険サービスの調整などを現在行っていることを説明する。長女にも再度連絡を取ることとする。

　救命救急センター医師と経過を共有し，本日のリハビリテーションで階段昇降まで進んでいるため，明日の退院を予定する。医師から本人，家族へ説明することとなる。

　電話にて，Oさんとの話の内容を含めて長女へ相談し，明日の自宅退院について確認する。医師からの連絡もあったとのことであり，迎えに来ることとなる。

　地域包括支援センターのケアマネジャーへ電話し，明日の退院予定について連絡する。退院時の自宅訪問と，デイサービスの利用開始について調整を進めてもらうこととなる。

　C病院のSWへ電話し，受診，支援の経過について情報を共有する。今後の受診時の相談・対応を依頼する。

X月Y日 +4日

　長女が迎えに来た際，「何とかやってみます，精神科の診療情報提供書をもらいました」とのあいさつがあり，自宅退院となった。

2. 終結理由

　自宅へ退院し，地域への引き継ぎがなされたため，支援を終結した。

III 事例の解説

1. SWが取り組むべき課題

1）救急受診を繰り返す可能性を評価する

　繰り返しの救急受診となっており，環境が変わらないかぎり，今後も繰り返し受診する可能性がある。それは身体症状が重篤化する可能性でもある。

2）精神症状，認知症状の顕在化の視点をもつ

　認知症を含めた受療はこれまでなく，症状が現れる可能性がある。熱中症の症状としての意識障害（応答が鈍い，何となく言動がおかしい）を含め評価が必要になる。

3）家族（長女）の負担が重くなる可能性を考慮する

　生活環境を調整していく過程で長女への負担が集中することが予測される。

2. 支援上の留意点

1）高齢者の熱中症とバイオ・サイコ・ソーシャルモデルの視点

　熱中症の身体症状のみを評価するのではなく，精神面，心理面，社会面をとらえ，統合的にアセスメントしていくことが必要になる。屋内で発症する非労作性熱中症は高齢の女性，独居に多く，精神疾患，高血圧，糖尿病，認知症などの基礎疾患を有する症例は重症化しやすい[1]という特徴を理解したうえで，既往症，意識障害と精神症状・認知症状を含めた精神面，入院に至るまでの背景やこれまでの生活環境の心理・社会面についての全体をみる。本事例では脳梗塞，心疾患の既往があり，認知症状がみられ，繰り返しの受診となっていた経過があった。独居により孤立感をもち，食事が進まないという背景があり，介護保険を含めたサービスの利用はなかった。一方，Oさん自身で今後の生活について考え，家族に連絡することができていた。また，家族の協力が得られ，家族が地域包括支援センターへ相談に行くなどの手続きを進めることもできていた。経済面からは独居生活が困難な際は施設などでの療養も検討できる状況であった。これらを統合的に評価し，計画，介入，実践に結びつけていくことが求められた。

2）予防対策の必要性

　繰り返しの救急受診，熱中症の重症化，高齢者の死亡のリスクから再発予防が重要になる。基礎疾患の受診環境を整え，生活環境の見直しを検討する。本事例では，既往症については他医療機関での受診があり，退院後も継続受診の見通しがついたが，精神科，認知症状に対し

ての受療については新たに調整する必要があった。独居での生活，食事の課題，孤立感，日中の住環境（室温の設定，換気）については介護保険サービスによる通所サービス，訪問サービスの利用が検討され，可能な範囲での長女のかかわりを具体的に相談・調整することとなった。

3）受療環境の調整と地域での支援体制の構築

医療の適切な受療環境と介護による生活環境へのサポートを体制として構築していくには，多機関・地域連携が必要になる。1つの医療機関のみでの対応には限界があり，救命救急センターでの対応においては時間的にも短期的なものとなり，多機関との連携は必須となる。

本事例では，認知症状についての新たな受療環境調整が必要と判断し，精神科リエゾン班の診療，診療情報提供書の作成，家族との面接経過から具体的な受診医療機関の候補の設定が行われ，受療環境の準備を整えた。認知症の初期診断には一定期間の経過観察，鑑別診断のための検査が必要になり，救命救急センターでの対応には限界があるため，こうした連携を行った。これらの受療環境の調整を地域包括支援センターの担当者とも共有し，医療と介護が連携できる体制構築を目指した。介護保険サービスについてはすでに介入している地域包括支援センターと連絡を取り，入院前の生活状況，入院中の身体面，精神面，本人・家族の意向，今後予測される状況と見通しについて情報共有し，介護サービスの導入を連携・協働して支援した。

4）意向の確認，意思決定と家族を含めた支援の視点

Oさんの療養環境を整えるには，Oさんのみでなく家族を含めた支援の必要性が出てくる。本事例では，長女によるサポートの協力が得られる強みがあるが，それは長女に負担を強いることにもなる。Oさんのみの意向，意思決定ではなく，Oさんと長女の取り組み，意思決定を支援する視点が必要となった。そのためには家族システムの早期の把握が必要となり，本人・家族との対面による面接を意識的に行った。

救命救急センターでは短期的なかかわりとなってしまうため，継続的に意思決定について相談できる体制構築と地域への支援の引き継ぎを行った。

3. 活用すべき社会資源

- 介護保険
- 地域包括支援センター
- 熱中症対策ボランティア
- 老人保健施設

参考文献

日本救急医学会：熱中症診療ガイドライン2015．日本救急医学会 熱中症に関する委員会，東京，2015．
https://www.jaam.jp/info/2015/pdf/info-20150413.pdf

環境省：熱中症環境保健マニュアル2022．環境省環境保健部環境安全課，東京，2022．
https://www.wbgt.env.go.jp/heatillness_manual.php

（桑島　規夫）

第5章 典型的な支援領域の事例

事例16 末期がん患者

I 事例概要

1. 医療機関のプロフィール

当院は，県北部地域の中核的総合診療基盤を担う二次救急指定医療機関である。地域医療支援病院，在宅療養後方支援病院の指定を受けている。診療科は救急総合診療科を含め15診療科である。

SWは，患者サポートセンター（医療社会福祉課）に5名配置している。

2. 患者基本情報（図5-16-1）

Pさん，男性，80代前半。妻（70代後半）と2人暮らし。妻は認知症を患っており，要介護2と認定されている。前妻との間に長男はいるが，10年来連絡を取り合っていない関係性である。

3. 現病歴，既往症

既往症には肺線維症を抱えていた。3年前に肝細胞がんを発病し，肝切除術を受ける。その翌年に肝細胞がんの再発が確認され，4度のラジオ波焼灼術を受療し，定期的に当院の外科に受診していた。最近になり黄疸が出現，食欲不振が続いていた。今回，発熱がみられ，腹痛が伴い動けなくなり，救急車を要請し，当院に救急搬送され受診となった。

4. 介入経緯

救急総合診療科の医師よりSWに，「Pさんは肝門部から胆管にかけ閉塞があり，外科の主治医にも確認し，経皮的経肝胆嚢ドレナージの処置のため，緊急入院が必要。しかしPさんは，認知症の妻を一人で残して入院することはできないと言っている。Pさんの状態から，今後はがんに対しての治療はできそうにない。予後は2～3カ月くらいかと思われる。PさんにSWを紹介したところ，相談したいことがあると言っているので来てもらえないか」との連絡があった。

5. 支援開始時の状況

救急外来に訪問した際，ベッドで横になっているPさんと，そばに座っている妻がいた。

SWはPさんに自己紹介とSWの役割について説明した。Pさんから，「先生より，がんに対する治療はできる状態ではないと言われた。最近の体調を考えると，もう先が長くないとは思う。気がかりなのは，自分が亡くなった後の妻のこと。自分が亡くなった後のことを考えると，少しでも時間がほしい。そのためにも退院したい。自分のこと，妻のことについて相談にのってもらいたい」との訴えがあった。妻は要介護2の認定を受けていた。Pさんより，妻は日常生活動作は自立しているものの，自分の生年月日も言えず，説明したこともすぐに忘

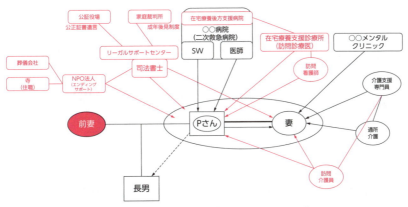

図5-16-1 ジェノグラム・エコマップ

れるなどの認知症があり，常にPさんが隣にいて，世話をしてきたとの説明があった。Pさんは自身の予後状況を理解し，自分が亡くなった後のこと，妻のことを何よりも心配している様子であった。SWはPさんの話を傾聴しつつ，今回の入院の期間を活用し，一つひとつの課題に対し，取り組むことを約束した。

II 事例経過

1. 支援経過

X月Y日（救急受診日，入院日）

救急外来にて，Pさんと妻との初回面接を行った。Pさんからは，「入院中，妻を付き添わせてほしい。試してみて，支障があれば妻を短期入所で預けたい」という希望があり，病棟看護師長に相談し，協力を得た。

X月Y日 +1日

病室にて，Pさん，妻，主治医，病棟看護師，SW，ケアマネジャーと今後のことについて面接を行った。SWからは在宅療養を支える社会資源の情報提供を行った。また，Pさんの「葬儀，相続，遺される妻のことが気がかり」という相談に対し，SWより，死後事務委任契約や，リーガルサポートを介した，司法書士による公正証書遺言の作成，妻の今後の身上監護を考え，成年後見の申し立てを依頼するなどの提案を行った。妻のケアについてはケアマネジャーから，訪問介護，短期入所，施設入所などの提案があった。Pさんからは，「在宅医療や介護の体制と自分の体調が整い次第，家に帰りたい」との言葉が返ってきた。

X月Y日 +2日

SWより，訪問診療医，訪問看護ステーションへ連絡し，退院前カンファレンスの日程調整を行った。また，リーガルサポートを介して司法書士を紹介してもらい，病院での面談の日程調整を行い，Pさんに報告した。

X月Y日 +4日

Pさん夫婦，主治医，病棟看護師，SW，ケアマネジャー，訪問診療医，訪問看護師と退院前カンファレンスを行った。Pさんから，「できるだけ自宅で過ごしたいが，状況によっては病院に再入院をお願いすることもある。でも，延命治療や心肺蘇生などは希望していない」「残された時間は終活にあてたい」などが語られた。

X月Y日 +6日

司法書士とケアマネジャーが来院し，Pさん夫婦，SWと面接を行った。公正証書遺言の作成，死後事務委任契約，妻の身上監護や財産管理について成年後見人を申し立てること，妻の今後のケアや生活の場に関する段取りなどについて話し合った。

X月Y日 +10日

Pさん夫婦，SWとで面接を行った。Pさんから，「入院中に気がかりになっていたことを相談できてよかった。皆に支えてもらって，自宅に帰ることができる。ありがとう」との言葉が聞かれた。

X月Y日 +14日

自宅へ退院する。在宅療養に移行した。

X月Y日 +2カ月半後

訪問診療医より，緊急入院の受け入れ要請があり，再入院となった。Pさんから，「延命治療や心肺蘇生などは希望していない。でも，症状が緩和し，自宅に帰ると決心できればもう一度，家に帰りたい」などの言葉があった。しかし，翌日以降，傾眠傾向となり，入院6日目に妻に見守られながら永眠した。

2. 終結理由

人生の最終段階を意識し始め，Pさんから語られた気がかりと意向に伴う複数の課題に対し，対応し得る社会資源をマネジメントし，支援環境の構築に努めた。

在宅療養への希望に対しては，主治医，病棟看護師による在宅療養への管理指導に加え，妻の生活支援も踏まえながら，夫婦の在宅療養を支える支援環境を構築し，自宅退院に結びつけることができた。患者の亡き後の葬儀や相続に関する意向を死後事務委任契約，公正証書遺言という手段につなげることができた。また，Pさん亡き後の妻の生活支援の場や成年後見制度による身上監護の見通しをつけ，Pさんの安心感につなげることができたと考えられる。以上の3点は，再入院の際，Pさんから，「自宅で過ごせた期間，皆の力を借りて，自分が妻にできることはすべてやり切れた。ありがとう」と言った感謝の言葉からもうかがい知れた。最終的な終結は，Pさんの永眠と遺された妻の支援体制が構築されたことを判断基準としている。

III 事例の解説

1. SWが取り組むべき課題

1）いま，何が起きているのかをアセスメントする

本事例では，人生の最終段階が差し迫ってきている状況下で，Pさんの抱える気がかりは，自身の身体的症状だけではなく，認知症の妻の主介護者としての役割を

担ってきたPさんという側面から生じたものであった。SWは，Pさんや妻，主治医や妻のケアマネジャーとのかかわりから，Bio-Psycho-Socialモデルに基づく情報収集だけではなく，家族システムのなかで，Pさんがどのような役割を担ってきていたかといった情報も踏まえ，Pさん夫婦にいま，何が起きているのかをアセスメントすることが重要であると感じた。

2）物語として次章（アクションプラン）につなぐ

救急車で受診したこと，救急外来での告知，緊急入院になったこと，妻がそばにいること，病院から次のステップに進むこと，在宅療養を選択したこと・すること，体調が再悪化したときのこと，自分が亡くなりそうになったときのこと，自分が亡くなったときのことなど，SWは，Pさんが"直面した出来事（物語）"や"今後，直面すると予測される出来事（物語）"に対し，Pさんがどのような気持ちや考えを抱いたか言語化を促進した。また，その物語が意味していることや状況をPさん自身が探れるように対話を重ね，物語の次章のための選択肢や優先順位を明確にし，支援計画を立て，実行に展開する役割を担う必要性がある。

3）遺される家族の今後を含めた支援環境を構築する

本事例では，Pさんの人生の最終段階に向けた医療・ケアの意思決定や支援に終始するだけでなく，Pさんが主介護者として役割を担ってきた妻に対する支援を含め，Pさん亡き後の妻の今後を包括した支援が必要であった。そのためには，在宅医療や介護に関する社会資源だけではなく，Pさんのエンディングサポート（死後事務や相続）を含め，認知症の妻が今後，安心して生活を続けていく基盤につながるよう，医療や介護分野にとどまらず，成年後見制度の活用など，司法関係職種，地域のNPO法人などとの多機関・多職種連携に基づいた支援が求められた。

2．支援上の留意点

1）患者や家族への精神的な支援

告知，入院，持続的な医療処置，体調の変動，できていたことができなくなってきている実感など，エンドオブライフ・ケアの過程で患者はさまざまな出来事のたびに悲嘆に直面する。SWは，そのような状況にいる患者の精神的な側面に配慮しながらも，患者との対話のなかで"支え"となっているものを発見できるようかかわっていかねばならない。

2）患者の医療・ケアに関する方針の決定にかかわる支援

「人生の最終段階における医療・ケアの決定プロセスに関するガイドライン」[1]には，「適切な情報の提供と説明がなされ，それに基づいて医療・ケアを受ける本人が多専門職種の医療・介護従事者から構成される医療・ケアチームと十分な話し合いを行い，本人による意思決定を基本としたうえで，人生の最終段階における医療・ケアを進めること」「医療・ケアチームにより，可能なかぎり疼痛やその他の不快な症状を十分に緩和し，本人・家族等の精神的・社会的な援助も含めた総合的な医療・ケアを行うこと」とある。SWは，医療・ケアチームの一員として，患者との対話を重ね，患者の価値観や思い，人生観などが医療・ケアに関する方針の決定に活かせるようにかかわっていかねばならない。

3）時間軸を意識したソーシャルワークの展開

エンドオブライフ・ケア，人生の最終段階に差し迫っている時期という大枠の時間軸のなかに，SWが救急外来の時間内にできること，退院までにできること，在宅療養期間中にできること，その時々に患者の抱える課題に対し，SWが最適な手段と方法を提案できるよう意識し，ソーシャルワークを展開していくことが求められる。

3．活用すべき社会資源

- 人生の最終段階における医療・ケアの決定プロセスに関するガイドライン[1]
- ソーシャルワーカーの倫理綱領・医療ソーシャルワーカー行動基準[2]
- 在宅療養支援診療所，訪問看護ステーション，在宅療養後方支援病院
- 介護保険法
- 成年後見制度
- 公正証書遺言（公証制度）

文献

1) 厚生労働省：人生の最終段階における医療・ケアの決定プロセスに関するガイドライン．2018．
https://www.mhlw.go.jp/file/04-Houdouhappyou-10802000-Iseikyoku-Shidouka/0000197701.pdf
2) 日本医療ソーシャルワーカー協会：医療ソーシャルワーカー行動基準．ソーシャルワーカーの倫理綱領，2022．
https://www.jaswhs.or.jp/images/NewsPDF/NewsPDF_SxJkPTQeWAzKhP1L_1.pdf

（郡　章人）

第5章 典型的な支援領域の事例

事例の総括

I ソーシャルワークの視座で事例をとらえる

ESW が救急医療の場において果たす役割は，クライエントや家族の問題解決能力をエンパワメントすることである。本章にあげた典型的な16事例を通して，その支援の経過を描いた。実際，ESW が出会うクライエントは，病態や状態像に焦点が当てられる（図5-17-1）[1]。それらが支援につながる契機ともなり，医師や看護師らと異なるアプローチを ESW は展開することとなる。

ここで注意しなければならないのは，クライエントの病態や状態像に関する情報を正確に把握しつつも，人の病理性（ウィークネス）への着目だけで支援を展開してしまうことである。クライエントや家族等とかかわる時間がたとえ短時間・短期的であったとしても，意思疎通が十分に行えない状況下であったとしても，ESW は常にクライエントが主体であることと人権擁護の理念を忘れることなく，かかわり続けることが求められる。さらに，個人の背景に広がる社会（環境）との関連に着眼し続けなければならない。以下に示す，山口[2]の「医学モデルの問題点」の整理は，自身が病理性（ウィークネス）への着眼に偏りがちになってしまっていないかどうかを振り返るセルフチェックリストとして用いることをお勧めしたい。

①「クライエント＝問題を訴える人や通常ではないと判断された人」という定義

②支援における個人の内面にあるパーソナリティへの焦点化

③クライエント（病気を患う人）とみなされることによる本人の自己責任，自立，自助などの軽視

④「問題解決＝原因の追究と治療・除去によって可能となる」という前提

⑤ソーシャルワーカーとクライエントの関係における「治療する者」と「治療を受ける者」というような立場の違い

⑥ソーシャルワーカーによる主導権の保持とクライエントへの参加の欠如

⑦人間のある部分（情緒，心理，無意識，本能，対人関係など）への焦点化による各部分へのアプローチの乱立

医療の場は，連携する多職種が医学モデルの視座をもつものが圧倒的に多く，ESW も時にその発想や視座に大きな影響を受ける場合がある。本来 ESW は，思いもよらない緊急な事態に遭遇し不安が高じているクライエントや家族らに率先してかかわり，彼らが安心できる時間や空間を確保し，心配な気持ちをいつでも自由に吐露

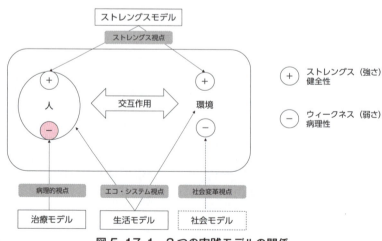

図5-17-1　3つの実践モデルの関係

〔文献1）より引用・一部改変〕

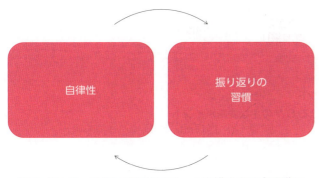

図5-17-2 救急医療現場のチームを構成する専門職に求められる要素
〔文献3）を参考に作成〕

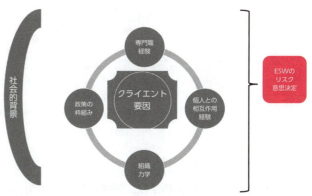

図5-17-3 リスクの高い意思決定要因のための生態学的モデル
〔文献4）より引用・一部改変〕

できる関係性を構築する。クライエントや家族等のコンピテンスやストレングス，レジリエンスに着目し，社会（環境）との交互作用の全体をとらえ，パワーレスになっている状況に早期に介入し，再び社会生活に戻っていくプロセスを支えるソーシャルワーク支援体制を構築する。ESWはその体制構築にファーストタッチする立場であり，連携によりつないでいく重要な役割を担っている。

II 振り返る（省察する）ことの大切さ

救急医療の現場では，ESWはこれまで支援経験のないクライエント，これまで経験したことがない病態や状態像であっても，病態や状況が緊迫しているなか，早急に判断し対応を強いられることがある。多くのESWは，時に，自身の能力の限界を感じることもあるだろう。また，今後の見通しが立たないリスクや不確実性，新たな社会問題を内包する状況が背景にある場合，支援にあたりながら，ESW自身が不安な気持ちに耐えねばならないこともあるかもしれない。あるいは，時に，危機的状況にある人々から感情を吐き出される対象となることもあり，本来支援の対象であるはずのクライエントや家族等に陰性感情を抱いてしまうこともあるかもしれない。

しかし，救急医療現場では，各専門職のモチベーションと自律性がとくに重要となり，個々の専門職が，クリティカルな姿勢を保持し，振り返り（省察）を習慣づけることが必要となると卯野木は指摘する（図5-17-2）[3]。

モチベーションと自律性を担保する振り返り（省察）のポイントはさまざまあるが，ここではESWが置かれている状況に役立つ3つを提示する。

1つ目は，事例の困難性を振り返ることである（図5-17-3）[4]。ESWが自分の能力の限界を試されるようなリスクや精神的な苦痛を伴う状況に直面した際には，事例要因に困難性を見つけようと執心してしまうことがある。しかし，その困難性は，事例要因に加え，組織的要因，外的要因（社会的背景や政策などの限界），意思決定者（ESW）の要因が絡み合って生じている可能性がある[4]。そのため，事例の困難性はどこにあるのかを紐解くために，支援の経過を振り返る習慣が必要となる。これらの検討の蓄積が，ESWが事例に応じた裁量を発揮する力の醸成につながる。

2つ目は，専門職が抱く感情が判断や意思決定に与える影響について振り返ることである。感情が与える専門職への影響は，感情労働としてすでに研究されている[5]。Sicora[6]は，感情の影響はよい点と悪い点の双方あり，重要なのはSWが自分自身の感情的反応を認識し，理解し，それを効果的に活用することであるとしている。効果的活用ができれば，専門職としての判断の質を高めることができるともしている。感情は，他者との共感的関係を構築するために欠かせないが，一方で，陰性感情や反省の念が湧いてくると，アセスメントが防衛的になってしまったり，リスク回避的な判断をしてしまうおそれがあると指摘している。そのため，感情が判断に何らかの影響を与える可能性について意識を向けておく必要がある。

3つ目は，思考のプロセスを振り返るということである。これは臨床推論（clinical reasoning）といわれる概念を用いて説明する。臨床推論とは，専門職が臨床行為を理由づけし，それを言語化することを意味する。医療専門職の臨床的実践において用いられる思考や意思決定の過程であり[7]，近年，医学教育では，卒前から，医師免許資格取得後の初期臨床実習にわたり，シームレスな実習教育体系（医学教育モデル・コア・カリキュラム）が整備されるなか，コンピュータ上でのシナリオ症例の

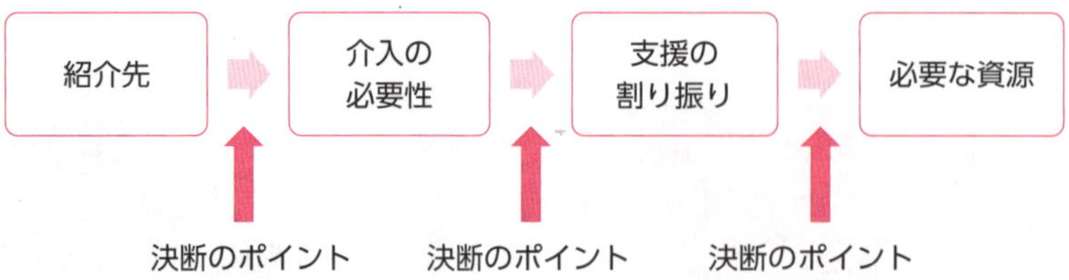

図 5-17-4 小児のサービスにおける SW の主な決断ポイント
〔文献12〕より引用・改変〕

疑似診療体験，基本的臨床手技，根拠に基づく医療の応用などと並び，実践の質向上に資する手法として重視されている。

大西[8]は，「当該患者の疾病を明らかにし，解決しようとする際の思考過程や内容」と定義する。根拠をもって理由づけていくこと，つまり，根拠に基づく鑑別と判断の連続するプロセスを意図している。「患者の訴え（症候）から出発して，対応する鑑別診断をあげて一つひとつ検討していく体系的・分析的アプローチ」[9]や，「最良の判断に基づく行動を起こすことを可能にするための思考のプロセス」[10]などと表されている。専門職の行為の理由づけを言語化する能力は，①クライエントやその他の人々への説明責任を果たすこと，②チームや多職種間での情報や目標の共有を果たすこととなり，専門職としての社会的対価に応えることに直結する。

ESW も，専門職倫理や価値に基づき，知識や技術，限られた裁量や権限などを活用しながら自律性を発揮し，クライエントへの具体的行動を構想する。重要なのは，行為を理由づけていく reasoning を意識することである。SCIE[11]では，収集した情報からリスクを特定し，優先順位をつけ，SW がさまざまな判断を天秤にかけ，その中から決断する意思決定のプロセスを他者に示すことができることが重要であると述べている。「どのような根拠があり，どのような批判的思考に基づいて決定されたのかを説明できること」は，「関係するすべての利害関係者に満足のいく形で示すことができるものでなければならない」と示している[11]。図 5-17-4[12]は子どもに対するソーシャルワークの意思決定のプロセスを図式化したものである。必要な社会資源が決定されるプロセスにおいては，責任ある細かな決断の連続であることを表している。

III ESW に求められる統合的能力（プロフェッショナル・コンピテンス）

Bogo[13]は，ソーシャルワーク実践における統合的能力

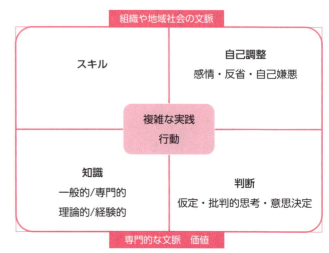

図 5-17-5 ソーシャルワーク実践における統合的能力（プロフェッショナル・コンピテンス）モデル
〔文献13〕より引用・改変〕

（プロフェッショナル・コンピテンス）モデルを図 5-17-5 のように示している。統合的能力（プロフェッショナル・コンピテンス）は，手順コンピテンス（プロセスコンピテンス）とメタコンピテンスからなるとしている。クライエントのニーズを満たすために知識やスキルを用いる能力を手順コンピテンスと定義し，図の左半分は「目に見える部分」としている。一方，知識やスキルを「どのように」発揮しようとするのかに意識を向けようとする力（図の右半分）をメタコンピテンスと定義している。ここは「目に見えない部分」とされている。

統合モデルで重要なのは，Bogo が指摘する，「スキル」「知識」「自己調整」「判断」「専門的な文脈」「組織や地域社会の文脈」は相互に作用しながら，複雑な実践に取り組む行動を生み出しているという点である。ここでの自己調整とは，「実践者が自分の感情や情緒的な反応や状態について自己認識し，これらの内的感情に同調し，自己調整のための方略を用いて，これらの問題が自分の専門的な仕事にどのような影響を及ぼしているのかを認識できるようにする能力」[13]と定義され，「自己調整」と「判断」は相互に影響を与え合うと指摘する。

ESW は，ESW 特有の事例に取り組む際，どのように自己調整し，専門職としての判断を生み出しているの

か。最終決断に至る途中には，6つの要素がいかに相互作用しているのか。そのプロセスを言語化して明らかにし，蓄積していくことで，ESWのプロフェッショナル・コンピテンスが確立することとなる。事例の省察（振り返り）を習慣化し，実践知の蓄積に取り組み，ESWの自律性を構築していきたいと考える。

文献

1) 小嶋章吾：ソーシャルワークの実践モデルとアプローチの種類と方法．相澤譲治監，津田耕一，橋本有理子編，新版ソーシャルワークの理論と方法Ⅰ基礎編，みらい，岐阜，2021，pp35-52.
2) 山口真理：科学性・専門性としての実践過程．太田義弘編著，ソーシャルワーク実践と支援科学；理論・方法・支援ツール・生活支援過程，相川書房，東京，2009，pp61-73.
3) 卯野木健：ICU運営で大切にしていること．ICNR 2：106-109，2015.
4) Regehr C, Enosh G, Bosk E：An ecological model for high-risk professional decision-making in mental health：International perspectives. Int J Environ Res Public Health 18：7671, 2021.
5) 武井麻子：感情と看護；人とのかかわりを職業とすることの意味．医学書院，東京，2001.
6) Sicora A：Blame and emotion in professional judgement. ed by Taylor BJ, Fluke JD, Christopher Graham J, et al, The Sage Handbook of Decision Making, Assessment and Risk in Social Work, Sage, London, 2023, pp23-32.
7) Higgs J, Jones M：Clinical reasoning in the health professions. ed by Higgs J, Jones M, Clinical Reasoning in the Health Professions, 2nd ed, Butterworth-Heinemann, Oxford, 2000, pp3-14.
8) 大西弘高編：The 臨床推論；研修医よ，診断のプロをめざそう！　南山堂，東京，2012.
9) 野口善令編著：今日読んで明日からできる診断推論．日本医事新報社，東京，2015.
10) 高島直美：臨床推論を知るとこんなにイイコトが．ナース専科 35：12-17, 2015.
11) Social Care Institute for Excellence（SCIE）：Risk identification and virtual interventions for social workers. Social Care Institute for Excellence, London, 2020.
12) Harvey D, Weekes AP：Managing risk and decision-making processes. ed by Taylor BJ, Fluke JD, Christopher Graham J, et al, The Sage Handbook of Decision Making, Assessment and Risk in Social Work, Sage, London, 2023, pp536-545.
13) Bogo M, Rawlings M, Katz E, et al：Using Simulation in Assessment and Teaching：OSCE Adapted for Social Work. Council on Social Work Education, Alexandria, 2014.

（野村　裕美）

索　引

記号・数字

＃7119　7
＃8000　7
110番緊急通報登録システム　117

アルファベット

AED　11
ALSコース　17
AUDIT　126
AUDIT-C　126
BLS　11
BLSコース　17
CAGE　126
CAPS　117
CPR　11
CPT　117
CSCATTT　14
DMAT　15
DNAR　32, 33
DNR　33
DPC　28
DV対応チーム　117
DV防止法　118
EMIS　7
EM-PASS　64
IFSW　40
ISLSコース　17
JATECコース　17
PEECコース　17, 21, 52
PPST　17
SBIRTS　126
SOFAスコア　12
TALKの原則　19, 52
Vital Talk　41

あ

アウトライアー　28
アセスメント　60
アドバンスディレクティブ　32
アドボカシー　43
アドボカシー援助活動　43
アルコール依存症スクリーニングテスト　126

い

意識障害　12, 19
意思形成支援　41
意思決定支援　40
意思決定支援を踏まえた後見事務のガイドライン　42
意思実現支援　41
意思表明支援　41
一次救命処置　11
一般精神科病棟　128
違法薬物　52
医療安全対策加算1　46
医療観察法　53
医療ソーシャルワーカー行動基準　40
医療保護入院　99, 132
医療倫理の三原則　34
医療倫理の四原則　33
インターディシプリナリモデル　47
インターベンション　61
インテーク　60
インテーク面接　54
インフォームドコンセント　34

え

鋭的外傷　13
栄養サポートチーム加算　46
エバリュエーション　62
エンゲージメント　60
援助の移管　63
エンパワメント　38
エンパワメントの視点　38
延命治療　32
延命治療不要　33

お

応急入院　132
恩恵原則　34

か

外国人未払医療費補てん事業　110
介護保険法　102
学際的協働モデル　47
覚醒剤　52
家族教育　55
家族支援　55
家族等　99
環境障害　13
患者の権利　39
感染対策向上加算1　46
緩和ケア診療加算　46

き

キーパーソン　70
気管挿管　11
危機介入　26
危機介入スキル　27
帰宅困難者　136
気道確保　11
基本的人権　39
救急安心センター　7
救急医学　2, 10
救急医療　2, 26, 58
救急医療係数　28
救急医療対策事業　5
救急医療体制　2
救急医療の3要素　3
救急科専門医　10
救急患者　2
救急患者受入コーディネータ確保事業　6
救急救命士　3
救急救命士法　3
救急告示制度　3, 5
救急告示病院　5
救急車型ドクターカー　5
救急診療　2
救急蘇生法　11
救急隊員　3
救急認定ソーシャルワーカー　24
救急認定ソーシャルワーカー認定機構　24
救急認定ソーシャルワーカー認定制度　24
急性腎不全　13
急性中毒　13
急性腹症　12
救命救急センター　6
胸骨圧迫　11
強制入院　54
協働　45
共同利用型病院　6
緊急措置入院　132

け

警察官の通報　52, 53
ケースファインディング　58
血管確保　11

索　引

健康保険　110
権利　39
権利擁護　38, 56

こ

広域災害医療情報システム　7
公正原則　34
幸福追求権　39
行旅病人及行旅死亡人取扱法　110
高齢者虐待の防止，高齢者の養護者に対する支援等に関する法律　118
高齢者虐待防止法　118
コーズアドボカシー　39
コールトリアージ　7
呼吸ケアチーム加算　46
国際ソーシャルワーカー連盟　40
子ども虐待対応組織　117
困難事例　45
コンピテンシー　48

さ

再アセスメント　61
災害派遣医療チーム　15

し

ジェネラリスト　49
自己決定　32, 74
事後評価　62
自殺未遂者　52
事前指示　32, 34, 35
児童虐待の防止等に関する法律　118
児童虐待防止組織　117
児童虐待防止法　118
自動体外式除細動器　11
社会権　39
社会資源　27
終結　63
自由権　39
重症度係数　28
障害者虐待の防止，障害者の養護者に対する支援等に関する法律　118
障害者虐待防止法　118
障害福祉サービス等の提供に係る意思決定支援ガイドライン　42
省察　145
小児救急医療電話相談事業　7
小児救命救急センター　6
消防機関　3
乗用車型ドクターカー　5
初期救急医療機関　6
ショック　11

自立生活　42
自律尊重原則　33
ジレンマ　74
侵害回避原則　34
人権　39
人工呼吸　11
人工呼吸法　11
心疾患　12
人生の最終段階における医療・ケアの決定プロセスに関するガイドライン　36, 42, 143
診断群分類　28
心理的虐待　117
心理的ケア　27

す

スーパービジョン　72

せ

生活支援　42
生活の質　74
生活保護法　39, 102
正義原則　34
精神科救急　54
精神科救急病棟　54, 128
精神科急性期治療病棟　54, 128
精神科リエゾンチーム加算　46
精神科療養病棟　128
精神症状　19
精神保健及び精神障害者福祉に関する法律　52
精神保健福祉士の倫理綱領　40
精神保健福祉法　52
生存権　39
生命維持処置　32
生命維持治療　32
生命維持治療不要　33
生命の保護　74
善行原則　34

そ

臓器障害　11
相談支援　42
ソーシャルワーカーの倫理綱領　40
ソーシャルワーク専門職のグローバル定義　40
蘇生不要指示　33
措置入院　132

た

ターミネーション　63
第二次救急医療機関　6
第三次救急医療機関　6
代理意思決定　82
代理判断　35

ち

地域移行機能強化病棟　128
地域医療構想　9
チームSTEPPS　48
チームアプローチ　27, 45
チーム・モデル　47
チームワーク　48
中間評価　61
中毒110番　7

つ

追跡調査　63

て

低体温症　13
手順コンピテンス　146

と

ドクターカー　5
ドクターヘリ　4
ドクターヘリ法　4
トランスディシプリナリ　27
トランスディシプリナリチーム　27
トランスディシプリナリモデル　47
鈍的外傷　13

な

ナルコティクス・アノニマス　52

に

二次救命処置　11
日常生活自立支援事業　102
入院時重症患者対応メディエーター養成講習　22
入退院支援　27
入退院支援加算1　46
任意入院　132
認知症の人の日常生活・社会生活における意思決定支援ガイドライン　42

索 引

ね
熱傷 13
熱中症 13

の
脳梗塞 12
脳卒中 12
脳卒中地域連携クリニカルパス 86

は
ハームリダクション 78
バーンアウト・シンドローム 72
配偶者からの暴力の防止及び被害者の保護等に関する法律 118
配偶者暴力相談支援センター 117
バイタルサイン 11

ひ
人と環境の相互作用 52
病院群輪番制病院 6
病院前救護 3
病院前救護体制 64
病院前診療 3
平等権 39
平等原則 34
非労作性熱中症 139

ふ
フォローアップ 63
プライバシー権 34
プランニング 61
振り返り 145
プロセスコンピテンス 146
プロフェッショナル・コンピテンス 146

ほ
法的支援 42

ま
マルチディシプリナリモデル 27, 47

み
身寄りがない人の入院及び医療に係る意思決定が困難な人への支援に関するガイドライン 42

む
無危害原則 34
無料低額宿泊所 102
無料低額診療事業 110

め
メタコンピテンス 146

メディカルコントロール 8
メディカルコントロール協議会 8
メディカルコントロール体制 8, 14
面前 DV 117

も
燃え尽き症候群 72
モニタリング 61
モラルリスク 45

や
薬物依存症回復支援施設ダルク 52
ヤングケアラー 70

ら
ラピッドレスポンスカー 5

り
リハビリテーションチーム 91
リビングウィル 35
リファーラル 63
倫理綱領 40

ろ
老人性認知症疾患治療病棟 128

| JCOPY | 〈(社)出版者著作権管理機構 委託出版物〉|

本書の無断複写は著作権法上での例外を除き禁じられています．
複写される場合は，そのつど事前に，下記の許諾を得てください．
(社)出版者著作権管理機構
TEL. 03-5244-5088　FAX. 03-5244-5089　e-mail：info@jcopy.or.jp

改訂第2版　救急認定ソーシャルワーカー標準テキスト
―救急患者支援―

定価（本体価格 3,600 円＋税）

2017 年 9 月 11 日	第 1 版第 1 刷発行
2020 年 2 月 14 日	第 1 版第 2 刷発行
2024 年 6 月 1 日	第 2 版第 1 刷発行

監　修	救急認定ソーシャルワーカー認定機構
編　集	救急認定ソーシャルワーカー認定機構　研修・テキスト作成委員会
発行者	長谷川　潤
発行所	株式会社　へるす出版
	〒164-0001　東京都中野区中野 2-2-3
	電話　(03) 3384-8035 (販売)　　(03) 3384-8155 (編集)
	振替　00180-7-175971
	http://www.herusu-shuppan.co.jp
印刷所	三報社印刷株式会社

Ⓒ 2024 Printed in Japan　　　　　　　　　　　　　　　〈検印省略〉
落丁本，乱丁本はお取り替えいたします．
ISBN 978-4-86719-090-6